金陵全書

甲編・方志類・府志

光緒續纂江寧府志（一）

（清）蔣啓勛　趙佑宸　修
（清）汪士鐸等　纂

南京出版社

圖書在版編目（CIP）數據

光緒續纂江寧府志 /（清）趙佑宸，（清）蔣啓勛修；（清）汪士鐸等纂. —— 南京：南京出版社，2011.6

（金陵全書）

ISBN 978-7-80718-638-0

Ⅰ. ①光… Ⅱ. ①趙… ②蔣… ③汪… Ⅲ. ①南京市—地方志—清代 Ⅳ. ①K295.31

中國版本圖書館CIP數據核字（2011）第067685號

書　　名　**【金陵全書】**（甲編・方志類・府志）
光緒續纂江寧府志

編 著 者　（清）蔣啓勛　趙佑宸　修　汪士鐸等　纂

出版發行　南京出版社

社址：南京市成賢街43號3號樓　　郵編：210018

網址：http://www.njcbs.com

聯系電話：025-83283871（營銷）　025-83283883（編務）

電子信箱：njcbs1988@163.com

責任編輯　張龍　潘珂

裝幀設計　楊曉崗

製　　版　南京新華豐製版有限公司

印　　刷　南京凱德印刷有限公司

經　　銷　全國新華書店

開　　本　889×1194毫米　1/16

印　　張　150.25

版　　次　2011年6月第1版

印　　次　2011年6月第1次印刷

書　　號　ISBN 978-7-80718-638-0

定　　價　2400.00元（全三冊）

總序

南京，俗稱金陵，中國著名的四大古都之一，是國務院首批公佈的國家歷史文化名城。

南京有着六十萬年的人類活動史，近二千五百年的建城史，約一千七百年的建都史，享有『六朝古都』、『十朝都會』的美譽。南京歷史的興衰起伏在某種程度上可以説是中國歷史的一個縮影。在中華民族光輝燦爛的歷史長河中，古聖先賢在南京創造了舉世矚目、富有特色的六朝文化、南唐文化、明文化和民國文化，爲中華民族文化的傳承和發展作出了不朽貢獻。然而，由於時代的遞遷、戰争的破壞以及自然的損毁等原因，歷史上南京的輝煌成就以物質文化形態留存下來的相對較少，見諸文獻典籍的則相對較多。南京文獻内涵廣博，卷帙浩繁，版本複雜。截至一九四九年中華人民共和國成立，南京文獻留存下來的有近萬種，在全國歷史文化名城中名列前茅。以六朝《世説新語》、《文心雕龍》、《昭明文選》，唐朝《建康實録》，宋朝《景定建康志》、《六朝事迹編類》，元朝《至正金陵新志》，明朝《洪武京城圖志》、《金陵古今圖考》、《客座贅語》，清朝《康熙江寧府志》、《白下瑣言》，民國《首都計劃》、《首都志》、《金陵古蹟圖考》等爲代表的南京地方文獻，不僅是南京文化的集中體現，也是中華民族優秀傳統文化的重要組成部分。這些南京文獻，積淀貯存了歷代南京人民的經驗和智慧，翔實地反映了南京地區的社會變遷，是研究南京乃至全國政治、經濟、軍事、文化、外交和民風民俗的重要資料。

歷史上的南京文化輝煌燦爛，各類圖書典籍琳琅滿目。迄今爲止，南京文獻曾經有過三次不同程度的整理。

第一次是距今六百多年前的明朝永樂年間，明朝中央政府在南京組織整理出版了《永樂大典》。《永樂大典》正文二萬二千八百七十七卷，凡例和目録六十卷，分裝成一萬一千零九十五册，總字數約三億七千萬字。書中保存了中國上自先秦、下迄明初的各種典籍資料達七八千種，是中國古代最大的類書。

第二次是民國年間，南京通志館編印了一套《南京文獻》。《南京文獻》每月一期，從一九四七年元月至一九四九年二月共刊行了二十六期，收入南京地方文獻六十七種，包括元明清到民國各個時期的著作，其中收録的部分民國文獻今天已經成爲絶版。

第三次是二〇〇六年以來，南京出版社選取部分南京珍貴文獻，整理出版了一套《南京稀見文獻叢刊》點校本，到目前爲止，已經出版了二十四册五十種，時代上起六朝，下迄民國，在學術普及方面作出了一定的貢獻。

新中國成立六十年來，尤其是改革開放三十年來，南京的政治、經濟、文化建設飛速發展，但南京文獻的全面系統整理出版工作一直没有得到應有的重視，這與南京這座國家歷史文化名城的地位頗不相稱。據調查，目前有關南京的各類文獻主要保存在南京圖書館、南京市檔案館，以及全國各地的高等院校、科研院所、圖書館、檔案館、博物館，少數流散於民間和國外。一方面，廣大讀者要查閲這些收藏在全國各地的南京文獻殊爲不便；另一方面，許多珍貴的南京文獻隨着歲月的流逝而瀕臨損毀和失傳。南京文獻的存史、資治、教化、育人功能没有得到應有的發揮。

盛世修史（志）。在中華民族和平崛起和大力弘揚民族傳統文化、全力發展民族文化事業的大背景下，在建設『文化南京』的發展思路下，中共南京市委、南京市人民政府於二〇〇九年十二月作出决定，將南京有史以來的地方文獻進行全面系統的匯集、整理和影印出版，輯爲《金陵全書》（以下簡稱《全書》），以更好地搶救和保護鄉邦文獻，傳承民族文化，推動學術研究，促進南京文化建設；同時，也更爲有効地增加南京文獻存世途徑，提昇南京文獻地位，凸顯南京文獻價值。

爲編纂出能够代表當代最高學術水平和科技成就，又經得起時間檢驗的《全書》，我們將編纂工作分成三個階段進行。第一個階段爲調研階段，主要對南京現存文獻的種類、數量、保存現狀以及收藏地點等進行深入細緻的調研，召集專家學者多次進行學術論證和可操作性論證，撰寫出可行性調查報告，爲科學決策提供依據，此項工作主要由中共南京市委宣傳部和南京出版社組織完成。第二個階段爲啓動階段，以二〇〇九年十二月二十四日召開的『《金陵全書》編纂啓動工作會』爲標志，市委主要領導親自到會動員講話，市委宣傳部對《全書》的編纂出版工作作了明確部署。在廣泛徵求專家學者意見的基礎上，確定了《全書》的總體框架設計，確定了將《全書》列爲市委宣傳部每年要實施的重大文化工程，確定了主要參編責任單位和責任人，并分解了任務。第三個階段爲編纂出版階段，主要在全國範圍内進行資料的徵集、遴選和圖書的版式設計、複製、排版及印製工作。

爲了確保《全書》編纂出版工作的順利進行，中共南京市委、南京市人民政府成立了專門的編纂出版組織機構。其中編輯工作領導小組，由中共南京市委、市政府領導以及相關成員單位主要負責人組成；《全書》的編纂出版工作由市委宣傳部總牽頭；學術指導委員會，由蔣贊初、茅家琦、梁白泉等一批全國著名的專家學者組成，負責《全書》的學術審核和把關。

《全書》分爲方志、史料和檔案三大類。自二〇一〇年起，計劃每年出版十册以上。鑒於《全書》的整理出版工作難度較大，周期較長，在具體操作中，我們採取了分工協作的方式。市委宣傳部和南京出版社負責《全書》的總體策劃，其中方志部分，主要由南京市地方志編纂委員會辦公室承擔；史料部分，主要由南京圖書館承擔；檔案部分，主要由南京市檔案局（館）承擔。《全書》的編輯出版，得到了江蘇省文化廳、江蘇省新聞出版局、江蘇省檔案局（館）、南京大學、南京圖書館、南京市文廣新局、南京市社科聯（社科院）、南京市文聯、南京市博物館、金陵圖書館以及各區、縣委宣傳部和地方志辦公室等單位及社會各界的熱情鼓勵和大力支持，尤其是得到了中國國家圖書館和全國各地（包括港臺地區）高等院校、科研院所、圖書館、檔案館、博物館等藏書單位的鼎力相助，在此表示深深的謝意！

我們相信，在中共南京市委、南京市人民政府的長期不懈支持下，在各部門、各單位的積極配合和衆多專家學者的共同努力下，這項功在當代、利在千秋的傳世工程一定能够圓滿完成。

《金陵全書》編輯出版委員會

二〇一〇年七月

凡例

一、《金陵全書》（以下簡稱《全書》）收録的南京文獻，依内容分爲方志、史料和檔案三大類。

二、《全書》按上述三大類分爲甲、乙、丙三編，以不同的封面顏色加以區分；每編酌分細類，原則上以成書時代爲序分爲若幹册，依次編列序號。

三、《全書》收録南京文獻的範圍，以二〇一〇年南京市所轄十一區（玄武、白下、秦淮、建鄴、鼓樓、下關、浦口、六合、棲霞、雨花臺、江寧）二縣（溧水、高淳）爲限。

四、《全書》收録的南京文獻，其成書年代的下限爲一九四九年。

五、《全書》收録方志和史料，盡量選用善本爲底本。《全書》收録的檔案以學術價值和實用價值較高爲原則，一般選用延續時間較長、相對比較完整的檔案全宗。

六、《全書》收録的南京文獻底本如有殘闕、漫漶不清等情況，必要時予以配補、抽换或修描，以保證全書完整清晰；稿本、鈔本、批校本的修改、批注文字等均保留原貌。

七、《全書》收録的南京文獻，每種均撰寫提要，置於該文獻前，以便讀者了解其作者生平、主要内容、學術文化價值、編纂過程、版本源流、底本採用等情况。

八、《全書》所收文獻篇幅較大時，分爲序號相連的若幹册；篇幅較小的文獻，則將數種合編爲一册。

九、《全書》統一版式設計，大部分文獻原大影印；對於少數原版面過大或過小的文獻，適當進行縮小或放大處理，并加以説明。

十、《全書》各册除保留文獻原有頁碼外，均新編頁碼，每册頁碼自爲起訖。

提要

《光緒續纂江寧府志》十五卷，清蔣啓勛、趙佑宸主修，汪士鐸總纂。

《光緒續纂江寧府志》是清代南京府志的壓軸之作，該志續嘉慶年間呂燕昭、姚鼐所修江寧府志，記事最遲至光緒七年（一八八一年）。全書分圖説、田賦、軍制、祠祀、學校、實政、建置、名蹟、藝文、大事表、秩官表、守令表、科貢表、兵事表、人物、拾補共十六卷；其中篇幅最多的人物部分，則又細分爲駐防、名宦、先正、孝友、仕績、儒行、文苑、義行、寓賢、忠義、列女共十一類。書前依次有劉坤一、吴元炳、梁肇煌、趙佑宸四人的序言，書末附有該書的勘誤。

清光緒六年（一八八〇年），劉坤一來到江寧（今南京），再度擔任兩江總督。他有感於自嘉慶十六年（一八一一年）呂燕昭、姚鼐修纂江寧府志後，七十餘年來，未經續修；其間又經清軍與太平天國之間的戰亂，江寧府城及所屬七縣破壞嚴重，『典章文物蕩焉，無有存者』，遂命時任江寧知府蔣啓勛主修江寧府志。蔣啓勛，湖北天門人，咸豐十年（一八六〇年）進士，其家族在清乾隆至光緒年間，連續出了五位進士，有兩位還榮登鼎甲，故居所在地至今名爲狀元灣村。蔣啓勛重視鄉邦文獻，所撰《江寧金石志》傳世至今。其接手續修江寧府志後，緊鑼密鼓地開展了各項工作，事例麤具，即調任湖南衡永郴桂兵備道，由繼任江寧知府趙佑宸接手主修。趙佑宸，浙江寧波鄞縣人，咸豐六年（一八五六年）進士。在擔任江寧知府之前，曾任翰林院編修、武英殿協修、國史館總纂、鎮江府知府等職。他在本書的序言中説：『佑宸自潤州移守此郡，凡輿地之廣袤，田賦之輕重，學校之盛衰，風俗之奢儉，與夫忠義、孝烈之祠祀，搢紳、遺逸之言行，讀斯志而瞭然如視。』故《續修四庫全書提要》有云：『前守蔣啓勛始其議而趙成之。』

續纂江寧府志的總纂官爲汪士鐸。汪士鐸（一八〇二年—一八九九年），江蘇江寧人，清末著名的學者、歷史地理學家、人口學家。他出身於破落的封建地主家庭，初名鰲，字振庵，一字晉侯，號梅村，晚號悔翁；道光二十年（一八四〇年）中舉，一生未擔任過正式的官職，以游幕和接徒爲業，曾得到曾國藩、閻敬銘、劉坤一等當局者的敬重。他的主要著作有《汪梅村先生集》、《悔翁筆記》、《南北史補志》、《水經注圖》等。咸豐九年（一八五九年）應聘胡林翼幕僚，代胡編輯《讀史兵略》、《大清中外一統輿地全圖》等；同治年間，偕秦際唐、陳作霖、甘元焕、劉壽曾等地方名宿纂成《同治上江兩縣志》。

《光緒續纂江寧府志》有如下幾個特點：一是修纂人員陣容强大。除蔣、趙兩位知府先後主修外，議修、參閱、鑒定人員皆有名有實；總纂汪士鐸及所任用的十二位分纂人員，大多參加過《同治上江兩縣志》的分纂，皆爲才識過人的鄉邦宿儒；繪圖、采訪、采送等工作人員幾乎均爲江寧府所屬七縣的專門人才。所以，續修江寧府志能够『窮數月力而告蕆』，是有其堅實基礎的。二是名爲續纂，但不苟同前志。該志所以稱『續纂』，指續嘉慶年間吕燕昭所修府志，但該志并不苟同吕志。例如吕志有天章、山川、沿革、分野、風俗、物産等卷次，因無可續而去之；而吕志中單獨成卷的『驛遞』，續志則改附『輿圖』文後；爲了記載清政權與太平天國在江寧府的戰事，則增加了『兵事表』一卷；篇幅較多的『人物』，其收取條目也有少許的變化，除去了隱逸、方技、仙釋，而以拾遺彌其闕。可見該志的修纂者是有自己的眼光的。三是保存了許多珍貴的太平天國史料。地方志書堪稱一地的百科全書，而該志中卷十三『咸豐三年以來兵事月日表』猶爲突出，爲稀見的官方文字記録太平天國事迹者，爲我們研究中國歷史及太平天國史，提供了難得的第一手資料。《續修四庫全書提要》稱：『乃承惜抱之後，然不爲苟同，其取捨皆有意義，老成典型，其在茲乎！』

《光緒續纂江寧府志》存世的兩種版本均爲光緒六年（一八八〇年）刊本，所不同之處，一爲光緒七年初印本，一爲光緒十年（一八八四年）重印本。一般來説，由於版本保管的不善及多次印刷的損傷，重印本的質量及清晰度較初印本爲差，但本書的初印本與重印本相隔時間不長，所以印刷質量并無明顯的差异。筆者經過查閲比對，發現兩種版本在内容上并無增删，衹是重印本少數頁面稍有漫漶，所幸字迹可辨，并不影響閲讀；初印本與重印本的牌記相同，均注有『光緒六年冬刊』字樣，而重印本

有改正者附記於此』字樣。考慮到底本的完整性以及書品的優劣程度，《金陵全書》採用南京圖書館藏光緒十年重印本原大影印，以有利於讀者的使用和閲讀。對於十年本中部分闕漏内容，據南京圖書館藏光緒七年初印本校補。

王明發

續纂江寧府志

光緒六年

冬刊

續纂江甯府志序

昔周官誦訓之掌爲方志權輿秦漢以來率重圖籍唐六典職方掌天下地圖命郡府三年一造輿版籍偕上省後世沿之蓋井邑有變更編戶有息耗甲令化條有興革非因時紀述無以省方占數而課殿最是固守土者責也江甯自孫吳以迄有明曩爲都會不獨名勝甲於他郡而人才之盛物產之豐以及政教運會之相爲隆替前人載記特詳

國朝康熙初郡守陳公開虞沿宋元明舊志參以雜識圖攷彙而成編猶爲未盡美善也嘉慶中桐城姚郎中鼐重以呂燕昭太守之請搜遺補闕刊譌糾謬會萃條貫卓然爲一家言於今又七十有一年矣其閒事蹟蔑有箸錄況中經粵匪盤踞歲除一紀七縣糜爛臮我師恢復而瘡痍滿目瓦礫載途典章文物蕩焉無有存

者余昔權篆金陵顧此殘缺盡然傷之去春重奉
天子命作督於茲屬江甯太守天門蔣君啟勛與郡人汪孝廉士鐸醵金續纂府志事例纚具將以右遷去嗣者爲鄞縣趙君佑宸復集邦彥討論商榷周諏博訪探摭抉剔於兵燹煨燼之餘窮數月力而告蕆都二十八卷區分絡引體嚴法備辭簡義該志者史之一端非擅三長曷以臻此蓋趙君舊官史宬孝廉此邦耆獻而采訪分校又皆鴻儒碩士集衆長以成一書故能踵武前規而傳信於後非特如褚少孫之補遷書司馬彪之續范志不免後人詆諆也余惟風化之懋繫乎官師後之人守斯土而讀斯志非徒泛覽文藝蒐求故實務須究心於山川形勢風土民情水利農田兵師營衞典禮學校名法征徭與夫循吏名賢之績忠臣孝子之行尤須默思地方之治亂民生之利病政事之得失庶幾興廢舉墜以

復舊觀布澤行仁以培元氣勉爲良二千石不負古之掌志以詔觀事而知地俗之至意則作志者之惰也余既嘉其明述之功重申之以質事求是之效以爲後來者詔焉

欽差大臣頭品頂戴兵部尚書兼都察院右都御史總督江南江西等處地方兼理糧餉操江兩淮鹽務碩勇巴圖魯劉坤一序

續纂江甯府志序

江甯府古禹貢揚州之域自孫吳肇國迄東晉至陳凡爲都會名號不一至南唐改爲江甯府謂之西都其在勝國易曰應天始隸輦下繼作陪京故聲名文物冠裳玉帛之盛甲於東南論者謂虎踞龍蟠有長江天塹之險余竊維東南險要在京口不在金陵然北接淮濟達神京西扼江楚上游而下通東南漕輓數百萬金錢財賦咽喉重地誠天下命脈顧自吳越以來保境息烽民生久不見兵革逮粵逆倡亂驛騷江浙閒而江甯一府盤踞最久

天子南顧疇咨特命重臣持節征討轉戰十餘年窮天下力僅乃克之余奉

恩命三署督篆嘗覽其山川形勢訪諸故老詢於賓寀知兵燹之後戶口陵替閭闠空虛或廣廈連陌鞠爲茂草者所在多有於以

歎瘡痍之難復而涵濡休息之匪易易也方今
聖化所被大宇乂安亟欲整齊掌故爲後持循府志自宋元明以
來皆有之
國朝康熙初年知府陳開虞嘗一修之閱百七十餘年新安呂燕
昭來守江甯始重修呂公編訂於日久放失之後故爲之難茲當
案牘闕如耆舊彫謝補苴掇拾其尤難已爰集七縣長吏而議重
修府志閱歲成書其目十五卷亦如之至政事異宜沿江各口增
築礮台控制聯絡因時立制其勢然也後之覽者深思夫治亂機
緘制制利弊與夫居安思危化俗宜民之道講明而切究之則夫
方志之作不特表章文獻亦以輔政教也豈徒以風流文采飾儒
雅之名云爾哉
兵部侍郎兼都察院右副都御史巡撫江蘇等處地方提督軍務

兼理糧餉加三級吳元炳序

續纂江甯府志序

江甯府爲東南大都會領縣七
國朝有志始康熙六年知府事陳君開虞踵之者嘉慶十七年知府事呂君燕昭陳志沿宋景定元金陵等志之舊謬訛未有訂正呂志賅而覈矣而姚先生鼐猶以爲疏漏未及備冗文未及芟當時江左全盛文獻易徵詳略之閒若留以有待志乘本乎史裁其難如此余備藩之明年前同館史官鄞縣趙君膺劇郡調首符以巨帙至曰此續前志前升守蔣君爲之而某繼之者既卒讀曰呂志閲今七十年矣中遭潢池盜弄據行省爲窟穴蹂躪旁邑經
王師底定人民來集城郭再完而陳迹俯仰版籍蕩盡耆舊彫殘將拾灰燼之餘存什一於千百縉紳之士難言之閒有遺老故吏往往限於覩記之不廣識小遺大知近略遠無能挈宏綱舉細目

則姑俟後之人焉亦有志未逮者所同慨乎夫今昔殊勢則難易異情憶官京兆日今總督直隸節相李公嘗奏脩畿輔通志余亦下所司採訪忠義助揚風化蒐討歷數寒暑甫有成書被兵後網羅遺軼之難也江甯一府咸同已來事會繁夥矣守是邦者殫書期會倍於往時顧從容就理易人之所難以其餘力續爲此志卷分十五何約也成僅期年何速也不曰脩而曰纂又何愼也觀其所取以信今而傳後者準乎史法必關於戎祀教養與夫典章文物之大而皆踵自前脩考諸吏牘綜而有要闕其所疑其免於疏與冗之失乎惜不起姚先生質之

誥授榮祿大夫江甯布政使司布政使番禺梁肇煌序

續纂江甯府志序

佑宸守江甯之明年續纂府志適成受而讀之簡而不遺詳而不縟信乎其善志也　制府新甯劉公　中丞固始吳公　方伯番禺梁公既各爲之序　佑宸亦將序之以附數公之末客過而詰難曰嘻何子之勤也志中例言謂不假序以傳子未之見乎曰見之見則曷爲序曰重守職也漢制太守在郡國皆掌治民進賢勸功決訟檢奸論課殿最竝舉孝廉蓋守職若斯其重也今之守雖不得專選舉而所謂攷察聽斷諸政亦未嘗或異於古　佑宸自潤州移守此郡凡輿地之廣袤田賦之輕重學校之盛衰風俗之奢儉與夫忠義孝烈之祠祀搢紳遺逸之言行讀斯志而瞭然如視諸掌不待咨邦傑詢耆獻而後知利何以興弊何以革也然則　佑宸之獲益於斯志者不其幸與天門蔣公啟勛守郡時實勤斯舉未

幾以遷擢去佑宸繼之公勞其剏而佑宸獲覩其成此尤幸之甚者也今茲從而序之者蓋以斯志大有裨於守土者爲政之道且因今日之成而追念昔者之勞是以不能已於言而非第區區樂附姓名於簡端也若夫纂志者之辭序意以文字之工拙必俟久而論定不欲以一時褒稱之過反損其眞豈謂一郡之志乘無與於郡守之責哉予何固而未達也客然其說而退遂述之以爲志序焉

光緒辛巳六月江甯府知府鄞趙佑宸序

續纂江甯府志卷之首

續纂銜名

鑒定

頭品頂戴兵部尚書兩江總督劉坤一 峴莊湖南新甯縣人

兵部侍郎江蘇巡撫前署兩江總督吳元炳 子健河南固始縣人

江甯布政使司布政使梁肇煌 檀圃廣東番禺縣人

布政使銜江安督糧道張富年 粲堂浙江仁和縣人

二品頂戴江南鹽巡道德壽 靜山漢軍鑲黃旗人

議修

升任太僕寺卿前江甯布政使司布政使孫衣言 琴西浙江瑞安縣人

前代理江甯布政使司布政使現任淮揚海兵備道桂嵩慶 薌亭江西臨川縣人

前署江甯府事現任淮安府知府孫雲錦 海岑安徽桐城縣人

主纂

二品銜升任湖南衡永郴桂道江甯府知府蔣啓勛 鶴莊湖北天門縣人

江甯府知府趙佑宸 粹甫浙江鄞縣人

參閱

兩淮鹽運使司鹽運使洪汝奎 琴西湖北漢陽縣人

江甯府教授趙彥脩 季梅丹徒縣人

按察使銜安徽候補道石楷 東山江甯縣人

知府用候選同知直隸州知州孫文川 澄之上元縣人

候選教諭署東臺縣訓導舉人陳元恆 葆常江甯縣人

總纂

舉人汪士鐸 梅翁江甯縣人

分纂

候選教諭拔貢生朱桂模崇嶧上元縣人
候選知縣副貢生劉壽曾恭甫儀徵縣人原籍溧水
候選訓導附貢生方培容子涵江甯縣人
候選知縣舉人秦際唐伯虞上元縣人
錄用教職前署邳州學正舉人甘元煥劒侯江甯縣人
舉人陳作霖雨生江甯縣人
太常寺博士銜附貢生甘塏子純江甯縣人
錄用教職優貢生鄧嘉緝熙之江甯縣人
廩貢生顧雲子鵬上元縣人
增生羅震亨雨田上元縣人
刑部學習主事廩貢生胡光煜煥文江甯縣人
附生田曾撰巽上元縣人

總采訪

兼校八旗傳湖北襄陽府同知炳元 煦邨江寧駐防

善後局文案委員候選訓導沈師濟 伯彥浙江嘉興縣人

工程局文案委員同知銜安徽候補知縣陳海仁 靜甫江寧縣人

候選訓導歲貢生張鑄 台秋江寧縣人

候選訓導廩貢生陳慶霖 集堂江寧縣人

廩生周嘉樸 栖潭上元縣人

兼分纂附貢生石永熙 竹吾江寧縣人

候選中書科中書廕生高德泰 子安江寧縣人

廩生尚兆山 仰止句容縣人

廩生姚桂馨 一山溧水縣人

候選教諭拔貢生侯宗海 杏樓江浦縣人

試用訓導歲貢生孫崇晉鶴笙六合縣人

就職訓導歲貢生朱麟祉石仙六合縣人

候選直隸州州判拔貢生夏文源淵如高淳縣人

采訪

孝廉方正附貢生陶嗣元晉之江甯縣人

候選直隸州州判恩貢生龔坦謙夫江甯縣人

候選訓導歲貢生端木璧西園江甯縣人

附生朱性堃芙峯江甯縣人

候選通判黃慶承庸之上元縣人

候選訓導舉人姚兆頤友梅江甯縣人

附生陳樾月江江甯縣人

候選通判郭樹勛外山江甯縣人

附生徐　錕益齋上元縣人

附生鄧嘉緝恩亭江甯縣人

收掌兼繪圖

附生吳崧慶申甫上元縣人

校字

附生王啟樾蔭之上元縣人

附生吳華慶二山上元縣人

采送

署上元縣知縣郝炳綸少山直隸三河縣人

江甯縣知縣陸元鼎春江浙江仁和縣人

署句容縣知縣袁　照蔼皆湖北公安縣人

溧水縣知縣傅觀光竹坪江西新建縣人

江浦縣知縣張興詩樹齋浙江歸安縣人

六合縣知縣謝延庚心畬浙江會稽縣人

高淳縣知縣楊福鼎新之雲南麗江縣人

江寧府訓導吳韶生子和吳縣人

上元縣教諭王政敏子雅寶應縣人

上元縣訓導吳振宗蓮生吳縣人

江寧縣教諭季寶仁禮齋江陰縣人

江寧縣訓導戴榮星舟丹徒縣人

句容縣教諭陳鼎晉卓長洲縣人

句容縣訓導秦煥笠亭無錫縣人

溧水縣教諭章驥冀伯泰州人

溧水縣訓導李宗元起之丹徒縣人

江浦縣教諭楊詰彝伯甘泉縣人

江浦縣訓導莊兆侖纂沂丹徒縣人

六合縣教諭徐曾高纂庭上海縣人

六合縣訓導楊介福慶農寶應縣人

高淳縣教諭吳清標霞城吳縣人

高淳縣訓導郭宮桂月栽江陰縣人

續纂目錄

續纂凡例

志以續名囙始吳中丞卓犖特見也近時爲志皆上溯古初不知此爲初創之縣志言之若前有佳構猶事更張昔人譬諸葺宇重軒施牀連榻雖奇詞異義仰逃千秋而殘闕多端未能補綴片言剩義自詡新奇不亦誤乎夫通鑑不上起燧人截元弗轉算開闢今之爲書奉此爲例

龍門史記舛誤實多乃譙周作古史糾之紹統又糾允南展轉相仍互肆攻駁此志人皆經生例不破注況呂志成於姚姬傳先生先生古文大宗主鍾山書院幾二十年自宜以籩豆敬且年已八旬才識逈並世之士故或筆或削微恉罔有異詞今也未能故云纂不云修也

堯典冠於虞書 天章倬彼雲漢有瞻仰無可續也若職方

以繼禹貢雖山川如故而詳畧微分故輿圖一卷即驛遞附之所以續呂志輿圖畺域驛遞也山水沿革分野風俗物產無所續而古迹則事屬稽古者不談記嘉道以來遊人屐齒所及惜外縣未能周知亦宋敏求長安志例也田賦一門　國課民生之所係時事變更賦役全書尚未頒下故只即光緒六年現行爲斷俾不失墜以俟定章軍制大異昔年祠廟删其淫祀學校畧有增加建置多於成憲所以續建置祠廟賦役學校武備也惟實政銘　盛世之深仁兵事紀一周之塗炭此則非出於續爾藝文存今刊之典籍不取未刊之虛名以省繁猥所以續金石藝文也紀年事表續以大事秩官科貢亦緣舊章人物除隱逸方技仙釋外悉續原書至補闕拾遺彙於卷末所以纂放失之舊聞補各篇之失載亦所以續原書藝文下之誼云爾

千里一聖百里一賢才六十年而人才之多如許不亦濫乎然此非爲方志言也或又曰言之不文行之不遠修辭本聖人所許小傳何無文藻也顧郡志體宜謹嚴呂書繁簡既爲前式則善善從長不容苛刻今除忠義一門必憑忠義局入奏成案不敢濫載外其它咸憑采訪或有過而存之者知我罪我一聽世人至勤錄來文未能潤色此則咎不能辭爾

時賢有言必待各縣志告成而後可修府志此言是也然呂志修於嘉慶十五年而上元等六縣志皆成於乾隆十餘年閒江浦且成於雍正初咸六七十年姚先生豈不知有所待哉況兵燹之慘七邑大同案牘燬而耆舊卽世及今訪之僅得什一過此以往文獻將益凋殘老屋大航出之未卜何日請俟後賢補正可也

修書上溯西京旁資典籍近閱鄞志知其徵引至千六百餘種上而四部下至家傳墓碑故能淵懿賅博甲於邑乘今仿馬彪李燾故事則惟須吏牘無取才華況郡人舊俗雖官金紫亦謙冲兢愼垂戒子孫禁作碑銘傳記其餘學子詞人勞薪一世無中郎遂無傳夫有道者采訪之詞質勝於文稍加揄揚即非信史故今於人物不敢虛飾畧文於結繩之初而已

杞宋無徵聖人所歎今搜典籍皆在嘉慶辛未以前同治三年以來吏案已開有散失公子陽生之屬不能責信於衆人以故此志頗多闕佚外縣尤甚亦猶紀子帛莒子之例仍其一有名一無名也程子以爲闕文若求五雀六燕輕重平衡恐未能矣

議修之始肇於權藩司之桂公成於前江甯升府蔣公邦人石東山觀察從而佐之旣而桂公之淮揚蔣公移陰南楚東山觀

察素喜謙讓始事之勤遂無敘述故特識之或謂書雖無箴宜乞弁言不知志絜流水乃見賞於子期侈其舊風始可造夫元旻至於無戚施之美若僊瓊之陳猶思澤粉白之芳華竭芍椒以享割不亦傎乎茲以識多未照才媿通方徒尚陳詩質直之詞遠謝征南義類之博理宜覆瓿示斯民直道之大公稿雖脫編非有識君子之所歎飾櫝售珠可不必已

續纂江甯府志卷之一

上元吳崧慶繪圖并分纂

輿圖

地學有圖元和已然南宋人裝點景物適形鄙陋陳府志所載識者哂之呂志湔剔垢薉其見卓矣顧其所爲圖南上北下旣昧聖人南面而立之誼又甚疏脫不足備觀覽同治中丁雨生中丞日昌乃爲蘇屬圖牛毛繭絲細密無不備李雨亭制軍宗羲仿之爲甯屬圖并以盧綫淸釐州縣界址可不謂之美善兼備乎其冊有說因坿載之以周時用大氐山川軌迹皆自西而東其橫枝或小小不然禹貢兩條四列可證也至其名稱悉隨土俗春秋公羊家所云名隨主人庶幾便於識別與作續輿圖并於首并驛遞坿於後亦禹貢夾右碣石之義也呂志圖已更正之

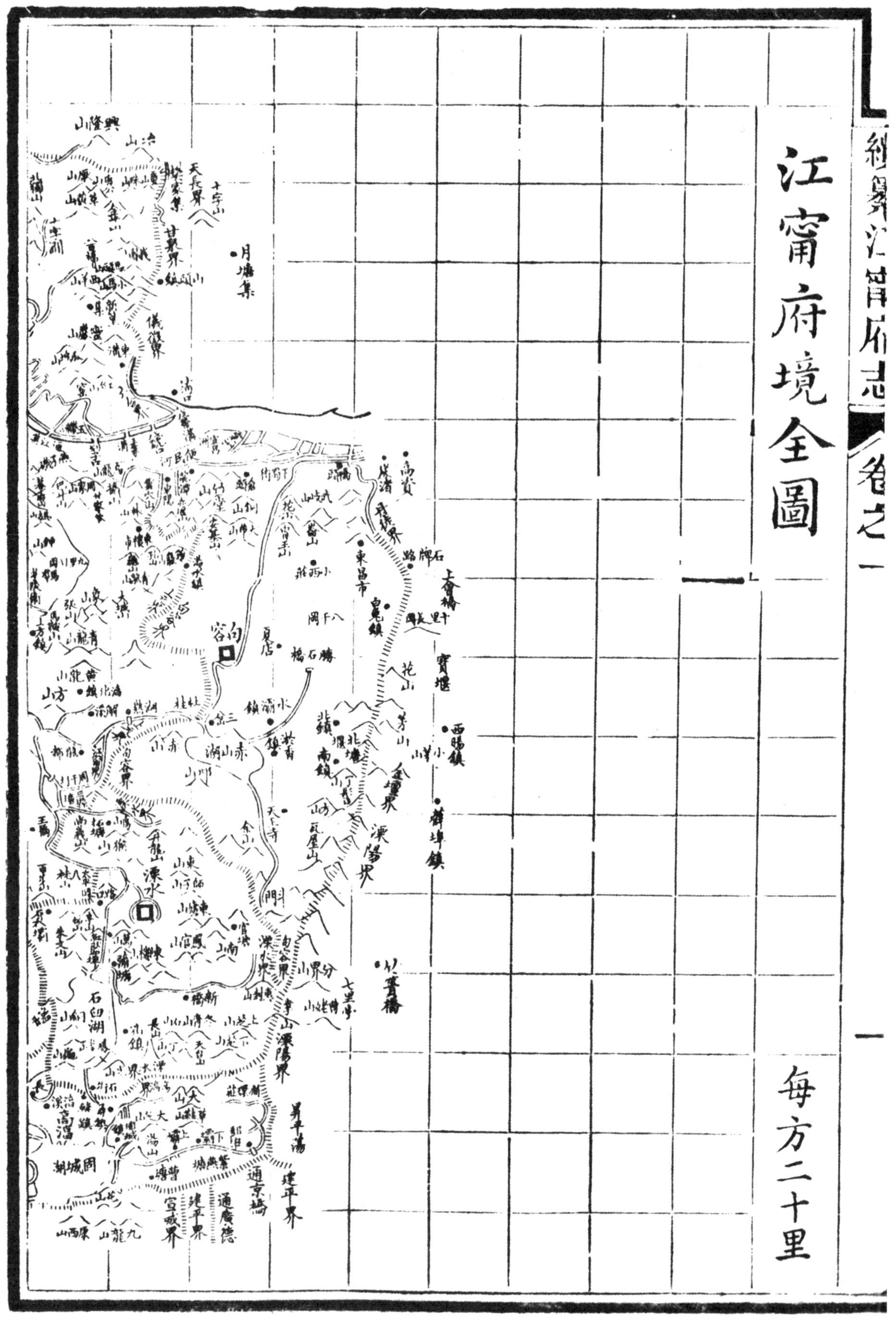

江寧府境全圖

每方二十里

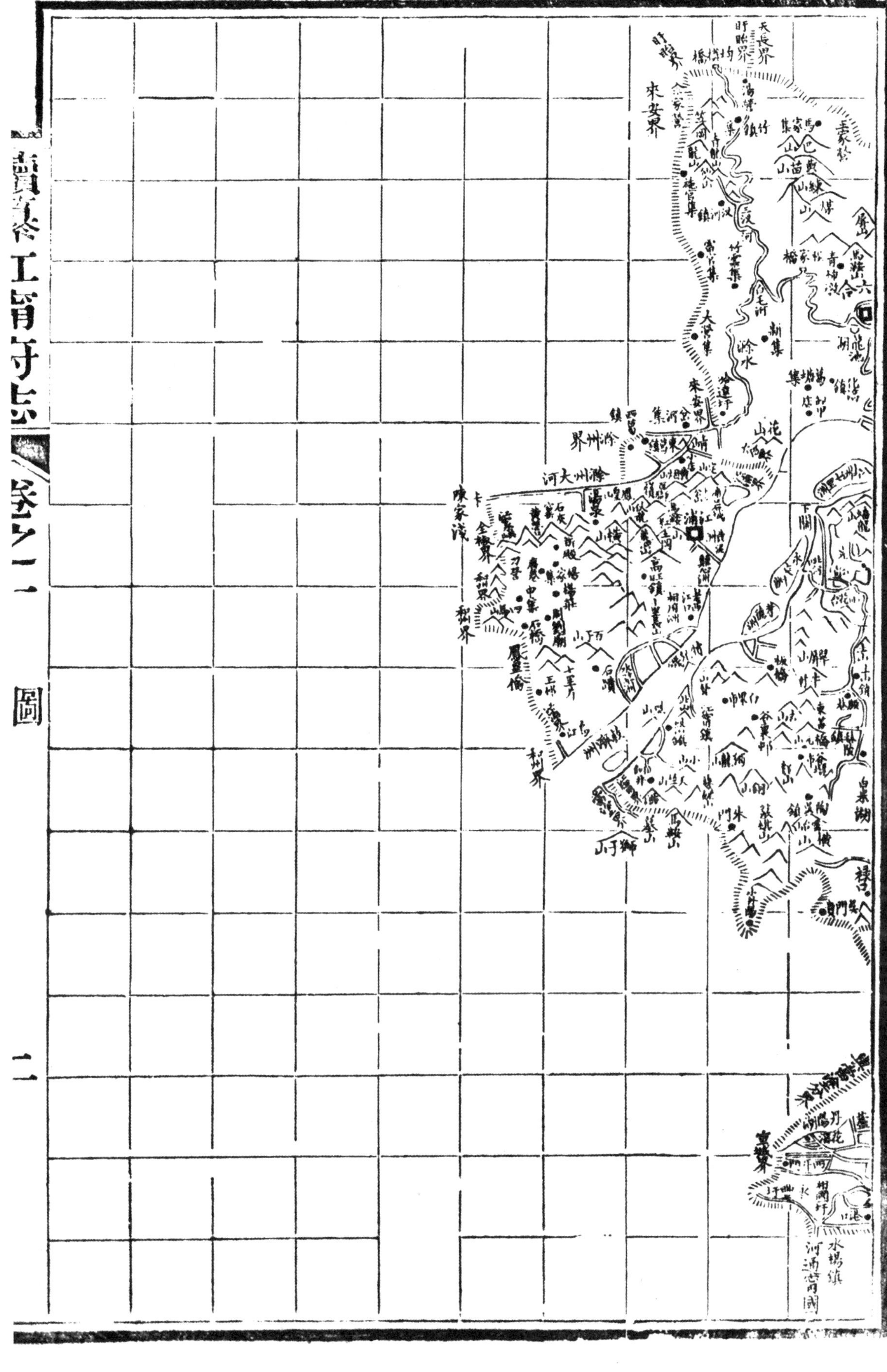
天長界
盱眙界
來安界
滁州界
滁州大河
滁水
江浦
六合
全椒界
和州界
水陽鎮

上元江甯兩縣境圖

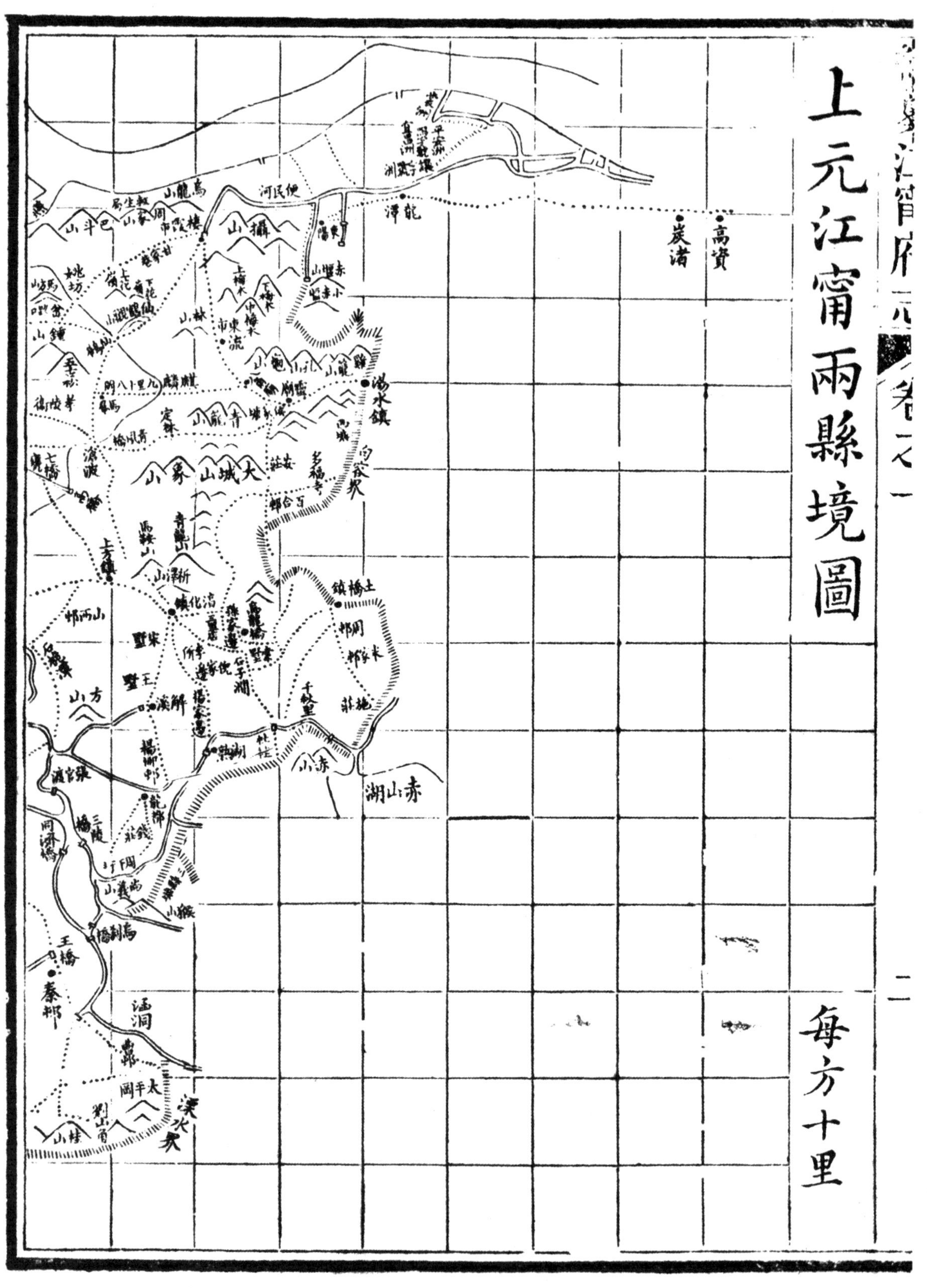

每方十里

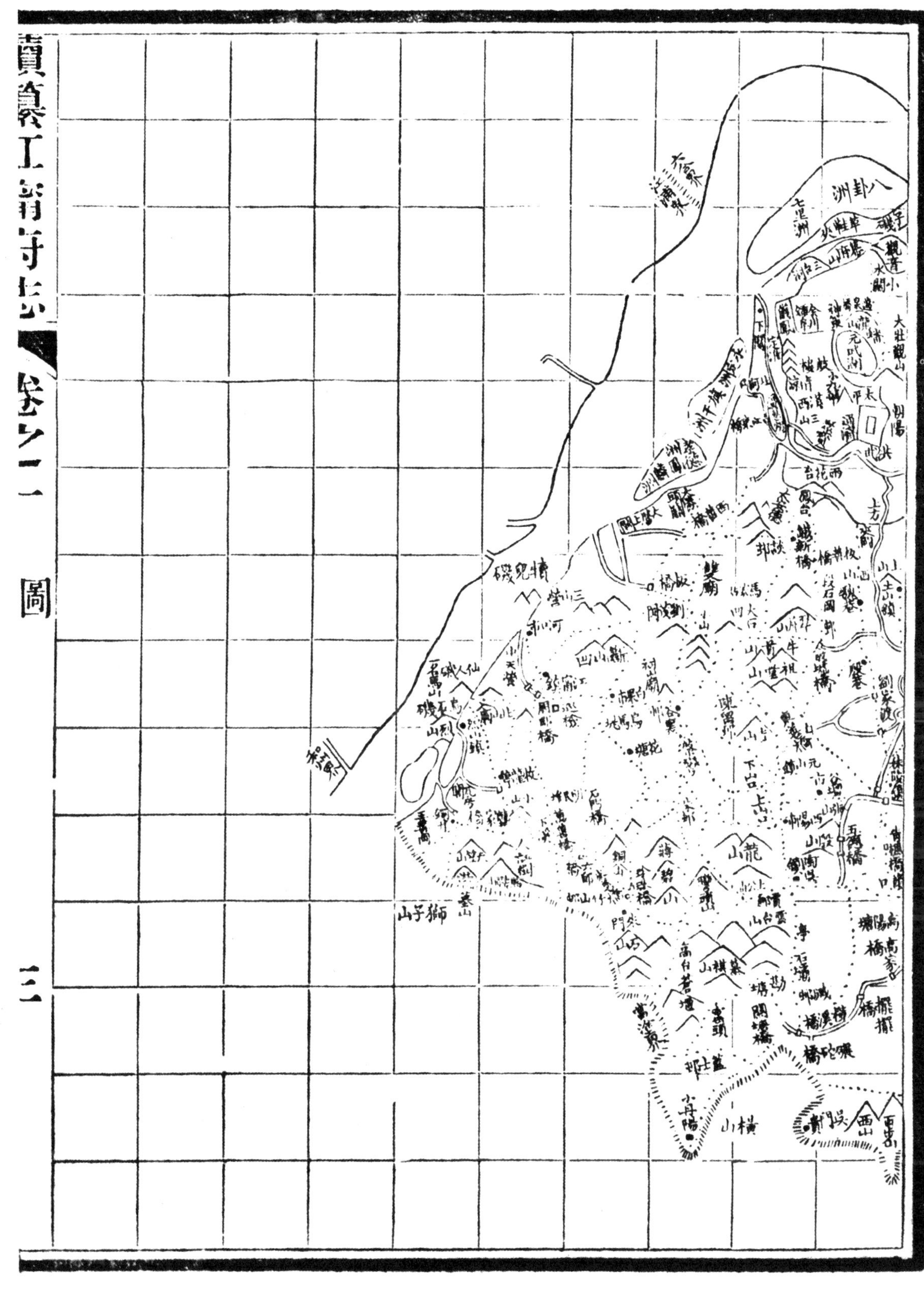
八卦洲
七里洲
草鞋峽
獅子山
龍山
橫山
西山

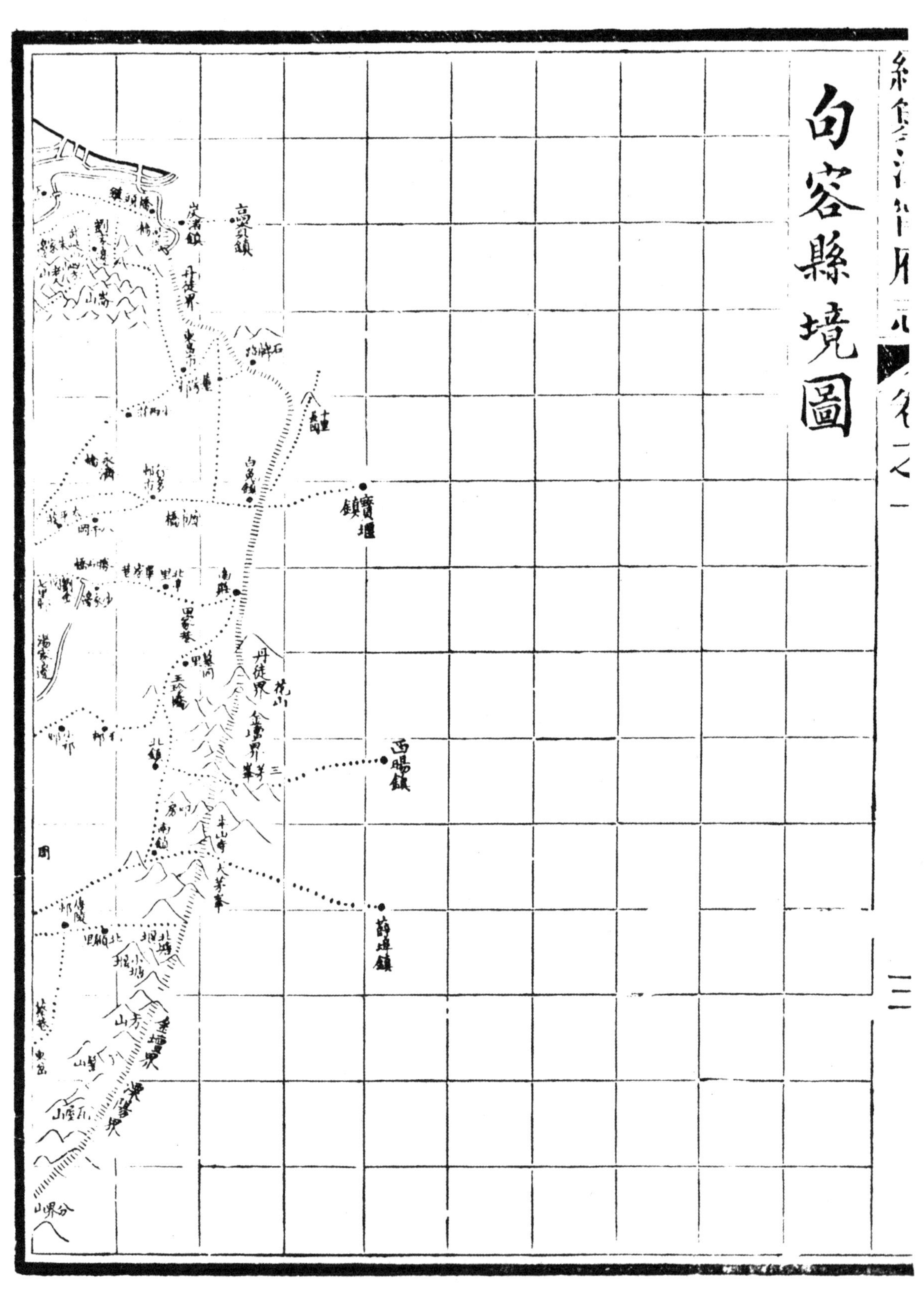

續纂江寧府志　卷一之一
三
句容縣境圖
寶堰鎮
西陽鎮
薛埠鎮
丹徒界
金壇界

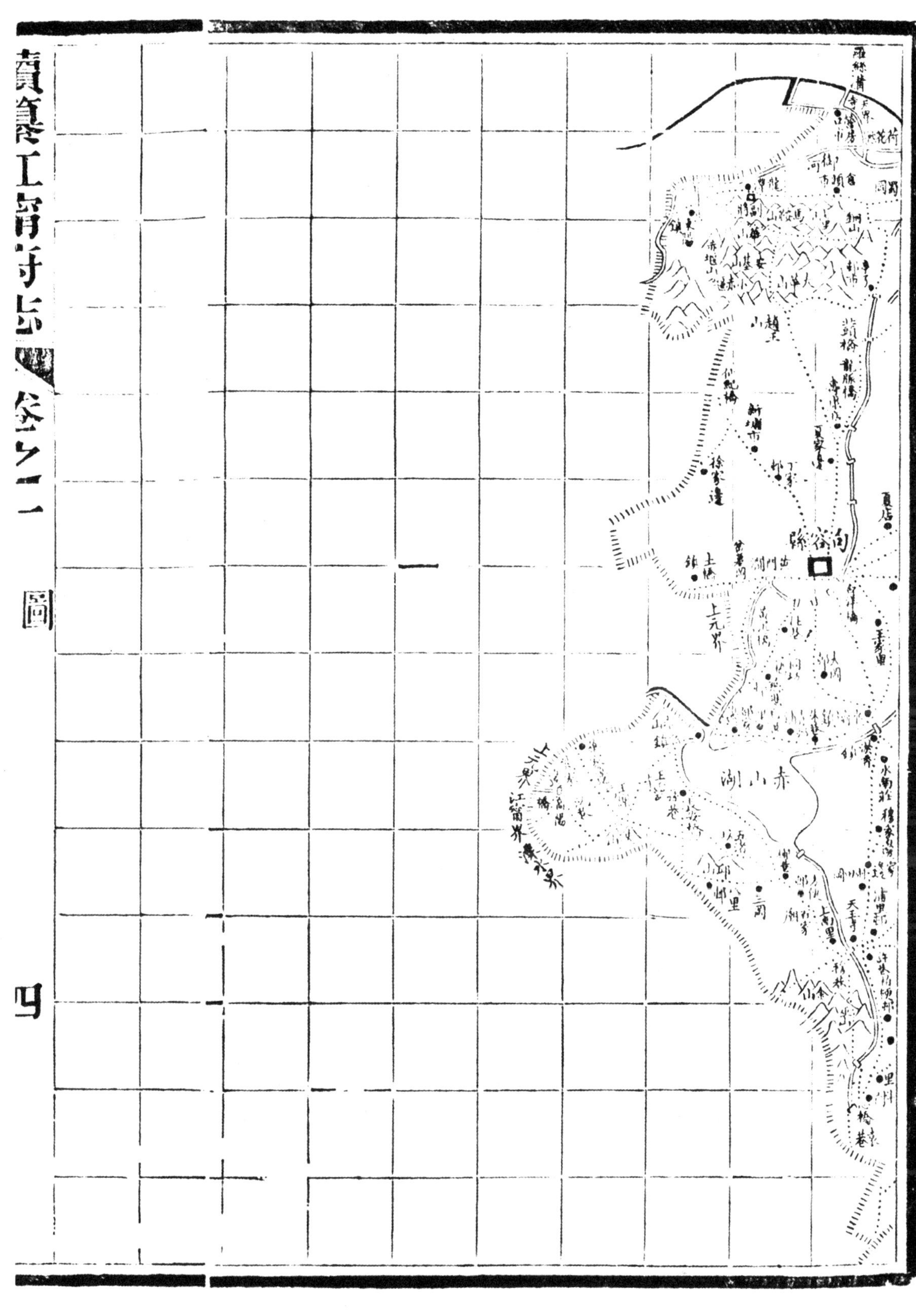
續纂江寧府志
卷之一
圖
四
句容縣
赤山湖
上元界

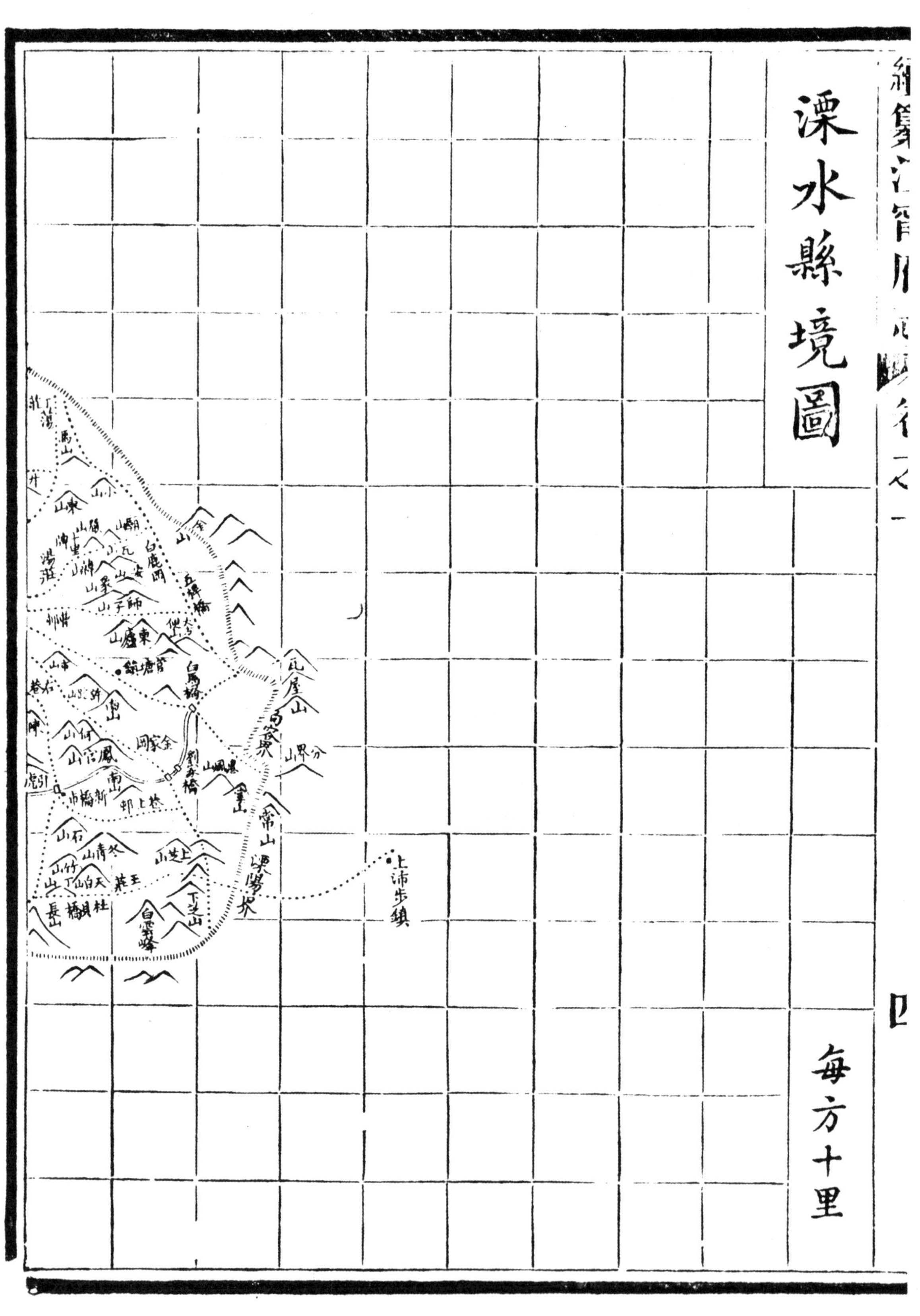
溧水縣境圖
每方十里
上沛步鎮
常山
梁陽坎
分界山
瓦屋山
白馬橋
劉家橋
五撩橋
東廬山
師子山
白鹿岡
白雲峰
下芝山
上芝山
長山
杜母橋
新橋市
南山
鳳凰山
全家圍
崇福山
箭塘寺
東山
金山
馬山

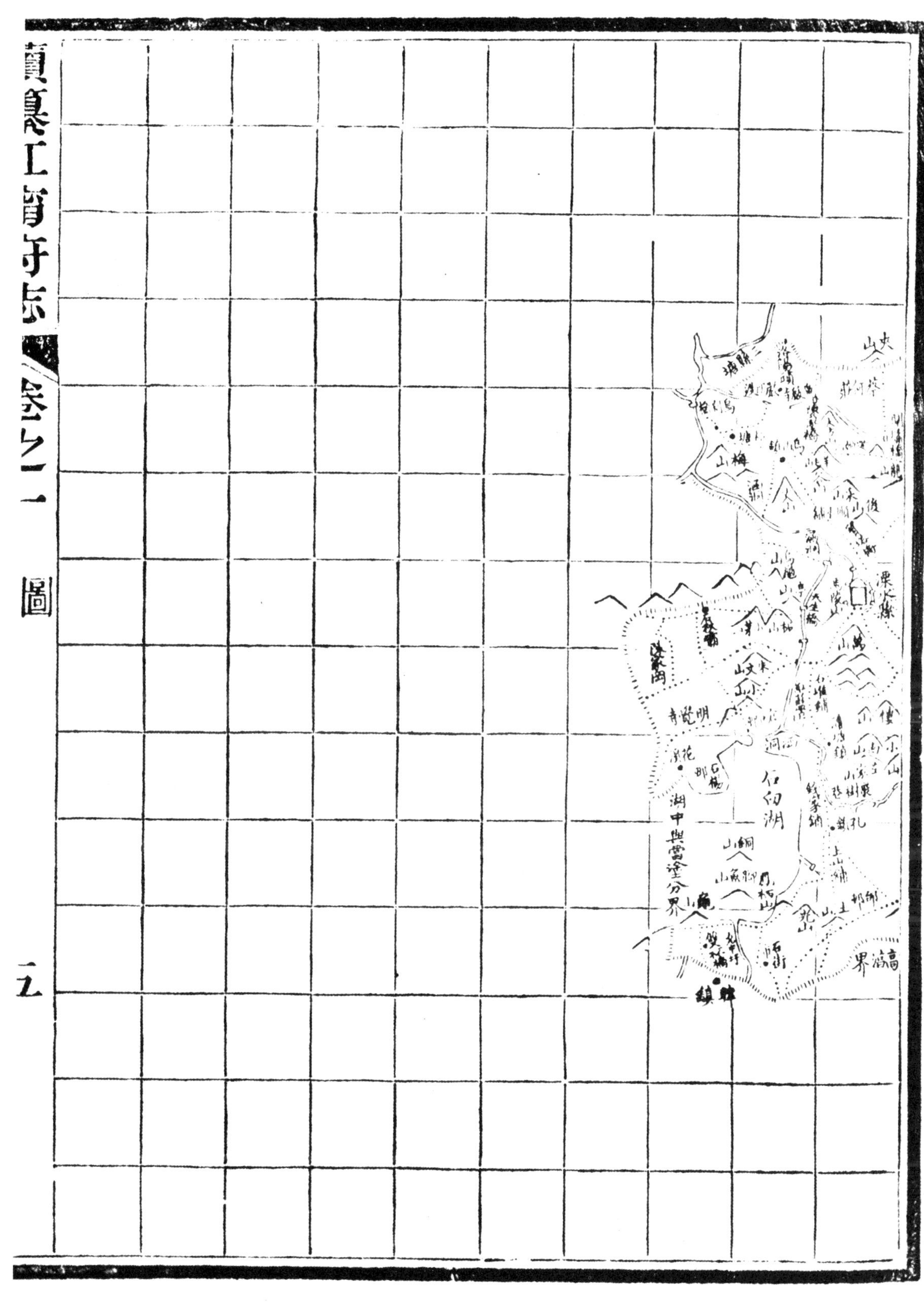
大山
梅山
溧水縣
明覺寺
石臼湖
湖中與當塗分界
銅山
高淳界

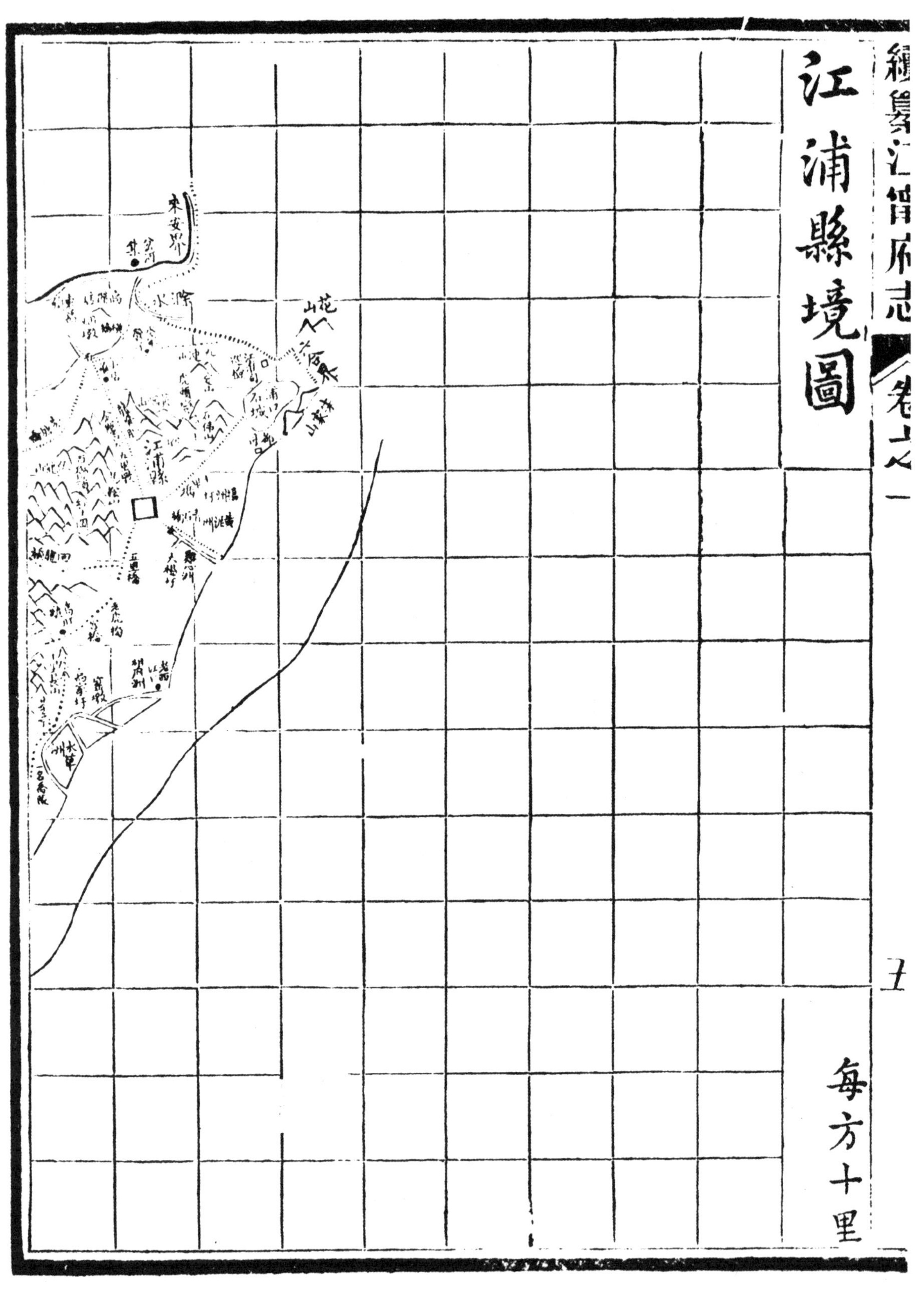
續纂江寧府志　卷一之一
江浦縣境圖
五
每方十里
來安界
江浦縣
花山

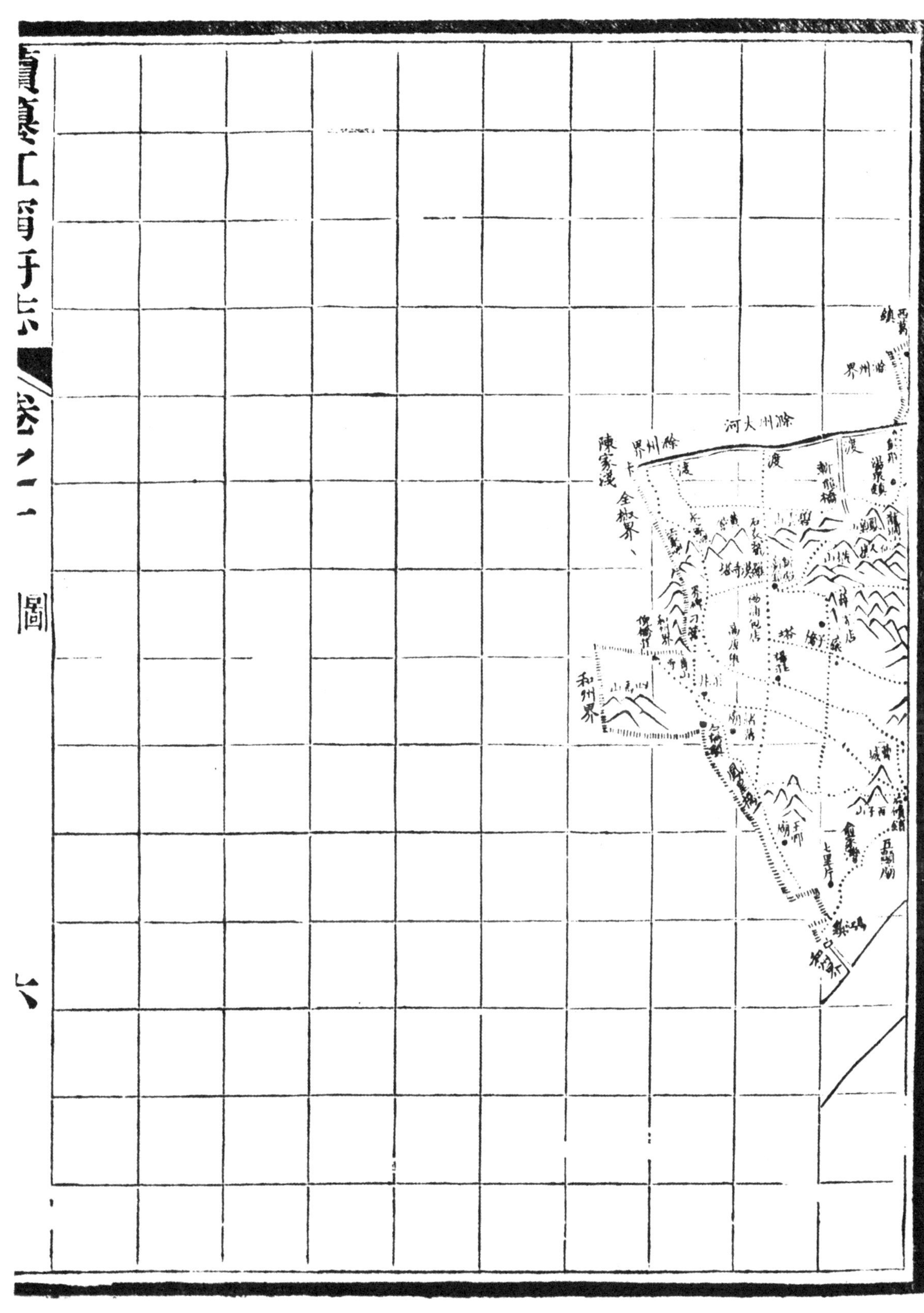
續纂江寧府志
卷之一
圖
六
西葛鎮
滁州界
滁州大河
滁州界
陳家淺
全椒界
和州界
渡
渡
渡
新橋
湯泉鎮
七里
五顯廟

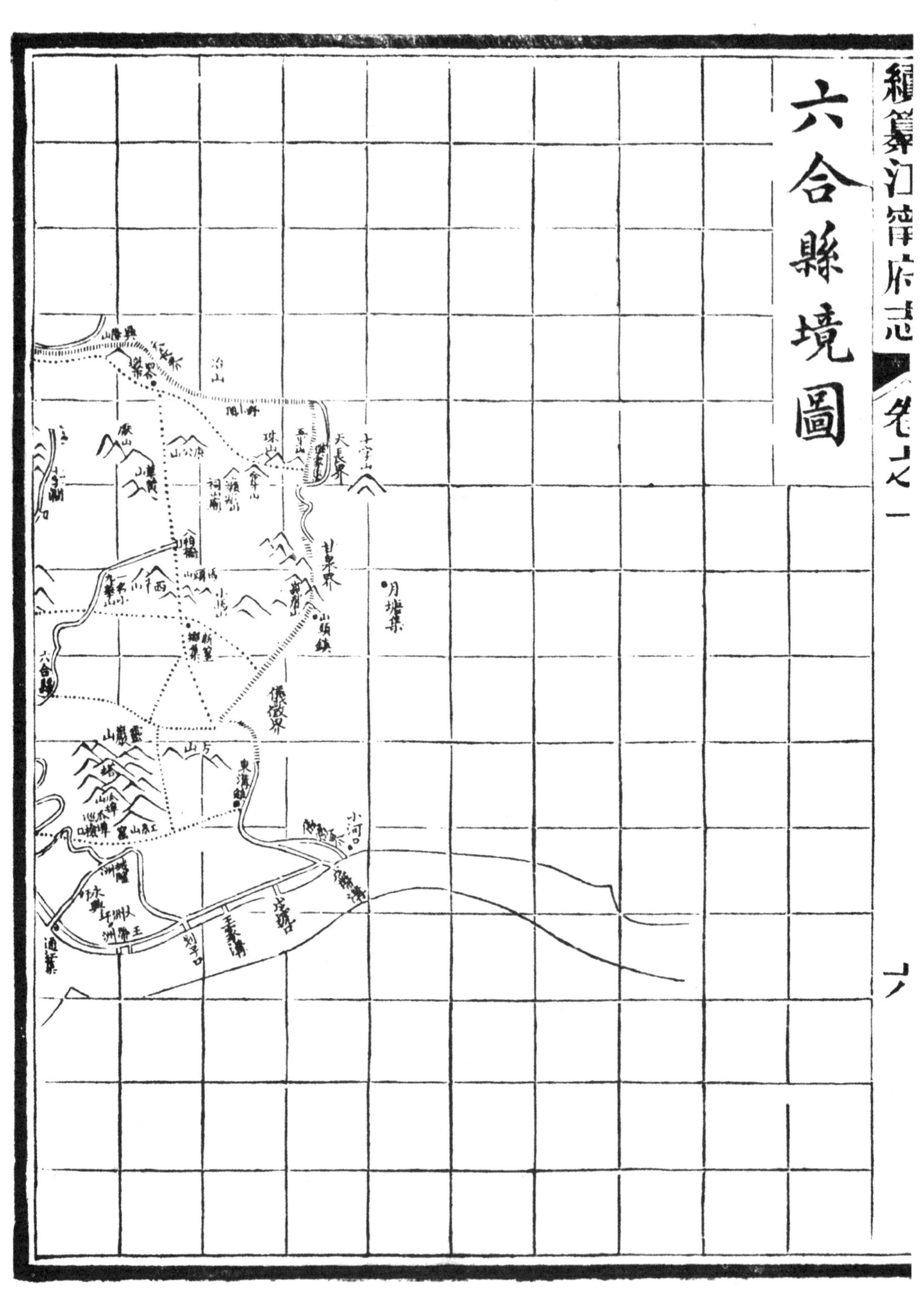
續纂江寧府志
卷之一
六合縣境圖
天長界
甘泉界
儀徵界
月塘集
東溝鎮
小河口
六合縣
瓜埠
靈巖山
方山
新篁鎮集
竹鎮
冶山
珠山
通江集

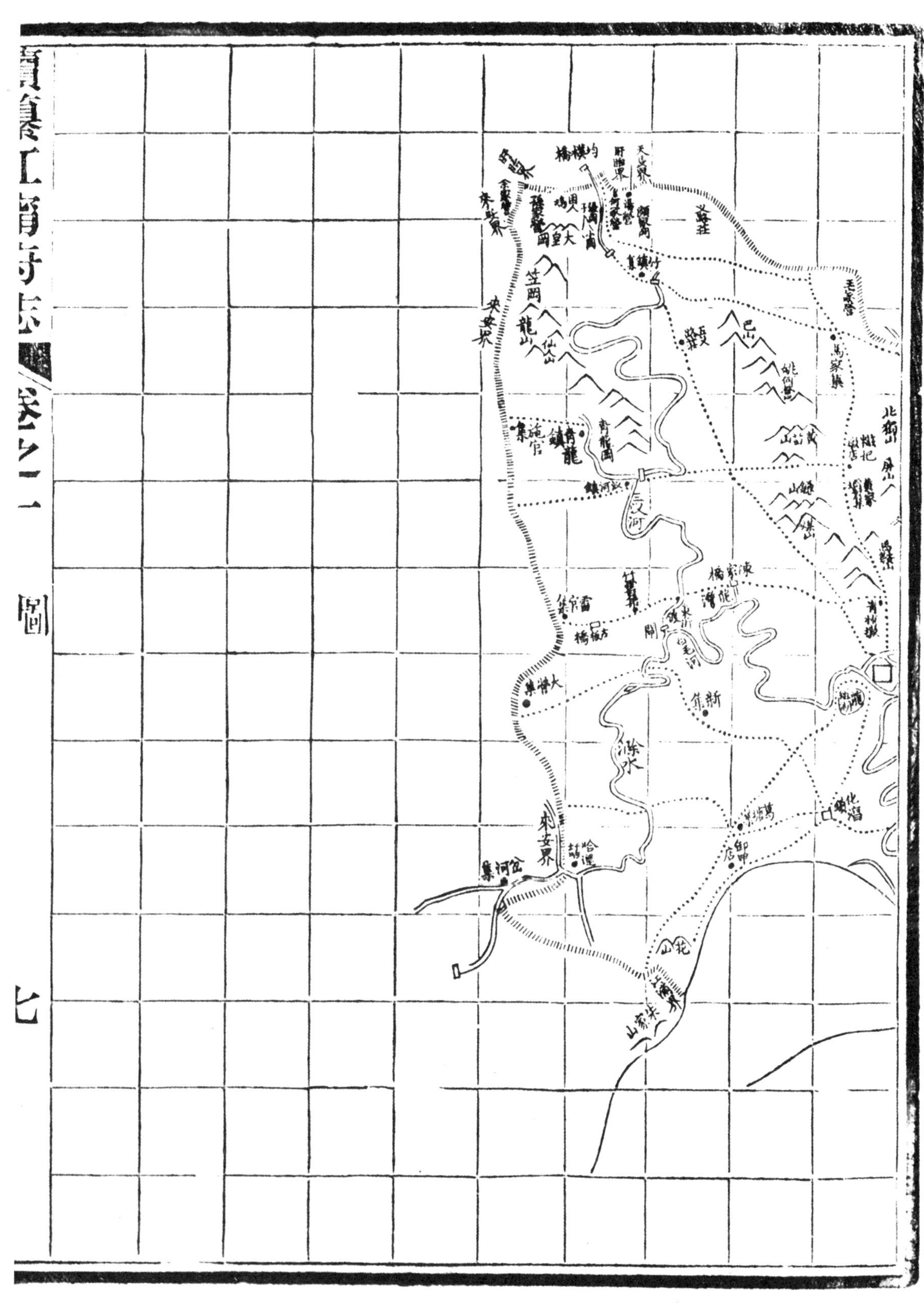

續纂江寧府志 卷之一 圖 七
竹鎮
馬家集
三汊河
滁水
來安界

高淳縣境圖

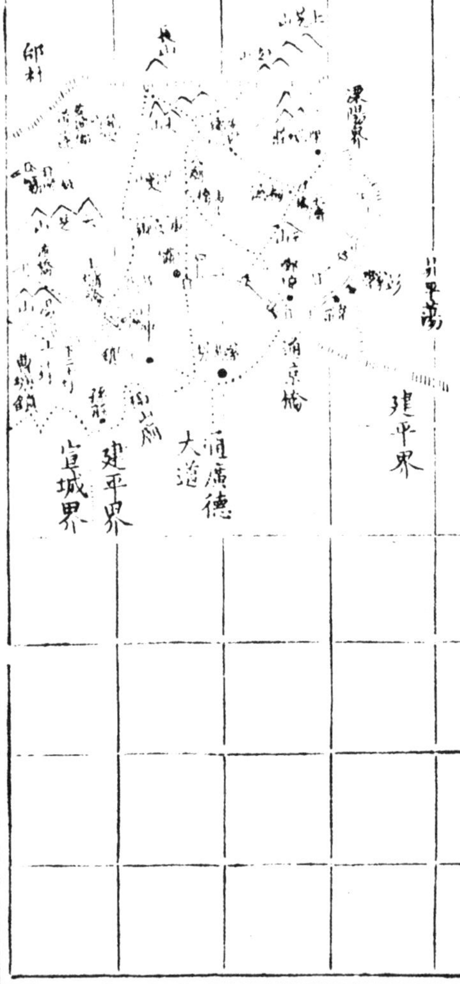

溧水界

通京橋

建平界

通廣德大道

建平界

宣城界

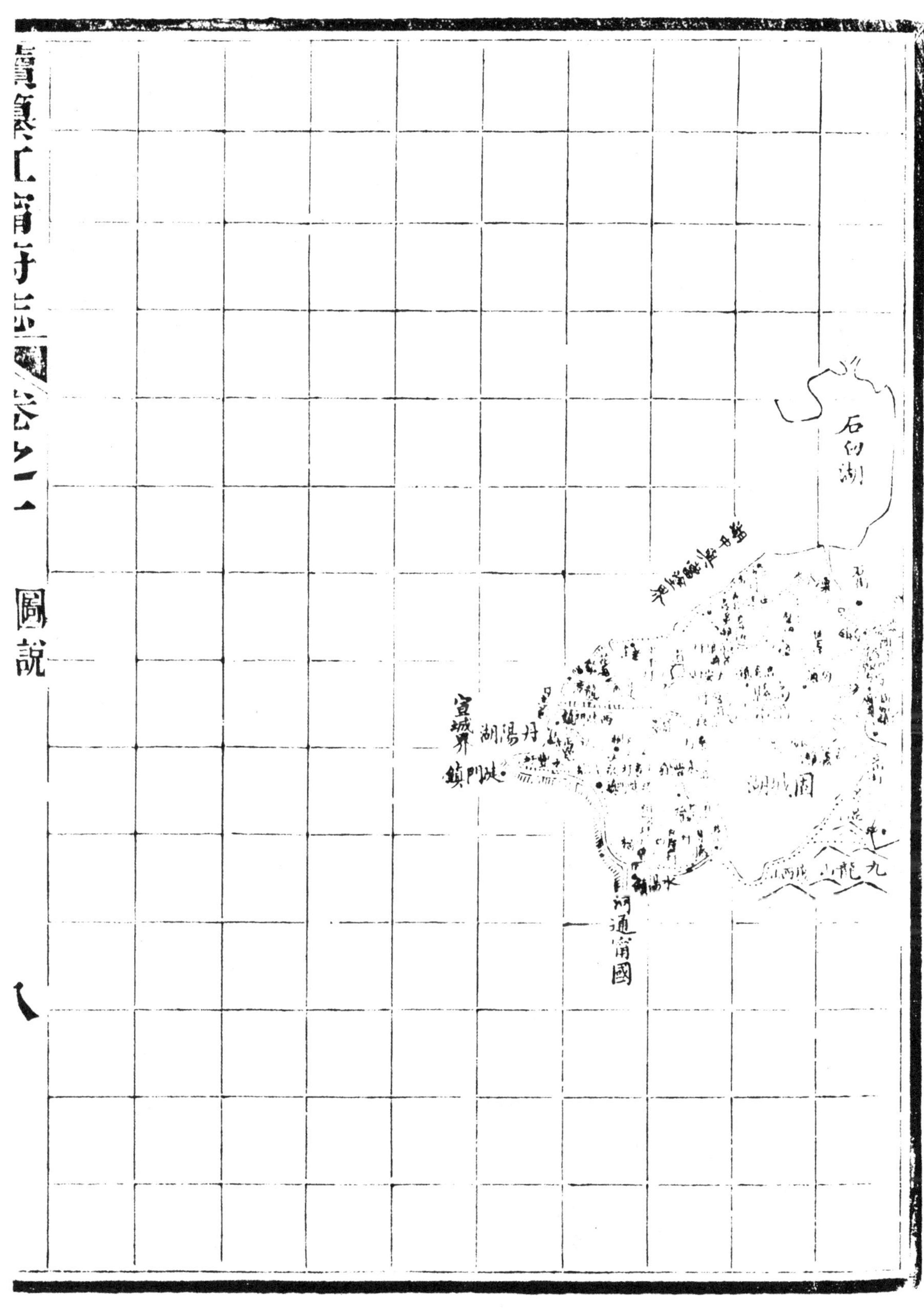
續纂江寧府志卷之一
圖說
石臼湖
丹陽湖
宣城界
陡門鎮
固城湖
九龍山

江甯府總圖說

江甯爲省城首府轄縣七江之南曰上元江甯句容溧水高淳江之北曰江浦六合北界天長盱眙儀徵西界來安滁州全椒和州當塗南界宣城建平東界溧陽金壇丹徒南北直佔最長處二百六十里斜佔最長處二百八十餘里中截東西平佔一百八十里北截東西平佔八十餘里南截東西平佔七十餘里統計積地二萬三千八百方里以少廣法計之一百五十餘里也境轄長江南岸一百七十餘里北岸一百五十餘里江浦浦口爲近處犄角揚郡鎮江爲遠處犄角險要形勢全在臨江一面故前人畫江北兩邑分屬與南包舉全江殆有深意溯東來要口以羅絲溝與儀徵南門港相對羅盤綫值丑未江面八里爲第一重門戶棲霞山與划子口相對江面六里此處南岸雖無港口而憑山瞭望聲勢可

聯足爲第二重門戶又西則觀音門至下關一帶崇山障其內沙洲薇其外草鞋夾天生設伏之所不能以門戶稱也其下關口斜距浦口城江面十三里又爲近城內戶更折而西南則大勝牧龍銅井諸處江面俱不過七八里均可兩岸控扼更聯揚州鎮江爲外戶江防綦密矣境穿水道以秦淮河爲幹流南通溧水高淳東達句容西承皖省爲來源北抵下關出江爲去委四境岡巒重疊紫金巴斗爲近城捍衛棲霞爲濱江垣牆華山侖山爲東面屏藩西橫碁墓爲南面保障其間逶迤起伏中藏平陸要道數處炭渚東來鎮郡之要道也以華山扼其吭白兔東來丹陽之要道也以句容當其衝其南境皖省來路雖支幹紛岐有高淳溧水據其前西南一角無衝可扼惟小丹陽銅井兩處較爲入境之要此蓋形勢大概也

上元縣圖說

上元縣江甯府附郭首邑境轄城東一面北寬南窄自汊河口至烏剎橋一綫下垂又有越轄之地故袤廣斜直難以言狀自神策門北至觀音門江邊計逕直十四里自聚寶門南至丁公山溧水當塗兩界口逕直七十四里自朝陽門東至湯水鎮句容界口逕直四十里其三山聚寶兩門卽與江甯分界又自下關鎮江口東歷觀音門至三江口計迂曲江邊八十餘里與儀徵六合分界江心自三江口南歷龍潭湯水土橋至高陽橋計迂曲界邊一百五十餘里爲句容界自高陽橋西南至烏剎橋計迂曲界邊二十里亦爲江甯界自烏剎橋西南丁公山計迂曲界邊二十餘里爲當塗界自橫溪橋東歷烏剎橋北循秦淮而上至下關鎮江口計迂曲界邊一百三十里爲江甯界統計積地三千三百四十一方里

合一萬八千頃長江形勢舊以燕子磯爲險要近則沙洲漫漲此處已成夾江磯在平陸長江深流徙出八卦洲之外故江防須與儀六江浦分扼下關與浦口相對兩岸江灘俱有漲沙蘆葦叢雜夾江分歧防江師船所宜注意者城東南東北衆山拱環緜亘江邊沿江東面並無通口惟下關一河南接秦淮通句溧各境與江甯分轄自爲統境餘流亦出江要害也其陸路以龍潭湯水爲西來要鎭淯化爲南來要鎭棲霞巴斗各山臨江屏列與江北之靈巖山對峙足資瞭望石臼湖在溧水境赤山湖在句容境兩湖之水彙入三汊口來源也由三汊口歸秦淮河北流出江去委也境內山多水少形勝甲於東南厥土實惟中下耳

江甯縣圖說

江甯縣爲省城附郭與上元同城境轄城之西南一面自聚寶門

直南至磯砣橋當塗上元兩界口逕直六十三里東南至上方鎮上元界口逕直二十二里南少東至三縣塘上元句容兩界口逕直四十九里南少西至陶山當塗界口逕直五十八里西南至和尚港當塗界口逕直六十三里自和尚港口北東歷烈山大勝關至下關口計迂曲江邊七十餘里與江浦分界江心自下關沿秦淮河東南至上方門自上方門不沿秦淮由上元鎮至土山鎮自土山鎮迤南仍沿秦淮至烏刹橋自烏刹橋不沿秦淮西出磯砣橋共計迂曲界邊一百四十餘里爲上元界自磯砣橋西南至小丹陽自小丹陽西北至和尚港口計迂曲界邊六十餘里爲當塗界其東猴山嚴郎渡一帶復有轄地一百六十餘方里在上元溧水句容境內隔秦淮一河界不聯屬全境地形勢斜方而缺東面一角南北最長處九十四里東西最廣處七十里統計積地三千

四百十四方里合一萬六千四百餘頃沿江一面與江浦分阨下關口爲入境要津西北對浦口江面逕直十三里羅盤綫值乾巽西南對江浦江面逕直二十一里奇羅盤綫值寅申三口相距自成犄角之勢駐防最爲緊要其大勝板橋江甯牧龍銅井諸鎮俱近接江邊江船至此均可收泊惟不能逕達內地故其要次於下關境內水道惟以上元分轄之秦淮爲榦流支河甚少自聚寶門下抵小丹陽衆山絡繹闊約一二十里不等緜亙境中故長江支港不能東達秦淮分流不能西通必自下關繞道也其陸路支榦紛歧四達無險可扼惟橫溪橋當當塗之來路烏刹橋當溧陽之來路較爲阨要全境山居十分之二河道不足二百里亦無湖蕩農田西資江水東挹山泉溝洫之利蓋遜於平陸水鄉也

句容縣圖說

句容縣距江寧七十里自北門北至羅絲灘出江逕直五十四里東北至炭渚鎮丹徒縣界口逕直四十九里西北至張橋上元界口逕直四十里自西門西至土橋鎮上元界口逕直十六里西南至猴山三縣塘上元溧水兩界口逕直四十四里自南門南至分界山溧水溧陽兩界口逕直七十二里東南至茅山金壇界口逕直四十里自東門東至白兎鎮丹徒界口逕直三十八里南北最長處一百三十二里東西最廣處六十里統計積地四千八百七十六方里合二萬六千三百餘頃自三江口東至炭渚溝計迂曲江邊三十里與儀徵分界江心自炭渚溝南歷白兎至花山計迂曲界邊八十里爲丹徒界自花山南歷茅山方山至了髻山口計迂曲界邊五十餘里爲金壇界自了髻山口西南至分界山計迂曲界邊三十餘里爲溧陽界自分界山北東歷巫山夾山至三縣

塘口計迂曲界邊九十里爲溧水界自三縣塘北歷土橋湯水龍潭諸鎮至三江口計迂曲界邊一百八十餘里爲上元界四境峰巒環繞惟中爲平原自白兔鎮西歷縣治至土橋爲徒陽達省之要路北塘堰西來爲金壇入境之要路分界山北來爲溧陽入境之要路殷家蕩東北來爲溧水入境之要路而天王寺鎮距城南二十里爲總控南東西三面來路之險要緑營汛守所宜注意北境江防以羅絲溝與泗源溝相對爲扼要之處境内河渠爲四山所阻北境江水南不灌城中境山水迴流境内惟西面自湖熟鎮迂道由秦淮河出江者爲全境去委而治西南有赤山湖周邊二十九里山水會歸其幹流俱由赤山湖分支一北經三岔鎮北東繞出縣治又北抵亭子郵而止一東北歷淤香鎮抵勝石橋而止一南經天王寺又南抵心橋而止統計各河之長不足一百二十

里未能無旱潦之患也

溧水縣圖說

溧水縣北距江甯省城南門逕直八十里自北門北至夾山口句容界逕直二十七里北少西至三縣塘江甯句容兩界口逕直三十六里自西門西至烏刹橋上元界口逕直二十八里直西至丁公山當塗上元兩界口逕直二十六里自南門西南至龜山石臼湖邊當塗高淳兩界口逕直四十五里南至漆橋北街頭高淳界口逕直四十四里東南至桿西頭高淳溧陽兩界口逕直四十六里自東門東南至分界山句容溧陽兩界口逕直三十三里自三縣塘東南歷夾山口至分界山計迂曲界邊七十餘里爲句容界自分界山南至桿西頭計迂曲界邊三十里爲溧陽界自桿西頭西歷尋鎮至龜山西面石臼湖邊計迂曲界 十餘里爲高淳

界自石臼湖邊北至丁公山朱莊計迂曲界邊四十餘里爲當塗界自朱莊東北至烏剎橋計迂曲界邊四十餘里爲上元界自烏剎橋東北至三縣塘計迂曲界邊十五里爲江甯界全境地形微近橢圓東西最廣處五十餘里南北最長處七十餘里統計積地二千七百八十九方里內除石臼湖積三百八十六方里實計積地二千四百三方里合一萬二千九百餘頃境內羣山環繞爲甯蘇西南藩屏孔鎮爲南境要衝官塘爲東境要衝烏山爲北境要衝綠營汛守所當分駐秦淮河自烏剎橋入境南達城又南而東歷紅藍蒲塘新橋諸鎮抵白馬橋岡身而止全境之幹流也石臼湖在境西南爲當塗宣城諸水停蓄之所明初高淳境內舊有運道名古胥溪是爲蘇甯要津故石臼諸水俱東入太湖嗣於永樂嘉靖間堅築上下兩壩遏湖水北出秦淮而東南去委絕矣

江浦縣圖說

江浦縣屬江甯府隔江所轄爲省城西南屛藩自南門東南至江口逕直八里自東門東北至浦口鎭六合界口逕直二十一里自北門北東至哈大衞六合來安兩界口逕直三十里直北至西葛鎭來安滁州兩界口逕直二十七里西北至陳家淺滁州全椒兩界口逕直四十八里自西門西南至烏江鎭和州界口逕直六十里自烏江鎭港口北東歷老西港江浦港至浦口計迂曲江邊八十里與江甯分界江心自浦口鎭北西至哈大衞計迂曲界邊三十餘里爲六合界自哈大衞西至西葛鎭計迂曲界邊二十餘里爲來安界自西葛鎭西南至陳家淺計迂曲界邊四十餘里爲滁州界自陳家淺南至刁家營計迂曲界邊二十餘里爲全椒界自刁家營西南歷四馬山而東南歷石橋鎭至烏江鎭江口計迂曲

界邊七十餘里爲和州界全境地形衺斜而近長方錯出西面一角南北斜佔最長處七十餘里東西斜佔最廣處五十餘里統計積地二千五百六十方里合一萬三千八百餘頃其長江一面自烏江東北至老西江一段江闊七八里更有烈山烏石仙人兔兒各磯近傍東岸故中洪深水乃在西岸僅闊四五里實爲上江來路省中要衝其烏江與銅井石磧與河口老西江與大勝俱兩岸準對可與江甯對設礮臺互相控制自老西江以北則縣治浦口兩城與省垣鼎立自成犄角其閒江面亦窄沙洲滋長舊有夾江可分近亦蘆葦叢雜瞭望聲援微有障隔故綠營汛守必藉長江師船爲之輔翼也水道餘流在境北面西承皖省來源自陳家淺入境東出六合自爲滁河分支絕少蓄緣中境衆山橫截南境石磧老西江浦諸港江水抵山而止不能西通北境濤流必由六合

繞道出江其陸路諸鎭以浦口爲東北之要西葛爲西北之要新殿廟爲正西之要烏江爲西南之要俱宜分設汛防湯泉鎭在城西北三十里以溫泉得名近泉數里煖氣蒸騰殆地氣所鍾歟

六合縣圖說

六合縣在江甯府隔江正北四十餘里自北門北至馬家集天長界口逕直四十里北少西至均樸橋盱眙界口逕直六十九里自西門西北至施家集來安界口逕直六十二里西至大營集來安界口逕直四十里自南門西南至浦口鎭江浦界口逕直四十七里自東門南少東至划子口江邊逕直三十六里東南至小河口儀徵界逕直四十三里西少北至山頭鎭儀徵界口逕直三十二里自浦口鎭西歷通江划子諸口至小河口計迂曲江邊八十餘里與上元分界江心自小河口北歷東溝山頭各鎭至鍾家窪計

迂曲界邊六十餘里爲儀徵界自鍾家窪北至十字山口計迂曲界邊十餘里爲甘泉界自十字山西歷野山馬家集至湯家營計迂曲界邊九十餘里爲天長界自湯家營西至廣福寺計迂曲界邊二十里爲盱眙界自廣福寺南歷施家雷官大營各集至哈大衞計迂曲界邊一百里爲來安界自哈大衞東南至浦口鎭計迂曲界邊三十餘里爲江浦界全境地形南平北袤南北直佔六十三里斜佔一百十里東西平佔七十二里斜佔九十六里統計積地五千二百九十四方里合二萬八千五百餘頃沿江一面以划子口爲最要南距棲霞山西距草鞋夾江面僅闊四五里若與上元兩岸分設礮臺足可控制長江由此內達則歷瓜埠至縣治由縣治西達江浦又西入滁全各境一水可通故划子一河不特爲長江要口亦且全境幹流也小河爲划子分支亦出江之要靈巖

山在城之南江之北其西面以雷官大營各集爲皖省來路中有榦河橫截必由舟渡未可長驅汊河鎮傍河聚市設立渡船實西北之要鎮其竹鎮集馬家集當天盱來路南達城東達揚郡平陸可通是尤北境之要也沿江自十字岡至通江集一帶岸多衝缺八卦洲漸漲江北舊地則漸坍矣

高淳縣圖說

高淳縣北距江甯南門逕直一百三十里西距西陡門石臼湖邊逕直二十三里西南距水陽鎮宣城界口逕直二十二里東南距青龍橋建平界口逕直三十里東距河口鎮溧陽界口逕直五十二里東北距桿西頭溧水溧陽兩界口逕直四十八里北距石臼湖邊直十八里自倬西頭西歷尋鎮抵龜山石臼湖邊計迂曲界邊六十餘里爲溧水界自龜山西南歷蕭港一字溝抵梁陡門港

口計迂曲湖邊四十里與當塗宣城分界湖心自梁港口東歷梁陡水埸諸鎮至青龍橋西三里許計迂曲界邊六十餘里爲宣城界自宣城界口東北歷鄧埠至昇平蕩汊河口計迂曲界邊三十餘里爲建平界自昇平蕩汊河口北至桿西頭計迂曲界邊三十餘里爲溧陽界全境橫長縱短東西最廣處逕直一百里南北最長處逕直四十里統計積地一千九百八十五方里內除固城二百四十方里實計積地一千七百四十五方里合九千四百餘頃東境山脈蜿蜒西境湖蕩浩淼爲甯屬幅員最小之區水陸交錯圩田四布無險可扼惟上下兩壩既爲水陸衝衢亦當建廣北來孔道較爲扼要古胥溪自溧陽之河口鎮入境西南歷鄧埠又西越固城石臼兩湖北出秦淮即明初漕運故道自築上下兩壩水道不通故近時商賈往來必在鄧埠鎮舍舟從陸也向來西水甚

旺漲溢之時壩內外高低八尺許壩基每處沖決測上水實高四尺因城湖灘深處亦不過三尺蓋夷險之勢今昔攸殊矣縣境舊隸溧水明時始析今治建縣於淯溪鎮北枕岡陵南連湖蕩舊無城郭垣牆故官守較難近來水勢漸衰固湖稍稍涸出芭桑之計當有議及者

續呂志驛遞

查江甯府屬各邑驛站自同治三年克復後驛站支銷暫設三成由善後局支報迨七年辦理抵徵加給上元句容江浦三縣驛馬各二成江甯三成六合一成嗣於光緒元年開辦丁漕酌設上元句容江浦三縣驛馬各六成江甯七成六合五成惟六合於光緒四年起又稟准加二成查光緒五年報銷上元句容江浦以六成報江甯六合以七成報

上元縣驛站額設各項計金陵江東龍江三驛

原額應徵銀玖千伍百叁兩肆錢遇閏加徵銀捌百貳拾玖兩肆錢無閏之年計有裁減餘剩銀貳千貳百玖拾捌兩實支銀柒千貳百伍兩肆錢

額設叁驛馬共壹百貳拾匹每匹日支草料銀陸分歲共支銀貳千伍百玖拾貳兩

額設馬夫壹百貳名每名日支銀肆分歲共支銀壹千肆百陸拾捌兩捌錢

額設修理棚廠銀壹百柒拾兩肆錢

額設買補四成馬價銀陸百柒拾兩伍錢陸分

額設租賃驛舍銀柒百玖拾壹兩陸錢肆分遇閏加銀壹百拾叁兩肆錢伍分肆釐

額設水夫叁拾名每名日支銀肆分歲共支銀肆百叁拾貳兩遇閏加銀叁拾陸兩

額設遞運所旱夫柒拾伍名每名日支銀肆分歲共支銀壹千捌拾兩

上元縣光緒元年遞加至六成支報

酌設驛馬共柒拾貳匹每匹日支銀陸分歲共支銀壹千伍百伍拾伍兩

酌給馬夫陸拾壹名每名日支銀肆分歲共支銀捌百柒拾捌兩肆錢

酌給修理棚廠銀壹百貳兩貳錢肆分遇閏不加

酌給買補肆成馬價銀肆百貳兩叁錢叁分陸釐遇閏不加

酌給租賃驛舍銀肆百柒拾肆兩玖錢捌分肆釐遇閏加支銀陸拾柒兩捌錢玖分叁釐

酌設水旱夫共捌拾名每名日支銀肆分歲共支銀壹千壹百伍拾貳兩

以上無閏之年實支銀肆千伍百陸拾伍兩壹錢陸分比抵徵加支銀陸拾伍兩捌錢捌分按照原額例支計暫減銀貳千陸百肆拾兩貳錢肆分

江甯縣驛站額設各項計龍江二驛

原額查泉司來冊無閏之年應徵銀叁千壹百肆拾陸兩陸分陸釐遇閏加徵銀貳百陸拾玖兩貳錢無閏之年計有餘剩銀柒百玖拾壹兩陸錢肆分壹釐實支銀貳千叁百伍拾肆兩肆錢貳分伍釐

額設龍江二驛馬貳拾匹每匹日支草料銀陸分歲共支銀肆百叁拾貳兩遇閏加銀叁拾陸兩

額設馬夫拾叁名每名日支銀肆分歲支銀壹百捌拾柒兩貳錢遇閏加銀拾伍兩陸錢

額給修理棚廠銀貳拾捌兩肆錢遇閏不加

額設買補肆成馬價銀壹百壹拾壹兩柒錢陸分

額給租賃驛舍銀捌拾叁兩陸分伍釐遇閏加銀拾肆兩壹錢玖分伍釐

額設龍江水驛與上元合管水夫陸拾名每名日支銀肆分除上元叁拾名應支一半銀肆

百叁拾貳兩（遇閏加銀叁拾陸兩）

額設遞運所旱夫柒拾伍名（每名日支銀肆分）歲共支銀壹千捌拾兩

江甯縣（光緒元年遞加至七成支報）

酌給驛馬拾肆匹（每匹日支銀陸分）

酌給馬夫拾貳名（每名日支銀肆分）

酌給修理棚廠銀拾玖兩捌錢捌分（遇閏不加）

酌給買補肆成馬價銀柒拾捌兩貳錢叁分貳釐（遇閏不加）

酌給租賃驛舍銀陸拾捌兩捌分貳釐（遇閏加銀玖兩玖錢叁分柒釐）

酌給水旱夫柒拾叁名（每名日支銀肆分）

以上無閏之年實支銀壹千陸百玖拾貳兩伍錢玖分肆釐

按照原額例支計暫減銀陸百柒拾陸兩貳分陸釐

江浦縣驛站額設各項（計江淮東葛二驛）

原額應徵銀陸千捌百拾玖兩伍錢遇閏加徵銀伍百拾伍兩貳錢壹分柒釐無閏之年計有餘剩銀貳千叁百柒拾壹兩壹錢壹分貳釐實支銀肆千肆百肆拾捌兩捌錢叁分捌釐

額設江東二驛馬玖拾匹每匹日支銀陸分

額設馬夫伍拾柒名每名日支銀肆分

額設修理棚廠銀壹百貳拾柒兩捌錢不加閏

額設買補肆成馬價銀伍百貳兩玖錢貳分不加閏應扣皮張銀拾捌兩

額設租賃驛舍銀叁百肆兩伍錢壹分捌釐遇閏加銀叁拾肆兩壹錢陸分肆釐

額設旱夫伍拾貳名每名日支銀肆分

江浦縣光緒元年遞加至六成支報

酌給江東驛馬伍拾肆匹每匹日支銀陸分

酌給馬夫肆拾伍名每名日支銀肆分

酌給修理棚廠銀柒拾陸兩陸錢捌分遇閏不加
酌給買補肆成馬價銀叁百壹兩柒錢伍分貳釐遇閏不加
酌給租賃驛舍銀壹百玖拾陸兩陸錢伍分玖釐遇閏加銀柒兩叁錢玖分捌釐
酌給皁夫伍拾貳名每名日支銀肆分
以上無閏之年共實支銀叁千壹百叁拾捌兩貳錢玖分壹
釐按照原額計暫減銀壹千叁百叁拾兩柒錢玖分肆釐
句容縣驛站額設各項計雲亭龍潭二驛
原額應徵銀肆千柒百陸拾柒兩玖錢叁分陸釐遇閏加徵銀叁
百玖拾貳兩捌錢伍分陸釐無閏之年按照臬司衙門開來報
銷冊列數目計有不敷銀拾叁兩捌錢貳分肆釐共該支銀肆
千柒百捌拾壹兩柒錢陸分
額設雲亭驛馬肆拾伍匹每匹日支銀陸分歲支銀玖百柒拾貳兩閏月加銀捌拾

壹兩

額設馬夫貳拾捌名每名日支銀肆分歲支銀肆百叁兩貳錢閏月加銀叁拾叁兩陸錢

額設修理棚廠銀陸拾叁兩玖錢

額設買補肆成馬價銀貳百伍拾壹兩肆錢陸分

額設旱夫陸拾名每名日支銀肆分歲支銀捌百陸拾肆兩閏月加銀柒拾貳兩

以上雲亭驛歲支銀貳千伍百伍拾肆兩伍錢陸分閏月加銀壹百捌拾陸兩陸錢

額設龍潭驛馬貳拾伍匹每匹日支銀陸分歲支銀伍百肆拾兩閏月加銀肆拾伍兩

額設馬夫拾伍名每名日支銀肆分歲支銀貳百拾陸兩閏月加銀拾捌兩

額設修理棚廠銀叁拾伍兩伍錢

額設買補肆成馬價銀壹百叁拾玖兩柒錢

額設水旱夫玖拾名每名日支銀肆分歲支銀壹千貳百玖拾陸兩閏月加銀壹百捌兩

以上龍潭驛歲支銀貳千貳百貳拾柒兩貳錢閏月加銀壹百柒拾壹兩

句容縣

酌給雲龍二驛馬肆拾貳匹每匹日支銀陸分

酌給馬夫叁拾伍名每名日支銀肆分

酌給修理棚廠銀伍拾玖兩陸錢肆分遇閏不加

酌給買補肆成馬價銀貳百叁拾肆兩陸錢玖分陸釐遇閏不加

酌給水旱夫玖拾名每名日支銀肆分

以上無閏之年共實支銀叁千零壹兩伍錢叁分陸釐按照原額計暫減銀壹千柒百捌拾兩貳錢貳分肆釐

六合縣驛站額設各項計棠邑驛一所

原額應徵銀壹千柒百肆拾肆兩叁錢叁分叁釐遇閏加銀壹百伍拾壹兩柒錢伍分

額設馬拾匹每匹日支銀陸分歲支銀貳百拾陸兩閏月加銀拾捌兩

額設馬夫柒名每名日支銀肆分歲支銀壹百兩捌錢閏月加銀捌兩肆錢

額設修理棚廠每歲支銀壹拾肆兩貳錢不加閏

額設買補四成馬價銀歲支銀伍拾伍兩捌錢捌分不加閏

額設旱夫柒拾名每名日支銀肆分歲支銀壹千捌兩

原額每年共支銀壹千叁百玖拾肆兩捌錢捌分餘剩之銀每年批解藩庫

六合縣自光緒四年遞加至七成支報

酌給驛馬柒匹每匹日支銀陸分歲支銀壹百伍拾壹兩貳錢閏月加銀拾貳兩陸錢

酌給馬夫伍名每名日支銀肆分歲支銀柒拾貳兩閏月加銀陸兩

酌給肆戍叁匹馬價銀歲支銀肆拾壹兩玖錢壹分不加閏

酌給旱夫肆拾玖名每名日支銀肆分歲支銀柒百零伍兩陸錢閏月加銀伍拾捌兩捌錢

酌給修理棚廠銀歲支銀玖兩玖錢肆分不加閏

以上無閏之年實支銀玖百捌拾兩陸錢伍分

按照原額計暫減銀肆百壹拾肆兩貳錢叁分

查以上各縣驛站馬匹草料馬夫水旱夫工食仍照向例無閏之年按叁百陸拾日有閏之年照叁百玖拾日其買補馬價每匹仍扣皮張銀伍錢並扣陸分餉平其馬匹草料馬夫工食均扣小建並扣餉平

上元縣鋪遞

原額鋪遞拾壹處鋪司兵夫肆拾肆名每名日支工食銀貳分歲支工食銀叁百拾陸兩捌錢閏月加銀貳拾陸兩肆錢

現設自光緒元年起以六成招募共鋪司兵夫貳拾陸名每名日支工食銀貳分零叁毫七忽七微歲支銀壹百玖拾兩零捌分閏月加銀拾伍兩捌錢

計開

一縣前總鋪　遞東西北三路文報　東至高橋二十里　東北至城東十五里　西至三山十里　北路渡江至江浦縣浦口鋪二十里　現設鋪司兵伍名

一高橋鋪　接遞東路文報　東至淯化鋪二十里　現設鋪司兵貳名

一淯化鋪　東至索墅二十里　現設鋪司兵貳名

一索墅鋪　東至句容縣西土橋十五里　現設鋪司兵貳名

一三山鋪　接遞西路文報　西至江東鋪十里　現設鋪司兵貳名

一江東鋪　西渡江至江浦縣總鋪　現設鋪司兵叁名

一城東鋪　接遞東北文報　東北至磨石鋪十里　現設鋪司兵貳名

一磨石鋪　東北至麒麟鋪十里　現設鋪司兵貳名

一麒麟鋪　東北至駱家鋪十里　現設鋪司兵貳名

一駱家鋪　東北至漳橋鋪十里　現設鋪司兵貳名

一漳橋鋪　東北與句容交界　現設鋪司兵貳名

以上鋪遞拾壹處鋪司兵共貳拾陸名

江甯縣鋪遞

原額鋪遞拾肆處鋪司兵夫伍拾伍名額撥俸工銀內歲支工食銀叄百玖拾肆兩柒錢閏月加銀叄拾貳兩捌錢玖分貳釐

現設自光緒元年起奉設七成共鋪司兵夫叄拾玖名每名日支工食銀壹分玖釐陸毫柒絲捌忽柒微捌纖歲支工食銀貳百柒拾陸兩貳錢玖分遇閏加支銀貳拾叄兩貳分肆釐

計開

一縣前總鋪 專遞東西南三路文報 東至菜園鋪七里 西至上元縣三山鋪七里 南至七里鋪七里 現設鋪司兵叁名

一菜園鋪 東至上元縣高橋鋪十五里 西至縣前總鋪六里 南至河定鋪十五里 現設鋪司兵叁名

一河定鋪 東至殷巷鋪十五里 西至菜園鋪十五里 現設鋪司兵叁名

一殷巷鋪 東至玄武鋪十五里 西至河定鋪十五里 現設鋪司兵叁名

一玄武鋪 東至秣陵鋪十五里 西至殷巷鋪十五里 現設鋪司兵貳名

一秣陵鋪 東至茅亭鋪十五里 西至玄武鋪十五里 現設鋪司兵貳名

一茅亭鋪 東至烏剎鋪十里 西至秣陵鋪十五里 現設鋪司兵貳名

一烏剎鋪 東至溧水柘塘鋪十里 西至茅亭鋪十里 現設鋪司兵貳名

一七里鋪 東至殷山鋪二十里 北至縣總鋪七里 現設鋪司兵叁名

一殷山鋪 東至五里鋪二十里 北至七里鋪二十里 現設鋪司兵叁名

一五里鋪 東至馬塘鋪二十里北至殷山鋪二十里 現設鋪司兵叁名

一馬塘鋪 南至牧龍鋪二十里北至五里鋪二十里 現設鋪司兵叁名

一牧龍鋪 南至葛岡鋪二十里北至馬塘鋪二十里 現設鋪司兵叁名

一葛岡鋪 南至安徽太平府慈湖鋪二十里北至牧龍鋪二十里 現設鋪司兵叁名

以上東路八鋪遞送溧水高淳建平廣德蘇松浙閩來往文報西路六鋪遞送徽甯池太江西湖南等處文報

句容縣鋪遞

原額鋪遞拾玖處鋪司兵伍拾捌名額撥俸工銀內歲支工食銀伍百玖兩玖錢貳分閏月加銀肆拾貳兩肆錢玖分叁釐叁毫

現設自光緒元年招募六成鋪司兵叁拾伍名減設鋪遞拾壹處歲支鋪兵工食銀叁百伍兩玖錢伍分貳釐遇閏加銀貳拾伍兩肆錢玖分陸釐

計開

一縣前鋪 專遞東西南北四路文報東至十里鋪十里西至新鋪十里 現設鋪司兵伍名

南至新坊鋪十里北至瀾西鋪二十五里

一十里鋪　遞東路文報至謝培鋪十里　現設鋪司兵叁名

一謝培鋪　東至行香鋪十里　現設鋪司兵叁名

一行香鋪　東至上蘭鋪十里　現設鋪司兵叁名

一上蘭鋪　東至丹徒縣界陶家鋪二十里　現設鋪司兵叁名

一新　鋪　接遞西路文報　西至土橋鋪十里　現設鋪司兵叁名

一土橋鋪　西至上元索墅鋪十五里　現設鋪司兵叁名

一新坊鋪　接遞南路文報　南至時淸鋪十里　現設鋪司兵叁名

一時淸鋪　南至趙鄉鋪十里　現設鋪司兵叁名

一趙鄉鋪　南至溧水界望湖南鋪二十里　現設鋪司兵叁名

一瀾西鋪　遞北路文報　北至丹徒縣界炭渚鋪　現設鋪司兵叁名

以上鋪遞拾壹處鋪司兵叁拾伍名

溧水縣鋪遞

原額鋪所拾捌處鋪兵陸拾陸名每年額支工食銀伍百捌拾壹兩玖錢壹分肆釐（閏月加銀肆拾捌兩肆錢玖分貳釐）該縣前辦抵徵所有鋪兵工食定章在於抵徵項下每年照額減半坐支銀貳百玖拾兩玖錢伍分柒釐（遇閏加支銀貳拾肆兩貳錢肆分陸釐）

計開

一縣前總鋪壹所（專遞東南西北及東北等五路公文）分設鋪司壹名鋪兵捌名

一尚書鋪壹所（接遞東路公文東至芟塘鋪十里）分設鋪司壹名鋪兵貳名

一芟塘鋪壹所（東至段家鋪十里）分設鋪司壹名鋪兵貳名

一段家鋪壹所（東至楊塘鋪十五里）分設鋪司壹名鋪兵貳名

一楊塘鋪壹所（東至鎮江府溧陽縣牌岡鋪十里）分設鋪司壹名鋪兵貳名

一廟塘鋪壹所（接遞南路公文南至石堆鋪十里）分設鋪司壹名鋪兵貳名

一石堆鋪壹所　南至三角鋪十里　分設鋪司壹名鋪兵貳名

一三角鋪壹所　南至孔鎮鋪十里　分設鋪司壹名鋪兵貳名

一孔鎮鋪壹所　南至土山鋪十里　分設鋪司壹名鋪兵貳名

一土山鋪壹所　南至毛公鋪十里　分設鋪司壹名鋪兵貳名

一毛公鋪壹所　南至高淳縣雙牌鋪十里　分設鋪司壹名鋪兵貳名

一塘西鋪壹所　接遞西路公文西至埭東鋪二十里　分設鋪司壹名鋪兵叁名

一埭東鋪壹所　西至安徽太平府當塗縣博望鋪十五里　分設鋪司壹名鋪兵叁名

一勝水鋪壹所　接遞北路公文北至烏山鋪十五里　分設鋪司壹名鋪兵叁名

一烏山鋪壹所　至柘塘鋪十五里　分設鋪司壹名鋪兵叁名

一柘塘鋪壹所　北至江甯縣烏刹鋪十五里　分設鋪司壹名鋪兵叁名

一新安鋪壹所　接遞東北路公文東北至上店鋪十五里　分設鋪司壹名鋪兵貳名

一上店鋪壹所　東北至句容縣南甯鋪十五里　分設鋪司壹名鋪兵叁名

江浦縣鋪遞

原額鋪遞柒處鋪司兵夫叁拾柒名每年額撥俸工銀玖肆平工食銀壹百捌拾伍兩遇閏加銀拾伍兩肆錢壹分柒釐

現設自光緒元年起以六成支報共設鋪司兵夫貳拾貳名每名日支銀壹分捌釐歲支銀壹百拾壹兩內扣餉平銀陸兩陸錢陸分實支銀壹百肆兩叁錢肆分閏月

計開

一縣前鋪　東至浦口鋪二十五里　北至石山鋪十五里　西至高旺鋪二十里　南至江東鋪中隔大江計程八十里　現設鋪司兵肆名

一浦口鋪　至六合縣駱家鋪二十里　現設鋪司兵叁名

一高旺鋪　至本邑橫路鋪二十里　現設鋪司兵叁名

一橫路鋪　至石山鋪二十里　現設鋪司兵叁名

一石山鋪 至黃岩鋪二十里 現設鋪司兵叁名

一黃岩鋪 至西葛鋪二十里 現設鋪司兵叁名

一西葛鋪 至安徽滁州烏衣鋪二十里 現設鋪司兵叁名

以上鋪遞柒處鋪司兵貳拾貳名

六合縣鋪遞

原額鋪遞拾處鋪司兵貳拾玖名每年額撥編徵俸工銀壹百柒拾肆兩閏月加銀拾肆兩伍錢

現設查該縣自光緒肆年以驛站已加至七成鋪遞亦歸七成按年報銷鋪司兵貳拾壹名每名日支銀壹錢玖分奇歲支銀壹百貳拾壹兩捌錢內扣餉平銀柒兩叁錢捌釐

實支銀壹百拾肆兩肆錢玖分貳釐閏月加銀

計開

一縣前鋪 向設縣前大街 現設鋪兵叁名

一馬橋鋪 在縣東十里 現設鋪兵貳名

一猴子鋪 在縣東二十五里 現設鋪兵貳名

一林家鋪 在縣南十五里 現設鋪兵貳名

一梁塘鋪 在縣西南四十五里 現設鋪兵貳名

一駱家鋪 在縣南六十里 現設鋪兵貳名

一姜家渡鋪 在縣西南二十五里 現設鋪兵貳名

一十里牌鋪 在縣北十里 現設鋪兵貳名

一花園鋪 在縣北二十里 現設鋪兵貳名

一雙墩鋪 在縣北三十里 現設鋪兵貳名

以上鋪遞拾處鋪司兵貳拾壹名

高淳縣鋪遞

原額鋪遞玖處鋪司兵叁拾伍名每年額支工食銀貳百伍拾貳

兩遇閏加銀貳拾壹兩其辦抵徵時係在抵徵項下減半支給至現在所支給成數尚須另查

計開

一縣前鋪　至南塘鋪十五里　原設鋪兵伍名

一南塘鋪　至尋鎮鋪十五里　原設鋪兵伍名

一尋鎮鋪　至雙牌鋪十五里　原設鋪兵叁名

一雙牌鋪　去尋鎮鋪十五里　原設鋪兵叁名

一檀溪鋪　去縣前鋪二十里　原設鋪兵伍名

一沛橋鋪　去檀溪鋪二十里　原設鋪兵伍名

一松兒鋪　去沛橋鋪二十里　原設鋪兵伍名

一永豐鋪　去縣前鋪十里　原設鋪兵肆名

一永成鋪　至安徽宣城縣肩夾鋪十五里　原設鋪兵叁名

以上九鋪鋪兵叁拾伍名

續纂江甯府志卷之二

江甯甘元煥分纂

田賦

志乘之體原本山川侈陳人物旁蒐遠紹以示博雅而已然無關政治惟田賦一類迺　國計民生所攸賴不敢不愼謹案同治三年金陵克復　詔蠲從前逋賦並免四五六年新租　聖恩廣厚書契未有是時曾文正公始立勸農局廣召徠以綏復業之農借給牛力籽種上元領銀伍千餘兩江甯玖千餘兩句容伍千兩溧水叄千兩江浦伍千兩六合叄千兩高淳肆千伍百兩又錢肆百餘千五年今爵相合肥李公又加給焉上元江甯句容溧水四縣牛本銀各叄千兩江浦叄千伍百兩六合貳千兩惟高淳未領民迺止旅南畝七年奏仿皖章不分丁漕權辦抵徵大凡民衛田畝折納錢貳百伍拾文下則田百叄拾文地減半夏稅三之一秋稅三之二以所解錢購米兑河運餘充餉納藩庫公私之用取給善後局行之

六稘民樂其便十三年部催開徵亟就墾熟田地以今準昔以熟較荒其闕額猶十之四五是時荒亂之餘元氣未復濠塹溝渠湮塞地利遁健游手之徒不耐耰鋤工本重而租息微牟利者率競趨末中人數口之家百畝之入完賦外不得一飽故有已熟而復荒且有棄同敝蹝者布政使南昌梅公在藩條久深悉民依謂蘇屬於平定後 恩免額漕五十四萬石追啟徵時年年酌減一成三成不等甯屬凋敝尤重於蘇 國家輕徭薄賦一視同仁請或酌減科則或普減賦額與其侈陳舊額徒事追呼何如酌予減輕轉收實效總督開縣李公嘉其一心爲民偕巡撫合肥張公漕督長白恩公合詞入 告部臣執例嚴駁十三年十一月疏再上雖奉 俞旨而部臣詰駁加厲至光緒元年總督新甯劉公巡撫固始吳公合詞又奏始奉准照前奏

減則一年第二年准減一半第三年照舊全徵於是元年起科徵銀米援照同治七年裁革浮收積弊成案按江北錢糧收價之輕者上元江甯句容江浦六合凡五縣完銀壹兩折收錢貳千貳百文加耗壹錢折收錢貳百貳拾文完米壹石折收錢伍千文二年僅減壹半民力不支又減漕價五百文不拘科則每石收錢肆千伍百文溧水高淳二縣向無漕米概係折徵議照貳千陸百文折銀壹兩嗣於三年布政使瑞安孫公深憫民力日困請將上元江甯句容江浦六合五縣額徵漕糧等米一律減免十分之三又請豁除高淳攤帶虛糧統照陸升陸合原則起科先後詳總督侯官沈公據情入 告俱蒙 恩准溧水亦有虛田攤糧民累難堪六年布政使番禺梁公詳請總督劉公巡撫吳公合詞 奏准豁除虛田柒百叁拾壹頃有奇 湛恩

汪濊曠古所無太守職在奉宣　德化故恭述　聖德作續田賦志

謹案光緒元年開辦大徵係就成熟啟徵民衞錯雜併歸一則或以肥瘠酌定科則此後續墾逐年無定徵解存留時有增改未能以現數爲準今布政使衙門清理科則徵解款目詳請咨部俟復訂定賦役全書爲準故原額各細數新志概不詳載惟將光緒五六年實在成熟民衞賦科徵數目核計七縣田地山塘雜產共叁萬貳百玖拾肆頃肆拾柒畝有奇共科徵銀拾柒萬叁拾伍兩陸錢有奇本色折色米玖萬伍百肆拾捌石柒斗有奇內元甯句浦六五縣現熟田地永減三成漕米貳萬陸千肆百柒拾玖石玖斗有奇尚未扣除折色豆壹千柒百肆石陸斗有奇過閏加徵銀米在外所熟田地較原額通屬約計幾及伍分其科徵銀米豆均已在伍分以上此則江甯田賦已熟之大略矣

同治十三年三月總督李宗羲巡撫張樹聲署漕督恩錫奏請減徵第一疏竊查江甯府屬七縣田自兵燹後科則無考於同治七年經前督臣曾國藩仿照皖省章程無論民衛丁漕酌中定數仍分上下忙折徵錢文以一半提歸司庫以一半買米起運奏蒙
允准歷年以來均經奏明循辦在案迭准部文催辦開徵節經檄司嚴飭府縣先將熟田分造區圖冊籍開辦丁漕體察情形議詳去後茲據江甯布政使梅啟照署江安督糧道薛書常會詳稱江甯府屬各縣賦役全書均已燬失前經詳請咨部頒發亦已霉爛無存祗有嘉慶年閒重訂江甯府志賦役一門載明七屬田地山蕩科徵銀米各額數尚可依倣驗派地漕銀米各欵則有部頒道光二十七年奏銷冊可以爲憑查江甯府志內載民田上元縣十二則江甯縣十則句容縣十則江浦縣十四則六合縣四則溧水縣八則高淳縣六則衛田上元縣三十二則江甯縣三十七則句容縣七則江浦縣四十七則六合縣三十四則究竟某則田地若干科徵銀米若干並未詳載各縣追溯舊志詢訪耆民老吏百計根求惟句容縣一田地一山蕩各自一則猶易分晰此外各縣民田大小科則不等諸區一圖之中亦分幾則某田某地係何等則無從周悉即訪原業主亦屬未能盡知又上元江甯句容江浦六合五縣均有屯田夾雜民田之內科則與民田各別大率米多銀少除屯田最多之六合縣並最少之句容縣民屯尚能區分堪以各歸各則徵收其餘上元江甯等縣實皆民屯錯雜莫可辨認屯田爲津貼運丁世產例禁典賣然私相授受隨處皆有自知違例每多隱諱乾隆嘉慶年閒歷次清理卒未得實兵燹後物是人非

更難根究按其科則銀米併計與民田相埒何田爲民何田爲屯既難確指自宜仿照民田民地銀米一則科徵以歸劃一而徵杜趨避惟據該府縣轉據耆老紳民稟稱開墾荒田完繳抵徵形實已勉力今聞開辦丁漕銀米並納不勝惶恐實緣今日情形大非昔比從前人物富庶務農之家父子相承無不盡力於南畝賦額雖重無敢異議今則本地農民無多招人代種工本倍費而荒蕪已久失於培壅收穫不及從前一半若仍照舊則完糧恐未墾之田無人敢領已墾之田又將復荒聞蘇屬平定後卽經奏請減免漕額甯屬被兵最久凋敝情形較重於蘇籲懇一視同仁或酌減科則或普減賦額等情一再具稟伏查上元江甯句容高淳等縣熟墾田地按照原額纔過五成溧水一縣則不足五成六合縣墾熟田最多亦僅得六成半之數其故由於田多人少賦重息微卽遇全熟之年每畝所收租籽除完納正賦之外僅餘數斗倘遇水旱偏災竟無顆粒餘剩若不酌減科則不獨催科爲難誠恐業戶無利可圖棄之如遺荒田無人願墾而熟田轉將復荒國家賦額有常原不敢輕議改減然與其照舊科徵而民力未逮徒事追呼何如酌予減輕俾易輸將轉收實效茲與該府縣再四商酌所有墾熟田地分別腴瘠定爲上中下三等擬請將上元江甯六合溧水四縣最重之上等科則減去一二成句容縣賦額最多科則尤重地方瘠苦擬請將上則酌減二成半江浦縣地瘠民貧被兵又久擬請將上則減去二成半中則減去二成下則減去一成其餘草塲地同各縣下則田地完數較輕者恐仍其舊無庸核減又高淳縣向徵折色銀兩核其科則較他縣爲輕毋庸改減惟該縣大糧田地

本係陸升陸合一則起科前明因周城沈沒田糧加派於高淳故有捌升陸合起科者有捌升起科者有陸升陸合壹勺零起科者載明縣志可考該縣農民賠納至今不堪其累查浮糧例准請豁自應將此加攤貳升壹升肆合及壹勺零之浮糧准予豁除通境田地一律按陸升陸合起科仍徵折色以廣 皇仁而甦民困嗣後七縣續墾成熟田地悉照此次減定科則分別徵收似與普減額賦較爲核實等情詳請具奏前來臣等查江甯府屬被兵十有三年受災最深同治三年克復後豁免錢糧三年渥被 皇仁亦較他處爲尤渥小民完納正賦具有天良苟非萬不獲已何敢率請議減臣等權衡收放各欵下顧民生尤應上籌 國課亦斷不敢輕議更張惟參酌時勢博訪輿情仰體 聖朝愛民之意細核從前原收之數查江甯各屬原額田地共陸萬叁千玖百貳拾貳頃捌拾畝有奇科徵銀貳拾玖萬叁千伍百叁拾柒兩有奇米豆壹拾陸萬貳千叁百捌拾柒石有奇各縣現在墾熟田地共貳萬玖千貳百貳拾叁頃肆拾壹畝有奇照原則應科徵銀壹拾壹萬貳千柒百玖拾柒兩有奇米豆玖萬叁千伍百壹拾叁石有奇今就該司等所擬酌減科則計之應徵熟田銀壹拾肆萬貳千柒百玖拾陸兩有奇米豆柒萬陸千捌百捌拾貳石有奇通盤核計墾熟田地居原額僅及十成之五而減成收數則較原額尚有五成祇因所科熟田上則居多其無避重就輕可知至所減科則少徵銀米僅居原額十分中之一分五釐有奇於正賦無大虧損而小民受益無窮非但目前催科不致棘手此後農民聞風歸耕或者荒田漸墾賦額日增實於 國計民生兩有裨益是年四

月十四日奉　硃批戶部議奏欽此
是年十一月覆請減徵第二疏　竊准部咨議覆臣等奏江甯
府屬酌減科則開辦丁漕礙難准　行仍令照原額一律起徵一
摺同治十三年六月十四日奉　旨依議欽此當經恭錄轉
行遵照去後茲據江甯布政使梅啟照署江安督糧道薛書常
會詳稱江甯府屬田土本非饒沃而被兵既慘且久與蘇皖情
形實有不同省城克復後地方困苦異常仰蒙我　皇上軫
念殘黎錢漕蠲免三年流亡漸歸復業又經多方招徠借給牛
種資本故現在墾熟田地在此三年之中者十居八九同治七
年已屆起徵經前督臣曾國藩奏准仿照安徽章程權辦抵徵
雖比丁漕輕減無如田地荒蕪已久墾種無異開荒兼之地廣
人稀土著農民自顧不暇凡有業田之家無不遠處招人必須
重給工本而租息又極微薄歲豐則除完納抵徵之外所餘無
多歲歉則租息益少業主不敷工本是以辦理抵徵六七年來
續墾熟田仍屬寥寥其中因利息太微工本不足欲墾而未敢
造次者有之或恐開徵丁漕銀米竝納較之抵徵加重畏累而
遲疑觀望者亦有之若開辦丁漕必照舊則科徵無論倂此幾
微之利無可指望且恐租不敷賦小民兵燹餘生無可賠累縱
使日事追呼亦屬於事無補在部臣統籌全局參考原　不厭詳
慎而地方瘠苦瘡痍未復誠有不能不變通之勢上籌　國計
必先下顧民生與其勉照原額徒有多徵之虛名莫若量予減
輕期收輸將之實效且使力田小民除完納丁漕之外稍有餘
利既免賠糧之虞兼釋畏累之念已墾者安心力作未墾者亦
觀感而興熟田不致復荒荒田開墾日多日後民物富庶無難

復還原額等情詳請具奏前來臣等查錢漕乃維正之供非出
於萬不得已亦何敢輕議改減部臣所慮者目前如果准減恐
將來田地復額虧短更不止此誠爲通盤核算籌及久遠起見
惟查墾熟田地未及十成之五而查照原額起徵則所收之數
幾及十分之六若就減額起徵尙有十分之五其故由於墾熟
田地定爲上則居多名雖減而實仍未減蓋當分查之時嚴定
等差所以杜花戶避重就輕之弊及至策總之後量加核減所
以廣
朝廷損上益下之仁當此倉儲支絀需款甚殷臣等
豈敢曲徇民情有違成例惟時勢既有變遷辦事必求有濟又
不得不將實在情形縷晰據實陳明合無仰懇
特恩俯准仍照
原奏分別將上元江甯句容六合溧水江浦六縣丁漕減則徵
收以紓民困而廣
皇仁出自
逾格鴻施是年十二
月初五日奉
硃批著照所請戶部知道欽此
光緒元年九月總督劉坤一巡撫吳元炳漕督文彬覆請減徵
第三疏　竊前督臣李宗羲等請將江甯府屬墾熟田地仍照
減則徵收一摺同治十三年十一月二十四日會奏欽奉
硃批著照所請戶部知道欽此當經恭錄轉行欽遵辦理一面
由司查照減定數目出示曉諭於本年二月初九日接准部咨
尙有核辦之處另行知照等因查核准咨之時業已遵照前議
造串開徵續於四月初三日接准部咨江甯府屬墾熟田地減
則徵收礙難覈准一摺光緒元年二月初七日奉
旨依議
欽此知照前來維時開徵上忙已逾兩月臣等深慮重議更張
勢多窒礙然尋繹部文所駁各節均爲愼重賦額起見又不敢
不恪遵部議嚴飭所屬認眞設法以冀仍照舊額徵收當經轉

飭遵辦去後茲據江甯布政使梅啟照江安督糧道衞榮光會
詳稱錢糧乃維正之供苟可照舊辦理亦何敢再三瀆陳祇因
江甯府屬各縣地勢大半濱江枕山低則患水高則患旱田土
本非饒沃與蘇松情形迥不相同自粵逆竄陷十有餘年蹂躪
殆徧被害之慘無逾於此現雖克復已久而土著農民十無四
五力田之家添雇客民工本既大花息尤微從前每畝收米壹
石者今祇收穀壹石穀價每石不過伍陸百文即使減成起徵
已屬勉力輸將若照從前原額銀米並納民力實有未逮如果
迫於催科敲扑從事小民無可賠累懼受追比因　而棄本就末
致將已熟者仍復拋荒未墾者盡成廢棄竊恐於　國計民生
兩有關礙思維至再勢難拘守舊章　細核所減之數　每年照全
額而計亦不過減去一成有奇歸之　國家則所增無幾散之
民閒則實惠無窮權衡緩急不得不將實在情形縷晰　瀆陳如
不能永遠減則或就減成數目試辦三年等情詳請具　奏前
來臣等伏查錢糧科則賦額攸關誠如部臣所議豈可率行請
減況當此整頓錢漕之際尤不准託催科政拙之名為該州縣
辦事因循之地然民隱必宜兼顧辦法尤貴變通江甯府屬田
土之瘠兵燹之深甲於通省目前所議減成徵收較之原額應
徵數目雖覺短少較之歷年辦理抵徵已有贏餘仰體　朝廷
愛民之意自宜逐漸進步未敢驟竭民膏臣等再三體察　如將
定額永遠減去二成業經部臣議駁又何敢援以為請惟有仰
懇　特恩俯准將江甯府屬之上元江甯句容溧水六合江
浦等六縣田地仍照原請減成徵收暫定三年為度以紓民困
而廣　皇仁出自逾格鴻施　是月二十九日軍機大

臣奉 旨戶部議奏片併發欽此

光緒三年江甯布政使孫衣言詳文略 伏思戶部職任度支不敢輕言減賦其意誠在裕國而欲求裕國先求裕民必欲一使兵火之遺盡納承平之賦 非但法不能行亦且情何以忍萬一別滋變故竊恐所承失更多況牧令責在催科不能不圖免咎向來瘠苦州縣每於查辦秋災之時多報分數規免處分是則名爲復額實吃暗虧且藉災虧賦雖日病國利猶在民萬一敲筋吸髓務欲取盈則有田者羣謀棄去無田者不復歸耕挈家四散既無所施其誅求滿目荒蕪更無所望於開墾使江南數拾萬畝之田疇更歷十餘年而不種則無 國家所失賦稅豈復可以數計而徒於眉睫之間爭此錙銖之利爲 國深謀豈宜出此本司涖任之初接見江甯士民無不以本年復額爲憂太息咨嗟至於墮淚實以江甯府被寇尤深非一淮揚徐三郡大半完善者可比而沿江磽瘠又與蘇松各屬之一耕十穫者不同其困苦既爲特殊則 撫綏自宜加意梅升司久任江藩民情最爲熟悉前督憲李 愛國愛民尤爲上下共信使民力尚可支吾亦何敢痛哭流涕呼籲再三乃請之愈殷駁之愈峻暫減之議已滿三年今年上忙錢糧業已勉遵部議照舊啟徵現屆六月各州縣尚少報解而亢旱兼旬蝗蝻蔽野近雖幸沾雨澤插秧已遲難期上稔所宜及早爲之熟籌竊念地丁關係度支不敢再請減徵致虧 國用而民情惶懼尤恐完漕之數倍於完銀我 朝 聖聖相承皆以愛民爲本恭逢

皇太后 皇上勵精圖治疊沛溫綸勤求民隱本司目擊民艱若以前奉部駁不敢復言豈但上負 國恩亦且下愧百

姓萬不得已惟有據實詳請援照同治二年恩免蘇松太三屬虛糧之案將江甯府一屬除高淳溧水二縣向完折色不計外其上元江甯句容六合江浦五縣額徵漕糧等米一律減免十分之三查該五縣田地荒熟併計應徵原額漕屯兵𨛗等米肆共拾伍萬肆千捌百捌拾玖石零以十分之三核計該減米額萬陸千肆百陸拾陸石零就現在啟徵熟田而計共應徵原額漕糧等米玖萬貳千玖百玖拾伍石零共請減叁成米貳萬柒千捌百玖拾捌石零尙應徵熟田米陸萬伍千玖拾柒石零所減米石分攤於各縣科則之最重者著爲定額續有墾熟亦卽照此科徵不再加重斯民具有天良幸沐皇仁優渥如此斷無不踴躍樂輸而利之所在趨之若鶩有田之家旣得田之贏餘豈肯輕棄其業無田之民不畏田之賠累更當競趨於耕十餘年後民間增數十萬之良田國家卽多數十萬之正賦州縣無瞻顧考成之慮漕糧無臨時支絀之虞爲國深謀何以易此溯查同治二年前撫憲李奏免蘇松太三屬虛糧有以與爲取以損爲益之語洵爲切中事情本司愚昧之見實亦竊取斯義合無仰懇憲恩俯准陳奏倘蒙特旨兪允再將該五縣重則田地按三成米石均勻攤派某則某田減免若干作爲定則另行造具減定科則畝分詳咨戶部備查總使民間完納銀米兩項羣算與抵徵不甚懸殊每屆上下忙冬漕開徵責令各縣將銀米收價刊刻告示通頒曉諭定價之外不准多取絲毫並於散給易知由單內將原額每畝科徵米若干應完米若干今每畝減免米若干實徵米若干每石定價若干逐一載明以杜浮勒務在權一時之宜爲萬世之計

光緒三年六月總督沈葆楨巡撫吳元炳漕督文彬奏請酌減漕糧疏　竊照江甯府屬墾熟田地懇請減則徵收一案疊經前督臣李宗羲等奏陳均經部臣議駁嗣署督臣劉坤一會同臣元炳籲請暫減三年部議光緒元年丁漕准予減徵二年按元年所減數目酌減一半三年查照原定科則徵收等因當經轉行飭遵在案臣葆楨莅任後因各屬荒田嚴催未墾而江甯府屬轉多墾而復荒者驟聞之不勝其疑再四訪求僉稱江甯賦重亞於蘇松而地磽等於徐海以十餘年廢耕之土責諸數百里孑遺之民倘錢漕照額徵收竊恐年復一年流亡多而污萊更甚旋據前兩廣督臣鄧廷楨之孫優貢生鄧嘉緝稟稱祖遺田地貳百肆拾餘畝無從招佃情願充公言之甚痛臣派員履勘有佃承種者向一百七十餘畝抛荒者僅七十餘畝緣恐歲非上稔佃復續逃墊完既苦乏貲積逋可勝負疚夫以累代簪纓之族尚因無力賠賦棄之如遺則窮簷小民困於追呼何堪設想　國家大利在農若不培其根本恐撫字催科二者均無從下手藩司孫衣言到任正值上忙奏銷之際疊經通盤籌畫以爲非利農無以勸墾非減則無以利農茲據詳稱從前江甯府屬權辦抵徵上則田每畝徵錢貳百伍拾文下則田每畝徵錢壹百叁拾文爲數甚廉似應爭先開墾趨之若鶩乃求之汲汲而應者寥寥實由兵燹之餘鄉民自種自食每戶不過十數畝而止餘地招募客民給以貲本應募者來自江北土性異宜加以強悍難馴費貲多而交租少大約從前每畝收米壹石者今止收稻百斤或七八十斤礱米不能四斗稍加催索則席捲潛逃牛具田租均歸烏有而田已報熟賦無可鐲辦抵徵時

弊已如此今復丁漕原額綜計上則田每畝須完錢肆伍百文較之抵徵數幾倍之農服先疇棄之則無以爲生守之又不敷償課良懦失業狡黠揭竿上年六合開漕雖借屯米爲詞實則希圖普減戶部職在裕 國原難輕議更張第裕 國必先裕民必欲使兵火之餘生盡納承平之井稅情既不忍法且難行萬一別滋事端竊恐所失更甚目前雖遵部議上怭勉强啟徵現屆六月各州縣報解不前加以亢旱兼旬蝗蝻蔽野近幸渥沾雨澤插秧已遲所宜亟早熟籌預杜後患因思地丁一項不敢再請減徵惟有援照同治二年 恩免蘇松太三屬虛糧之案將江甯府一屬除高淳溧水二縣向完折色不計外其上元江甯句容六合江浦五縣額徵漕糧等米一律減免十分之三查該五縣田地荒熟併計應徵原額漕屯兵卹等米共拾伍萬肆千捌百捌拾玖石有奇以十分之三核計該減米肆萬陸千肆百陸拾陸石有奇就現在啟徵熟田而計應徵原額漕糧等米玖萬貳千玖百玖拾伍石有奇共請減三成米貳萬柒千捌百玖拾捌石有奇應徵熟田米陸萬伍千玖拾柒石有奇將來繼墾熟田亦照此科徵不再加重斯民具有天良幸沐皇仁優渥如此斷無不踴躍樂輸有田之家既得田之贏餘豈肯輕棄其業無田之民不畏田之賠累更當競趨於耕十餘年後民間增數十萬之熟田 國家即多數十萬之正賦等情詳請具奏前來臣等伏查漕糧關係正供不容輕議增減蘇松等屬同治二年蠲免十分之三此破格之 恩豈尋常所當援例然江甯府屬淪陷之久倍於蘇松荼毒之酷甚於蘇松田土瘠而遺黎稀更無從與蘇松比較同是 朝廷赤子何忍聽

其既登祖席者馴致流亾蘇松太減米伍拾肆萬餘石之多爲萬古未有之 隆施所以鞏萬世無疆之 寶祚今於江甯府屬再減米貳萬柒千餘石僅及蘇松太二十之一於國計似無大損而 聖主如傷之隱周浹旁皇其以人情爲田一樹百穫者何可數計惟前次所請減者有二成半二成一成半之分今則統減三成似乎冀倖過甚然前次米銀一律請減今所請者不減銀而減米相權不甚懸殊我 國家列 聖相承皆以愛民爲本幸逢 皇太后 皇上勤求民隱疊沛 溫綸父老捧誦 詔書莫不感極涕零奔走相告臣等不能奉宣 德意使地鮮遺利家有餘糧絕無致富之謀只有乞 恩之疏捫心清夜何地自容然實出於智盡能索之苦衷非敢蹈釣譽沽名之陋習惟有籲懇 鴻慈邀格 特旨准照蘇松太成案核減上元江甯句容六合江浦五縣漕米三成俾民不以納課爲畏途而以墾荒爲利數臣等不勝感激屏營之至 光緒三年七月十五日內閣奉

上諭沈葆楨等奏瀝陳江甯府屬凋敝情形懇請酌減漕糧一摺江甯府屬經兵燹之後田畝抛荒向多今年被蟲被旱播種失時據奏小民困苦情形實堪憫惻加恩著照所請所有江甯府屬之上元江甯句容六合江浦五縣額徵漕糧等米均著一律減免十分之三以紓民力餘著照所議辦理該督等即刊刻謄黃偏行曉諭務使實惠均霑毋任吏胥舞弊用副朝廷軫恤閭閻至意該部知道欽此 戶部疏略 查蘇屬減賦案內由該督撫飭屬核繕原定額數並泒減斗則科表造具應減應徵細冊恭繕一分咨送軍機處進呈 御覽並將各冊分送部科查核應請

飭下兩江總督等查照蘇屬減賦成案造冊奏咨報部再蘇屬減漕不減五升以下輕則現據該督奏請上元江甯句容六合江浦五縣額徵漕糧等米一律減免十分之三與蘇屬稍有不同其如何按則勻攤應令詳查確實至衛田屯糧與民田有無區別抑應一體減免漕項銀米蘇屬不減兵卹等米向不起運現均在請減之列此次繕造表冊應將原額漕糧若干派減漕糧若干減賸漕糧若干按原定科則核算不得將科則歸併致滋弊混並將正耗漕項兵卹等米各歸各款分註細數其有屯米者亦另款登載仍候臣部核復後將訂定實在科則修輯賦役全書先纂一屆應自某年起由該督等酌定奏明辦理以後援限纂輯俾昭信守其高湻溧水二縣向完折色現時漕糧旣蒙核減該二縣徵收折色及漕項南米應如何辦理之處並令該督等另案奏報原奏聲稱繼墾熟田照此科徵不再加重斯民斷無不踴躍樂輸十餘年後民開增數拾萬之熟田等情查減免漕糧招徠開墾較易爲力該督自必確有把握應再請
旨飭下兩江總督等自光緒三年爲始嗣後每屆年終將甯屬各縣該年墾熟田畝若干開具簡明清單咨部備查是年十月初六日奉 旨依議欽此

光緒四年三月總督沈葆楨巡撫吳元炳漕督文彬奏請豁湻虛糧疏 竊准部咨議復江甯府屬上元江甯句容江浦六合五縣減漕案內以高湻溧水二縣改完折色應如何辦理之處行令另案奏報等因當經轉飭去後茲據江甯布政使孫衣言詳稱高湻虛糧由於前明永樂年間蘇常屢遭水患在廣通鎮河築堤以阻來源正德年間添築下壩上游徽宣諸郡之水

壅塞汛濫致固城湖圩沒田十餘萬畝嘉靖閒將前項沈田虛
糧攤於現在田地追徵每畝有加攤二升者有加攤一升四合
及一勺零者我 朝定地制賦沿明舊制以故前項虛糧仍舊
攤賠從前物阜民豐完納已形費力兵燹以後戶口凋敝田卒
汚萊佃種利微輸完糧重不堪其累相率拋荒升任藩司梅啟
照於光緒元年開辦丁漕請減江甯府屬科則案內聲明該縣
向徵折色科則較輕惟大糧田地攤派虛糧民力不逮另歸專
案辦理旋即造具銀米清冊懇請豁除仍照原額六升六合起
科徵收折色奉部議駁何敢再事瀆請無如數年以來該縣業
田之家愈形困苦皆緣租不抵賦大半累於浮攤若不一律豁
除非但未墾之田難期復額抑且已熟之田轉慮復荒等情詳
請具奏前來臣等伏查該縣之請豁虛糧與上元江甯等縣之
請減科則名異實同上江等縣改請減漕仰蒙 恩旨兪允
而該縣虛糧仍然攤帶農民太苦勸墾徒託空言雖攤糧始於
前明在我 朝則爲定額未便妥議更張然溯其未經改折以
前亦係徵收本色核與蘇松等處派徵前明餘糧 本朝沿爲
定額大略相同蘇屬准減於前上江等五縣又援減於後
恩施所被民困頓蘇該縣獨以改折之故不獲共沐 聖澤
相形尤屬向隅合無仰懇 天恩俯念高淳縣民力拮据與
上元江甯等縣情形相同准將攤帶沈田虛糧一律豁除仍照
原則六升六合起科以紓積困而廣 皇仁出自逾格
恩施 是月二十八日軍機大臣奉 旨戶部議奏欽此
戶部議復疏略 茲據該督請將高淳縣虛糧豁除仍照六升
六合起科等因自係爲減糧蘇困藉以實力勸墾起見查上元

等五縣既已特荷聖慈減免漕額十分之三高淳與上元等五縣均屬江甯府管轄自應共沐皇仁俾免向隅前據原報請豁清冊內開高淳縣原額徵銀四萬四千九百餘兩原額徵米一千二百餘石豁除銀九千二百餘兩豁除米二百四十餘石較之上元等縣減免十分之三尚屬有減無增並與特旨減免上元等五縣之案相符自應准其照原則六升六合起科以蘇民困除俟清冊到部再行查核外所有該縣減漕事宜應令遵照臣部光緒三年十月閒奏案歸併辦理光緒四年五月初六日奉旨依議欽此

光緒六年九月總督劉坤一巡撫吳元炳署漕督譚鈞培奏請豁溧水虛糧疏籍准部咨議復高淳縣攤賠沈糧案內以溧水縣如何徵收之處行令另案奏明辦理等因當經轉飭去後茲據江甯佈政使梁肇煌江安糧道師榮光會詳稱溧水舊與高淳本係一邑前明宏治四年始分爲兩縣皆臨石臼湖而與丹陽固城兩湖毘連明初於高淳之廣通鎮建閘以時蓄洩沿湖悉成腴田迨永樂中因蘇常累遭水患改閘爲壩正德年開加築下壩懸禁不開於是湖水汜濫致將溧水縣思鶴諸鄉一十七圩之田盡沒於湖我朝順治五年知縣王鼎頲丈量該縣田地計虧折原額熟田九萬二千四十三畝有奇熟地一萬一千一百三十八畝有奇荒田一千四百八十五畝有奇廢田二百七十九畝有奇廼於實存熟田項下每畝加攤虛糧田一分三釐有奇實存熟地項下每畝加攤虛糧地三釐有奇實存荒田項下每畝加攤虛糧田八釐有奇廢田項下每畝加攤虛糧田七釐有奇由是實在熟田一畝虛作一畝一分三釐

零創立鈔弓名色以二百十一弓七尺實田八分八釐有餘作爲一畝徵糧有舊時縣志及步弓由單版串班班可考在昔民物豐庶尚可支持今則兵燹餘生田荒土瘠再事賠累民何以堪惟前項丈虧田地統共十萬四千九百餘畝而攤派實存田地賠完錢糧者祇七萬三千一百六十九畝零下餘三萬一千八百餘畝訪諸紳耆考諸改折全書稱係水影湖灘曾經描踪測丈照常入額自係當時已坍入水未全沈沒尚冀涸復佈種故未作爲虛糧應俟將來通境荒田全行開墾查丈究有涸復若干實在坍缺若干另將坍缺田地丈實再行請豁等情詳請具奏前來臣等伏查溧水縣虛糧從前民力有餘勉令賠完無故異說今者瘠瘦未復喘息方蘇開墾荒田本重利薄言念民困深用究心就令完固有之錢糧尚形竭蹶再責賠坍沈之賦課自益難支況同府屬之上元等五縣漕糧已蒙減免三成高淳縣攤賠沈糧亦邀豁免聖慈疊沛一視同仁難令該縣獨抱向隅之感國家定制田地賦稅漲則升增坍則豁除當此百計招墾之時尤以便民爲急務與其責賠虛糧徒有加賦之虛名何如豁除坍田冀收墾荒之實效合無仰懇天恩將該縣攤入實存田地賠完虛糧七百三十一頃先行豁除以溥皇仁而紓民困下餘三百一十八頃仍俟荒田全墾核見實有虧缺若干另行查辦現在豁存原熟田地仍照舊時全書科則按畝稽徵以昭核實是月二十八日內閣奉

上諭劉坤一吳元炳奏查明溧水縣攤賠虛糧懇請豁除一摺江蘇溧水縣地方開墾荒田無多瘡痍未復若將坍沈賦課仍令照常攤賠民力未免拮据加恩著照所請所有溧水縣攤入實存田

地賠完虛糧七百三十一頃零卽行豁除以紓民力該督等卽刊
刻謄黃偏行曉諭務使實惠均霑毋任吏胥舞弊用副軫念民艱
至意餘著照所議辦
理該部知道欽此

又案兵燹後清查各縣原額民衞賦田地山塘雜產額數

上元縣原額民賦捌千柒百陸拾頃拾陸畝玖釐衞賦壹千貳百
貳頃貳拾伍畝陸分玖釐共玖千玖百陸拾貳頃肆拾壹畝柒分
捌釐光緒五年分止較原額之數成熟四分玖釐奇　江甯縣原額民衞賦田地山塘雜
產捌千肆百柒拾陸頃捌拾肆畝貳分伍釐光緒五年分成熟伍分壹釐奇　句
容縣額徵田地壹萬肆千肆百柒拾壹頃貳拾伍畝有奇光緒六年分成
熟叁分陸釐奇　溧水縣原額民賦田地山塘雜產除豁攤徵虛糧柒百
叁拾壹頃陸拾玖畝肆分肆釐外實該壹萬壹百玖拾捌頃肆拾
肆畝玖釐光緒六年分成熟叁分柒毫奇　江浦縣原額民賦田地山塘貳千叁
百肆拾叁頃貳拾叁畝伍分捌釐衞賦田地山塘貳千貳拾貳頃

伍拾玖畝柒釐共肆千叁百陸拾伍頃捌拾貳畝陸分伍釐光緒五年分成熟伍分捌釐奇

六合縣原額民賦田地山塘草場除從前坍江肆頃肆拾玖畝捌分陸釐外實該壹千壹百伍拾伍頃柒拾柒畝叁分陸釐衛賦田地山塘沙壓除從前坍江陸拾陸頃拾柒畝叁分外實該柒千肆百貳拾肆頃捌拾玖畝玖分貳釐共捌千伍百捌拾頃陸拾柒畝貳分捌釐光緒五年分成熟陸分捌釐奇

高淳縣原額民賦田地山塘草場柳墩溝灘柒千叁百玖拾頃貳畝柒分陸釐光緒六年分成熟伍分陸釐奇

現熟田地等項科則

上元縣

上則田每畝銀伍分柒釐遇閏加銀貳釐壹毫肆絲壹忽伍微柒纖肆沙陸塵肆渺肆漠叁埃每畝米肆升壹合柒勺遇閏加米

肆抄陸撮貳圭肆顆叁粒陸黍壹稷每畝豆捌勺每畝攤匠班銀壹絲叁微玖纖捌沙肆塵陸漠伍埃　下則田每畝銀伍分貳釐遇閏加銀壹釐玖毫伍絲叁忽柒微壹纖柒沙貳塵壹渺玖漠肆埃每畝米叁升柒合肆勺遇閏加米肆抄壹撮肆圭叁粟玖顆捌粒捌黍叁稷每畝豆七勺每畝攤匠班銀壹絲叁微玖纖捌沙肆塵陸漠伍埃　上則地每畝銀叁分貳釐遇閏加銀壹釐貳毫貳忽貳微捌纖柒沙伍塵壹渺玖漠陸埃每畝米貳升叁合遇閏加米貳抄伍撮肆圭捌粟肆顆肆粒貳黍每畝豆肆勺每畝攤匠班銀壹絲叁微玖纖捌沙肆塵陸漠伍埃

下則地每畝銀貳分柒釐遇閏加銀壹釐壹絲肆忽肆微叁纖玖渺肆漠柒埃每畝米壹升玖合遇閏加米貳抄壹撮伍粟貳顆叁粒肆黍柒稷每畝豆貳勺每畝攤匠班銀壹絲叁微玖纖

捌沙肆壓陸漠伍埃　牧馬田每畝銀陸分牧馬地每畝銀叁分　衛賦屯田地每畝銀米豆均與民賦上則田地同不加閏不攤匠班銀欵　衛田每畝銀柒分伍釐衛地每畝銀肆分向有銀無米　光緒五年原續墾熟現熟民賦田地山塘雜產肆千貳百柒拾頃伍拾肆畝柒釐肆毫叁絲衛賦田地山塘雜產陸百陸拾玖頃叁拾肆畝肆分壹釐貳毫貳絲共肆千玖百叁拾玖頃捌拾捌畝肆分捌釐陸毫伍絲　徵民賦正雜等銀貳萬叁千柒拾貳兩捌錢玖分陸釐衛賦正雜等銀肆千伍百肆拾兩柒錢叁分玖釐共銀貳萬柒千陸百拾叁兩陸錢叁分伍釐遇閏民賦加銀捌百陸拾叁兩陸錢肆分玖釐　徵民賦正雜等米壹萬陸千柒百伍拾石柒斗捌升陸勺衛賦正雜等米叁百柒拾柒石捌斗陸升壹勺共米壹萬柒千壹百貳拾捌石

陸斗肆升柒勺遇閏民賦加米拾捌石伍斗陸升貳勺　徵民賦折色豆叁百拾柒石柒斗伍升貳合壹勺衛賦折色豆柒石貳斗肆升肆合陸勺其豆叁百貳拾肆石玖斗玖升陸合柒勺

江寧縣

民衛賦一則田每畝銀伍分肆毫遇閏加銀貳釐叁毫肆絲玖微叁纖叁沙伍塵每畝米肆升叁合肆勺遇閏加米叁抄伍撮每畝豆捌勺　地每畝銀貳分伍釐貳毫遇閏加銀壹釐壹毫柒絲肆微陸纖陸沙柒塵每畝米貳升壹合柒勺遇閏加米壹抄柒撮伍圭每畝豆肆勺　併衛折色田每畝銀伍分肆毫遇閏加銀貳釐叁毫肆絲玖微叁纖叁沙伍塵　併衛折色地每畝銀貳分伍釐貳毫遇閏加銀壹釐壹毫柒絲肆微陸纖陸沙柒塵　光緒五年原續墾熟現熟民衛賦田地山塘雜産肆千叁

百玖拾頃柒拾玖畝肆分伍釐陸毫　徵民衛賦正雜等銀貳萬玖百柒拾捌兩壹錢玖分叁釐遇閏加銀玖百柒拾肆兩叁錢柒分伍釐　徵民衛賦正雜等米壹萬柒千伍百叁拾石柒升遇閏加米拾肆石壹斗叁升柒合壹勺　徵民衛賦折色豆叁百貳拾叁石壹斗叁升肆合玖勺

句容縣

民賦田每畝銀柒分伍毫肆絲陸忽叁纖陸沙叁塵壹渺遇閏加銀壹釐叁毫陸絲每畝米叁升壹合陸勺叁抄肆撮玖圭陸粟遇閏加米壹抄肆撮貳圭捌粟每畝豆柒勺柒抄陸撮叁圭叁粟玖粒肆黍貳稷　地每畝銀叁分柒毫陸絲伍忽遇閏加銀伍毫捌絲陸忽每畝米壹升叁合陸勺叁抄玖圭肆粟陸顆遇閏加米陸撮壹圭伍粟叁顆　荒白田每畝銀肆分壹釐貳毫

伍絲　草場田每畝銀陸分地每畝銀貳分　衛賦屯田每畝銀貳分壹毫叁絲米陸升陸合壹勺伍抄柒撮捌圭　屯地每畝銀壹分壹毫肆忽米貳升玖合肆勺柒抄貳撮柒圭捌粟沙壓田每畝銀叁分陸毫肆絲　地每畝銀壹分伍釐叁毫貳絲　光緒六年原續墾熟現熟民賦田地山塘草場伍千貳百貳拾肆頃玖釐衛賦田地山塘沙壓拾叁頃拾貳畝貳分伍釐共伍千貳百叁拾柒頃拾貳畝叁分肆釐　徵民賦正雜等銀叁萬肆千叁百肆拾伍兩柒錢貳分伍釐捌毫衛賦正雜等銀叁拾兩玖錢伍分貳釐肆毫共銀叁萬肆千叁百柒拾陸兩陸錢柒分捌釐貳毫遇閏民賦加銀陸百陸拾壹兩貳錢壹分壹釐陸毫　徵民賦正雜等米壹萬伍千叁百捌拾石肆斗肆升陸合壹勺衛賦正雜等米肆拾壹石柒斗叁升貳合柒勺其米

壹萬伍千肆百貳拾貳石壹斗柒升捌合捌勺遇閏民賦加米
陸石玖斗肆升貳合柒勺　徵民賦折色豆叁百伍拾陸石伍
斗貳升肆合

溧水縣

民賦陸升叁合捌勺捌抄有奇起科田每畝銀捌分捌釐柒毫玖
絲陸微貳纖陸沙捌漠貳埃遇閏加銀陸毫貳絲陸忽玖微陸
纖柒沙玖渺柒漠肆埃每畝米伍合壹勺柒抄捌撮貳圭玖粟
玖顆柒粒伍黍遇閏加米肆抄壹圭貳粟叁顆伍粒伍黍柒稷
每畝豆捌勺肆抄捌撮陸圭肆粟伍顆柒粒貳黍　貳升柒勺
壹抄有奇起科地每畝銀貳分捌釐捌毫陸忽玖微肆纖玖沙
叁塵貳漠柒埃遇閏加銀貳毫肆忽叁微貳纖伍沙叁塵叁渺
柒漠每畝米壹合陸勺柒抄玖撮肆圭貳粟肆粒伍黍遇閏加

米壹抄叁撮柒粟伍顆玖粒捌黍柒稷每畝豆貳勺柒抄伍撮貳圭叁粟壹顆捌粒肆黍　光緒六年原續墾熟現熟田地山塘雜產除豁攤虛糧田地外實該叁千壹百叁拾伍頃柒拾捌畝肆分貳釐叁毫玖絲伍忽伍微　徵正雜等銀貳萬陸千捌百玖拾肆兩叁錢陸分肆釐柒毫遇閏加銀壹百捌拾玖兩玖錢貳分肆毫徵正雜折色米壹千伍百陸拾捌石肆斗柒升捌合捌勺遇閏加米拾貳石肆斗捌升伍合貳勺　徵折色豆貳百伍拾柒石伍升壹勺

江浦縣

民衛賦一則田每畝銀肆分伍釐捌毫叁絲貳忽壹微遇閏加銀貳釐柒絲玖忽伍微每畝米肆升捌勺貳抄捌撮叁圭遇閏加米柒撮叁圭壹粟　地每畝銀叁分叁釐捌毫柒絲伍忽玖微

遇閏加銀壹釐伍毫叁絲柒忽每畝米叁升壹勺柒抄柒撮肆圭遇閏加米伍撮肆圭貳顆　光緒五年原續墾熟現熟民衛賦田地山塘貳千伍百叁拾伍頃貳拾叁畝伍分陸釐　徵民衛賦正雜等銀壹萬壹千伍百叁拾兩伍錢陸分遇閏加銀伍百貳拾叁兩壹錢陸分陸釐　徵民衛賦正雜等米壹萬貳百柒拾壹石陸斗玖升壹勺遇閏加米壹石捌斗叁升玖合壹勺

六合縣

民賦上則田每畝銀壹錢貳分捌釐叁毫壹絲肆忽柒微捌纖玖塵玖渺柒漠捌埃遇閏加銀玖釐壹忽貳微壹纖捌沙柒塵伍渺伍漠壹埃叁逡貳巡肆須伍臾每畝米貳升貳合肆勺伍撮玖粟玖顆遇閏加米壹勺貳撮壹圭陸粟柒顆叁黍貳稷　中則田每畝銀壹錢壹分陸釐陸毫肆絲玖忽捌微玖塵柒漠壹

埃遇閏加銀捌釐壹毫捌絲貳忽玖微貳纖陸沙壹塵肆渺壹漠貳逡玖巡伍須每畝米貳升叁勺陸抄捌撮貳圭柒粟壹顆捌粒遇閏加米玖抄貳撮捌圭柒粟玖顆壹粒伍黍陸稷　下則田每畝銀壹錢肆釐玖毫捌絲肆忽捌微貳纖捌塵壹渺陸漠叁埃遇閏加銀柒釐叁毫陸絲肆忽陸微叁纖叁沙伍塵貳渺陸漠玖埃貳逡陸巡伍須伍臾每畝米壹升捌合叁勺叁抄壹撮肆圭肆粟肆顆肆粒遇閏加米捌抄叁撮伍圭玖粟壹顆貳粒肆黍　上則地每畝銀肆分陸釐壹毫陸絲壹忽肆微肆纖伍沙玖塵捌渺玖漠柒埃　中則地每畝銀肆分壹釐玖毫陸絲肆忽玖微伍纖捌塵玖渺玖漠柒埃　下則地每畝銀叁分柒釐柒毫陸絲捌忽肆微伍纖伍沙捌塵玖漠捌埃　衛賦上則田每畝銀壹分陸釐捌毫陸絲貳忽捌微陸纖伍沙玖塵

伍漠捌埃米伍升玖合陸勺貳抄陸撮叁圭叁粟貳顆　中則田每畝銀壹分伍釐叁毫貳絲玖忽捌微柒纖捌沙玖渺陸漠壹埃米伍升肆合貳勺伍撮柒圭伍粟柒顆柒粒　下則田每畝銀壹分叁釐柒毫玖絲陸忽捌微玖纖貳塵捌渺陸漠伍埃米肆升捌合柒勺捌抄伍撮壹圭捌粟叁顆肆粒　上則地每畝銀壹錢貳釐叁毫叁絲貳忽捌微陸沙壹塵貳渺貳漠　中則地每畝銀玖分叁釐貳絲玖忽捌微貳纖叁沙柒塵肆渺柒漠叁埃　下則地每畝銀捌分叁釐柒毫貳絲陸忽捌微肆纖壹沙叁塵柒渺貳漠陸埃　光緒五年原續墾熟現熟民賦田地山塘草場捌百陸拾壹頃陸拾伍畝壹分肆釐衞賦田地山塘沙壓伍千肆拾貳頃拾貳畝肆分壹釐共伍千玖百叁頃柒拾柒畝伍分伍釐　徵民賦正雜等銀玖千貳百陸拾捌兩柒

錢壹分肆釐衛賦正雜等銀壹萬貳千捌百拾陸兩伍分叁釐共銀貳萬貳千捌拾肆兩柒錢陸分柒釐遇閏民賦加銀陸百拾玖兩叁錢伍分伍釐　徵民賦正雜等米壹千伍百肆拾壹石陸斗肆升柒合捌勺衛賦正雜等米貳萬陸千叁百柒拾貳石叁斗叁升陸合柒勺共米貳萬柒千玖百拾叁石玖斗捌升肆合伍勺遇閏民賦加米柒石貳升玖合玖勺

高淳縣案該縣原則捌升陸合與捌升起科田內攤徵虛糧於光緒四年奏准豁除一律以陸升陸合起科

民賦陸升陸合起科田每畝銀柒分壹釐叁毫叁忽捌微貳纖貳沙叁塵遇閏加銀肆毫叁絲捌忽捌微貳沙柒塵每畝米壹合玖勺壹抄陸撮壹圭壹粟叁顆貳粒遇閏加米壹抄叁撮陸圭陸粟肆顆捌粒每畝豆壹合壹勺捌抄玖撮壹圭伍粟叁顆陸粒　貳升伍合起科地每畝銀貳分柒釐玖忽貳纖叁沙陸塵

遇閏加銀壹毫陸絲陸忽貳微壹纖叁沙壹塵每畝米柒勺貳抄伍撮捌圭肆顆伍粒遇閏加米伍撮壹圭柒粟陸顆陸粒每畝豆肆勺伍抄肆圭叁粟柒顆　肆合起科山塘柳墩每畝銀肆釐叁毫貳絲壹忽肆微肆纖叁沙捌塵遇閏加銀貳絲陸忽伍微玖纖肆沙壹塵每畝米壹勺壹抄陸撮壹圭貳粟捌顆遇閏加米捌圭貳粟捌顆貳粒每畝豆柒抄貳撮陸粟玖顆玖粒

五合起科草場每畝銀伍釐肆毫壹忽捌微肆沙柒塵遇閏加銀叁絲叁忽貳微肆纖捌沙陸塵每畝米壹勺肆抄伍撮壹圭陸粟壹粒遇閏加米壹撮叁粟伍顆貳粒每畝豆玖抄捌粟柒顆肆粒　光緒六年原續墾熟現熟田地山塘草場柳墩溝灘肆千壹百伍拾壹頃捌拾柒畝肆分柒釐伍毫捌忽除豁攤虛糧已減則外　徵正雜等銀貳萬陸千伍百伍拾柒兩肆錢

捌分貳釐玖毫遇閏加銀壹百陸拾壹兩捌錢叁分叁釐　徵正雜折色米柒百拾叁石陸斗陸升陸合柒抄遇閏加米伍石叁升玖合伍勺零　徵折色豆肆百肆拾貳石玖斗陸合肆勺叁抄此各縣來文與藩司衙門冊開少有不符故並記之以備考

附錄光緒六年分各縣啟徵墾熟田地分解司道二庫款目備考

上元縣

民賦項下應徵墾熟數

解司地損銀壹萬叁千肆百貳拾壹兩肆錢捌分叁釐　驛站銀陸千叁拾柒兩壹錢貳分叁釐　俸工銀貳千壹百柒拾伍兩伍錢貳分　米伍千叁百肆拾石陸斗玖升貳合柒勺　恤孤米壹百貳拾陸石肆斗柒升肆合陸勺　豆叁百拾捌石柒升陸合陸勺　解道漕項銀壹千肆百陸拾貳兩壹分玖釐　米陸千貳百柒拾石貳斗陸升捌合壹勺

衛賦項下

解司屯折銀柒拾肆兩玖錢玖分柒釐　貢舫銀捌百陸拾陸兩柒錢玖分　江甯省倉兵糧米貳百拾陸石肆斗玖升肆合捌勺內有應撥江甯織造機匠米壹百肆拾伍石貳斗叁升叁合貳勺　屯撫米改兵糧米肆拾叁石叁斗肆升柒合玖勺　解司留備查出抵補漕項撫米壹斗壹升肆合陸勺　折價屯豆柒石貳斗肆升肆合柒勺　解道漕項銀叁千壹百捌拾捌兩伍錢捌分捌釐　津貼銀肆百叁拾玖兩肆錢捌分捌釐　漕項撫米肆石伍斗肆升伍合柒勺

江甯縣

民賦項下

解司地損銀壹萬叁千壹

百桼拾叁兩陸錢伍分貳釐　驛站銀壹千玖百肆拾貳兩陸
錢捌分玖釐　俸工銀壹千伍百伍拾叁兩伍錢捌分桼釐
南豆折價銀叁百伍拾伍兩玖錢壹釐　米伍千壹百肆拾伍
石桼斗叁升捌合　恤孤米玖拾貳石肆斗陸升伍合叁勺
解道漕項等銀壹千叁百貳拾玖兩玖錢桼分伍釐　米伍千
壹百肆拾陸石伍斗陸升玖合貳勺　衛賦項下　解司貢舫
銀捌百桼拾壹兩壹錢壹分肆釐　屯折銀陸拾伍兩桼錢肆
分肆釐　兵屯米壹千叁百桼石桼斗肆升桼合內有江甯織
造機匠米肆百叁石捌斗肆升玖合叁勺　解道漕項銀壹千
伍百陸拾貳兩玖錢陸分伍釐　加津銀伍百陸兩壹錢伍分
桼釐　漕項米叁百陸拾桼石陸斗伍升玖合桼勺　句容縣
　民賦項下　解司地摃等銀貳萬桼千玖百伍拾陸兩伍錢
桼分叁釐　驛站銀貳千陸百叁拾壹兩貳錢壹分陸釐　俸
工銀壹千捌百拾叁兩陸錢陸分叉學租銀陸拾陸兩壹錢伍
分桼釐　南豆叁百伍拾陸石伍斗貳升壹勺　恤孤米陸拾
捌石肆斗玖升桼合伍勺　解道漕糧行月贈粳等米壹萬伍
千叁百拾壹石玖斗肆升捌合桼勺　漕項銀壹千玖百肆拾
伍兩貳錢桼分桼釐　衛賦項下　解司屯折銀拾兩貳錢肆
分叁釐　留備查出抵補漕項米壹石壹斗叁合肆勺　兵糧
米叁拾叁石捌斗桼升陸勺　解道漕項銀拾叁兩捌分捌釐
　加津銀桼兩陸錢貳分壹釐　屯撫漕項米陸石桼斗伍升
捌合桼勺　溧水縣　民賦項下　解司地俸銀貳萬壹千肆
拾陸兩陸錢陸分貳釐　摃腳銀壹百叁拾玖兩叁錢伍分伍
釐　南米撥抵屯米叁拾叁石叁斗壹升壹合　恤孤米壹百

壹石伍斗捌升壹合壹勺　南黑豆貳百貳拾叁石柒升柒合
壹勺　解道漕項銀貳千壹百伍拾叁兩捌錢柒分　壹兩折
徵南米陸百捌拾壹石貳斗柒升壹合陸勺　壹兩貳錢折徵
南米伍百肆拾伍石壹升柒合叁勺　江浦縣　民賦項下
解司地損等銀貳千壹百玖拾柒兩伍錢伍分陸釐　驛站銀
肆千肆百陸拾玖兩叁錢貳分柒釐　俸工銀壹千貳百陸拾
貳兩玖錢伍分壹釐又學租銀貳拾伍兩叁錢叁分壹釐　恤
孤米拾伍石叁斗柒升叁合玖勺　解道漕項銀肆百柒拾壹
兩玖錢玖分伍釐　漕糧贈五行月等米叁千陸拾貳石捌斗
柒升玖合玖勺　衛賦項下　解司貢舫銀柒百伍拾柒兩叁
錢柒分　屯折銀叁百玖拾捌兩壹錢捌分叁釐　兵屯米叁
千肆百叁拾伍石柒斗玖升陸合叁勺　漕項屯米伍百伍拾
石柒斗柒合捌勺　解道漕項銀壹千貳百拾叁兩肆錢陸分
肆釐　加津銀捌百叁拾兩陸錢捌分伍釐　漕項米壹百陸
拾貳石肆斗玖升壹合肆勺　贈五米陸石壹斗捌升玖合柒
勺　六合縣　民賦項下　解司地損等銀陸千陸百柒拾肆
兩叁錢肆分肆釐　驛站銀壹千叁百貳兩陸錢捌分伍釐
俸工銀壹千柒拾叁兩捌錢玖分　恤孤米肆拾柒石捌斗柒
升柒合壹勺　解道漕項銀貳百壹拾柒兩柒錢玖分伍釐
米壹千叁拾壹石貳斗柒升陸合肆勺　衛賦項下　解司屯
折銀壹千陸百捌拾壹兩陸錢陸分叁釐　貢舫銀貳千肆百
捌拾柒兩貳錢玖分叁釐　兵屯米壹萬壹千壹百柒石玖斗
柒升貳合捌勺　解道漕項銀伍千玖拾玖兩柒錢壹分陸釐
漕項米柒千叁百伍拾貳石陸斗陸升貳合玖勺　加津銀

貳千柒百柒拾貳兩玖錢叁分壹釐　高淳縣民賦項下
解司地損等銀貳萬貳千玖百玖拾陸兩陸錢伍分　俸工銀
玖百捌拾肆兩壹錢　解道漕項銀貳千陸百陸拾兩柒錢叁
分伍釐　行月南等款米陸百陸拾陸石叁斗貳合玖勺　解
司恤孤米肆拾柒石叁斗陸升叁合貳勺　豆肆百肆拾貳石
玖斗陸合肆勺　以上皆錄光緒六年十二月六日藩署冊開
也
其雜稅　上元牙稅查咸豐元年牙行壹千貳百伍拾柒戶額
徵牙稅銀叁百陸拾陸兩陸錢截至光緒四年止計捐帖牙行
壹百拾壹戶應徵正銀陸拾肆兩伍錢其前缺徵銀叁百零貳
兩壹錢此因兵燹商賈稀少故也又無額田房稅貳百柒拾陸
兩壹錢柒分叁釐無額衛屬稅壹百捌拾叁兩壹錢柒分柒釐
無額佃民稅伍拾玖兩柒錢玖分壹釐無額房物稅叁百玖拾
柒兩柒錢伍分肆釐無額蘆洲課銀伍拾貳兩貳錢伍分叁釐
牛驢稅自咸豐元年冊報正銀叁拾叁兩柒錢叁分柒釐截至
光緒四年止清出正銀壹拾兩柒錢玖分餘缺以上上元共解
司銀壹千零肆拾肆兩肆錢叁分捌釐七屬參差不等如舊額
者少也　江甯自咸豐元年伍百捌拾叁戶今存肆百零捌戶
上等肆拾壹戶二等拾捌三等肆拾柒四等叁百零貳戶額徵
牙稅叁百零柒兩今完銀貳百玖拾壹兩貳錢伍分未完民欠
壹拾伍兩柒錢伍分牛驢稅拾貳兩民屬田房稅壹百玖拾柒
兩壹錢陸分貳釐衞屬田房稅壹百貳拾陸兩柒錢捌分叁釐
省房稅正銀壹千玖百捌拾貳兩貳錢陸分陸釐耗羨牙梲銀
叁拾兩柒錢今民欠耗銀壹兩伍錢柒分伍釐牛驢耗銀壹兩

貳錢田房民屬耗銀壹拾玖兩柒錢壹分柒釐田房衞屬耗銀壹拾貳兩陸錢柒分捌釐省房稅部飯項伍拾玖兩肆錢陸分捌釐

何容原額貳百叁拾壹戶稅銀壹百零伍兩陸錢今計三等捌戶四等陸拾叁戶共完銀叁拾玖兩伍錢蓋三等者完壹兩四等者完伍錢耗銀壹拾兩伍錢陸分已完銀叁兩玖錢伍分餘欠在民田房稅壹百伍拾捌兩捌錢壹分陸釐耗銀壹拾伍兩捌錢捌分壹釐牛驢稅正銀貳拾貳兩貳錢盈餘正銀貳錢貳分貳釐耗銀貳分貳釐

典稅每典伍兩耗銀伍錢

溧水牙行玖拾肆戶徵銀肆拾陸兩玖錢叁分肆釐今拾陸戶徵銀拾兩缺銀叁拾陸兩玖錢叁分肆釐田房稅貳百壹拾肆兩捌錢陸分捌釐牛豬稅拾玖兩牙稅耗銀壹兩田房稅正耗銀貳拾壹兩肆錢捌分柒釐牛豬稅正耗銀壹兩玖錢無典其完正銀貳百肆拾叁兩捌錢陸分捌釐耗銀貳拾肆兩叁錢捌分柒釐雜稅理無一定儲徵儲解惟在官之廉明耳　高澹原設牙行壹百零五戶稅銀陸拾伍兩柒錢肆分壹釐現請部帖壹百貳拾玖戶戶稅伍錢其銀陸拾肆兩又三等戶壹徵銀壹兩田房稅貳百零貳兩玖錢叁分伍釐肆毫貳絲無典牙稅耗銀陸兩伍錢田房稅耗銀貳拾兩貳錢玖分叁釐伍毫肆絲貳忽

江浦牙稅正銀貳拾柒兩伍錢耗銀貳兩柒錢伍分牙行伍百壹拾貳戶今伍拾壹戶牛豬稅捌拾兩玖錢壹分叁釐耗銀捌兩玖分壹釐田房稅正銀叁百陸拾伍兩貳錢伍分陸釐耗銀叁拾陸兩伍錢貳分陸釐共正銀肆百柒拾叁兩陸錢陸分玖釐耗銀肆拾柒兩叁錢陸分柒釐無蘆課無典以上俱據光緒四年年底奏銷清冊

六合河泊所管山苗漁戶貳拾

陸家葳徵銀叁拾兩分六月十二月兩期解藩司交納例不徵耗經徵無額田房稅銀光緒四年柒拾貳兩陸錢陸分捌釐牙稅捌拾叁兩猪湯稅柒拾壹兩伍錢伍分陸釐牛驢稅壹百伍兩陸錢漁課少常額肆兩壹錢伍分而有耗羨貳兩伍錢捌分伍釐田房正銀柒百貳拾陸兩陸錢捌分牙稅耗羨捌兩叁錢猪湯耗羨柒兩壹錢伍分伍釐陸毫牛驢耗羨拾兩伍錢陸分

以上皆錄光緒四年府案雜稅盈絀年有不同亦需賦役全書成方有定則

以上各條記之存一時之迹非云成憲也

蘆洲田地　甯屬只江甯揚州二府濱江者有之嘉慶府志內載奉行改歸坐落州縣徵收五年一丈除溧水高湻不臨江濱免其查丈溧水縣實徵銀叁拾兩貳錢柒分壹釐高湻縣實徵銀拾伍兩陸錢貳分壹釐今將該二縣不計外其餘上元等五縣兵燹後於同治年間先後清查勘丈截至光緒六年分止開報啟徵其腹裏濱江蘆洲田地泥灘伍千肆百柒拾伍頃肆拾叁畝叁分叁絲貳忽貳微捌纖　各則不等共科徵銀壹萬陸千

貳百伍拾壹兩伍錢柒分叁釐陸毫肆忽併將變通丈期改爲
十年一屆疏示各案附錄備考

上元縣　現熟蘆課田地洲灘壹千叁百陸拾捌頃拾壹畝柒分
肆釐伍毫壹絲玖忽玖微　一各則不等科徵銀伍千肆拾壹兩
叁錢玖分伍釐

江寧縣　現熟蘆課田地洲灘肆百玖拾頃玖拾壹畝壹分玖釐
貳毫壹絲肆忽叁微捌纖零　各則不等科徵銀陸百柒拾伍
兩叁錢肆分玖釐又堆木江灘額徵銀叁拾肆兩肆錢捌分肆
釐共銀柒百玖兩捌錢叁分叁釐

句容縣　現熟蘆課田地洲灘壹百捌拾捌頃柒拾玖畝柒分捌
釐柒毫　各則不等科徵銀壹千貳百肆拾玖兩叁錢肆分柒
釐陸毫肆忽

江浦縣　現熟蘆課田地洲灘壹千肆百伍拾貳頃貳拾陸畝叁分柒釐伍毫玖絲捌忽　各則不等科徵銀貳千壹百柒兩柒錢貳分柒釐（隨徵加耗羨）

六合縣　現熟蘆課田地洲灘除窯灣保歸救生局公洲上光下泥灘伍頃伍拾貳畝叁分玖釐不科課銀外實該連新漲復興洲蘆草地灘共壹千玖百柒拾伍頃叁拾肆畝貳分　各則不等科徵銀柒千壹百肆拾叁兩貳錢柒分壹釐（內荒蕪未墾田地緩徵銀貳百柒拾陸兩肆錢貳分玖釐）

江蘇巡撫部院丁日昌奏定蘆洲田地變通丈期其畧謂江蘇省沿江沿海沙洲林立坍漲靡常定例五年一丈坍則報豁漲則報陞法至善也無如日久弊生或望水以陞科或留糧而待補沙棍因之把持豪强於以兼併而書差洲保人等明知此弊故每届大丈之期倡爲丈費名目隨丈徵解得規則照舊造報無錢則立限比追內外上下各書吏按股均分地方官亦從而染指往往前丈之費未已後丈之費又來自奏准改爲十年一丈庶爲期較寬閭閻亦免夫騷擾而因時復勘坍漲仍有所稽

查今勒石垂禁如地方官吏差保董事人等仍藉稽查欺隱爲名將並無坍漲之地通行丈量及需索丈費者許即據實禀辦嗣後如有坍漲亦須隨時呈報毋得隱匿影射自貽伊戚

附章程　一每屆十年大丈之期如有呈報坍漲者照例勘丈造具圖冊詳咨豁除　一腹裏洲地如無坍漲者永免大丈　一丈費名目永遠革除如有仍前索取者許即據實禀辦　一望水陞科預埋爭佔之根最爲惡習嗣後如有新漲必須變成泥草各灘方許繳價買受若係水影光灘不准報買以杜訟源　一各洲遇有坍沒應隨時呈報豁糧不准再有留糧待補名目以爲影射地步　一報買新漲若干務將價銀照數呈繳地方官以便釘交執業不准報多繳少及赴司道府州衙門繳價以杜冒報之弊

光緒六年四月署兩江總督吳元炳會奏片略　再江蘇各屬濱江沿海沙洲田地坍漲靡常定例五年一丈兵燹後經部議

准改定十年一丈今屆限滿續丈之期當經臣等札飭候補道朱之榛會同署蘇藩司許應鑅認眞督辦去後茲據該司道等參照上屆成案議定章程今屆舉辦大丈以清理坍漲爲第一要義漲者即令補繳價息准其承買給照執業坍者予以詳豁俾免賠糧並將控爭各案一律勘訊斷結其舊額田地變成壞者以分別轉則轉漕以祛取巧避就之弊而又革除丈費訪蠹棍以甦民累詳請出示曉諭遵辦前來臣等伏查沙洲本天地自然之利該沙民等自應漲則報升坍則報豁乃時閱十年漲坍升豁多有未定以致控爭之案又復層見疊出推原其故非由豪強痞棍之把持即因書差沙保之需索現在該司道擬章程洵足以除積弊而恤民隱其此次所需經費均由司道於洲價本款動支不准稍有需索並不設局以節糜費所

鹽引 鹽法志載江寧府屬額行綱引上元江寧各貳萬陸千捌百陸引鹽志袁志數同每引叁百肆拾肆斤句容玖千柒拾陸引溧水捌千壹百引江浦陸千伍百陸拾捌引六合伍千引高淳陸千捌百貳拾玖引自兵燹後改銷稅鹽於是有專商分岸認引包銷之法每引正鹽陸百斤外加滷耗陸拾斤包索叁斤半分裝八包爲一引每包連包索計重捌拾陸斤按淮南鹽法紀畧每引完課銀柒錢貳分經費壹錢捌分出江釐金壹兩伍錢陸分大勝關釐金貳兩貳錢內河捐錢壹千壹百叁拾叁文計每引運本約銀伍

兩伍錢有奇 上元江甯兩岸每年額銷伍千叁百貳拾捌引六合岸每年額銷壹千伍百陸拾引江浦岸每年額銷玖百陸拾引以上四縣同治四年商人何公遠認運光緒二年改乙和祥認運 高淳句容溧水三岸每年額銷肆千引同治五年商人合太和認運 大共七岸每年額銷壹萬壹千捌百肆拾捌引溢銷撥引加釐𨶗銷照包每引完釐銀貳兩貳錢共應繳庫平銀貳萬陸千陸拾伍兩陸錢按四季分納江甯鹽巡道署轉解金陵軍需局充餉

編審 國家故沿明制歲由會通河漕正改白糧輸通倉其操舟者分運快兩籍運丁承運快丁不親運務例助運丁運造等費謂之津貼所欲弗遂卽責以循章輪運傾家破產靡歲無之甚或誣扳富戶波累無辜軍民兩受其害 國初順治九年總督馬公國柱上船政疏極陳運快交混之弊痛切詳明載康熙江甯府志卷三十祠祀注 至是一洗明季積習嗣自乾隆二十四年併僉以來快

丁日就貧疲費無所措苦累滋甚道光三年邑紳伍光瑜等爲引僱役之例倡捐買產俾運丁自行僉運總督孫公玉庭具疏入告奉　俞旨給事中章沅有請確查編審疏勒石垂久民困頓蘇碑凡五一府前一北極閣一江甯縣一石左所一江右五所光緒四年部下編查令亟經亂殘黎物故殆盡民屯錯雜大半污萊總督沈文肅公深鑒前弊用郡人伍承欽石楷等言謂河運規復無期漕船盡廢江南北漕糧或改行海運卽行河運者亦分僱民船及輪船承裝水腳等項悉銷帑金軍丁久不當差編審本屬具文況上江二縣永免僉快已經奏有　諭旨卽異日河運重復亦不能再僉快丁致與從前奏案不符　奏請循案豁除　勅下部議令將永免僉派碑文具達戶部於是快籍一再蒙　恩厥有更生之慶矣碑文詳見拾補

江浦夏錫寶侯宗海等以浦邑快丁四十九船道光中馬德麟葉愷等先後集捐貼運同時稟蒙策奏獲免

光緒四年十一月兩江總督沈葆楨奏請循案豁除快籍疏

竊查各省運丁定例四年編審一次由道造冊詳由漕運督臣具題自道光二十六年編查之後初因水災嗣經兵燹江安糧道所屬各衛所應造編審冊迄未查辦節准部咨行令嚴檄各衛弁會同州縣按實在軍丁田產挨戶編查造冊詳題均經札行該道遵辦嗣據江寧紳士舉人伍承欽等稟稱向來編查軍丁其名有二一曰運丁一曰快丁運丁由衛弁選快丁由縣僉選運丁以船爲家運務素稱諳練快丁專事耕種駕運非其所長於是快丁多倩運丁代辦每歲津貼運造之費奉行既久流弊滋多道光三年故紳伍光瑜等憫其積累勸令江寧快籍沈遐年等二十七名上元快籍常珠等四名捐變田產呈請道庫增給官款合銀二萬七千貳百玖拾餘兩發典生息津貼之費悉出於一斯當蒙奏奉 諭旨永免僉選快丁勒碑以垂永久從前積弊一旦頓除至今碑石巍然猶存歌頌 皇仁不絕於口現聞查辦編審一輩相疑慮深恐以運丁之故波及快丁從前之快丁業已百無一存不如就現存運丁按戶一編造尚屬事歸簡易揚具碑摹請將快籍循案概予豁除免其一併編審等情又經札行江藩司江安糧道會核議詳並暫停編審在案茲據江寧布政使孫衣言署安徽布政使王思沂江安督糧道松椿詳稱江興二衛所屬之快丁向係分住上元江寧江浦六合江都高郵當塗蕪湖無爲巢縣和州含山滁州來安全椒天長盱眙等十七州縣境內當漕船起運之年定例運快並僉四年編審一次嗣因快丁不諳運務多倩運丁代辦每年 捐貼運費銀壹百叁拾兩十年大造貼給造費銀叁百兩復經 奏准捐本銀

生息撥款調劑免其僉運又海州隱軍並無屯田不諳運務公湊津貼生息貼補淮安衛頭二兩幫運丁免其駕運載在漕運全書軍興以來十有餘年各該州縣蹂躪殆遍該丁戶絕人亡即間有一二孑遺房產盡屬邱墟田地鞠爲茂草兼之亂離遷徙籍貫不清雖欲設法編查實屬無從着手徒使里胥鄉保因緣爲奸貽累閭閻莫此爲甚況快丁永免僉運運丁代爲當差久已遵行此時若再編審快丁徒使驚疑無裨事實惟運丁編審疊奉部催自當飭屬趕速查辦一俟齊全另行彙詳所有江興二衛所屬之快丁暨海州之隱軍應請分別豁除停辦編審等情具詳請奏前來臣查運丁承運漕糧快丁津貼運費定例四年編審一次所以杜脫漏重運務也現在河運漕糧僅有江北一處均係僱用民船絕無僉運之事所有運丁編審已非目前亟務然猶謂存此規模爲將來規復河運之計至於快丁一項道光年間已准永免僉選卽使河運盡復亦斷無再編快丁致與從前奏案不符合無仰懇 天恩俯准將江興二衛快丁暨海州隱軍永遠豁除快籍免辦編審其原執屯田照舊存留以杜紛擾而資生計 光緒四年十二月初七日軍機大臣奉 旨該部議奏欽此

積穀 比歲荒旱晉豫告饑大憲軫念民依於是積穀之議起江甯舊有常平倉在柳葉渡對岸今毀不存復成倉專儲旗綠各營兵米虎賁倉僅存八廒乃新增建十廒以儲採辦積穀皆官

爲經理者也夫常平之制善矣而惠未能徧及社倉春借秋還立意雖美轇轕易生惟陶文毅豐備倉法簡易直捷其法歲稔由民自捐自儲歲荒亦即所儲所捐之民自行分食雖曰藏之公實與藏之私無異江寧豐備倉刱建在道光十二年陶公以緝私賞項餘銀伍千兩劄撥江寧府轉發上元江寧兩縣以爲倡建義倉備穀之用旋據藩司楊籛暨署兩縣並在城紳士等在於城鄉廣爲勸捐並覓得舊有儲米礱坊坐落漢西門大街計房屋倉厫共三十九間可儲稻貳萬石呈報府縣勘明議價銀貳千壹百兩立契承買以作義倉餘銀貳千玖百兩除修葺並添置器具共餘儘數購得稻穀叁千壹拾石存儲在倉又城鄉紳富捐輸穀玖千伍百餘石已收儲肆千餘石餘俱陸續運倉又各鄉捐輸穀貳萬叁千捌百餘石仍各存本村選擇殷實之家收儲以爲本村歉歲所需總計城鄉共已認捐稻穀叁萬陸千叁百餘石其城郭紳富捐數內有每石折交銀壹兩俟積有成數即於糶賤之時代買入倉其平日看守倉厫及曬晾人工一切費用另行募捐辦理不動捐穀正項光緒四年江蘇巡撫吳元炳奏爲前奉　上諭崔穆之奏各省倉穀請飭整頓一摺查江蘇肅清以後經　前督撫臣飭令各屬仿照道光年間豐備倉成法於稔收之年按畝捐辦積穀建倉存儲即由本邑公正紳士經管不假胥吏之手此蓋爲民自斂其有餘而仍藏之於民

也開辦至今已十有餘年各屬積存之穀或壹貳萬石或數千石合而見多實分而見少臣通飭甯蘇兩藩司所屬各州縣於本年秋成之後各就地方情形其已經設有倉廒者接續辦理其開辟之處尚未建倉者一體勸諭紳富認真舉辦其積存錢數與穀數相等者飭令稍留若干生息以資經費其餘悉數購穀或有存錢較存穀簡便且可生息之論不知乾潔淨穀足支數十年而不壞歷時過久尚有以陳易新之法積錢既多易啟虧挪且時遇凶歉穀價騰長購買無由則多錢又不如多穀是以臣始終主積儲現穀之說也中稔之年抱取有餘寸銖積累不以目前計其功臣當諄飭各屬認真經理力行無懈並隨時嚴加稽核祛除弊端

至是前布政使孫公首捐奉以爲之倡檄知府孫雲錦總其事會邑人石楷議之僉以民氣未復今昔異形非廣勸輸曷能積微成鉅大凡籌辦積穀不外官捐民捐畝捐三項於是官捐自沈文肅公以下其得穀叁千伍百石民捐自石楷以下其得穀陸千石有奇又米行礱坊所收買戶每石一文捐其得穀壹千石槩善堂恤嫠積穀陸百石統儲於廣豐備倉是爲光緒三年以來積穀之數其畝捐積穀猶古社倉遺義今上江

兩縣畧仿其制每畝捐穀貳斤責由各村老成殷實者實力勸辦各存各村遇有凶歉儘其所積各賑各村官不經收民無紛擾不分城戶寄莊善舉堂局祠廟公產一律捐儲由地方官遴擇公正耆董一二人專司其事名曰社董所收捐穀秋後由社董具數呈報官爲封儲不時查驗於是上元得積穀肆千陸百石有奇江甯得積穀伍千壹百石有奇此三年勸諭試辦之始積有成數也四五兩年山田苦旱歉收專取於圩捐數無幾總之畝捐一項圖匱於豐必得中稔之年方能充積其外五縣俱已次第舉辦惟捐章不一錢穀均收具載各縣志詳記未能備述在鄉者宜仿方受疇畿輔義倉圖建倉於各鄉爲善然有治法尤貴有治人言固未有不盡善者非第一義也附郡人石楷議曰要在地近其人人習其事官之爲民計不若民之自爲計故守以民不守以官城之專爲備不若鄉之多所備故儲於鄉不儲於城其輸之也不勞其散之也易徧其操之也不迫其察之

也易周歲有水旱不齊民無倉皇失所制莫有善於此者也今如錢縣丞議請建倉附郭一節所慮周已深遠然而一鄉一郵之中豈無老成公正之人爲之董理豈無家道稍裕之戶爲之收儲十室之邑必有忠信故前議條陳各存各郵各賑各郵儘其所積以散放鄰郵不得覬覦假使併積一歲設遇偏災仍按本郵冊記存穀多寡而計數以賑之耶抑不按冊存穀數而計日以授食耶是皆未可知也昔宋儒致堂胡氏曰後世義倉之名固在而置倉於州郡一有凶飢其受惠者大抵城郭之近力能自達之人耳居之遠者安能扶老攜幼數百里以就龠合之稟哉斯言良可慨也至所議建倉各情特恐鄉董從中侵蝕開銷誠所不免但查核江邑開報大郵鎮二十處其計捐穀伍千壹百餘石只秣陵關一處捐有伍百餘石板橋祿口等鎮各肆百餘石其他或貳叄百石百餘石數拾石不等而銅井距城幾及百里之遙至朱門祿口秣陵關等處約計八十六十餘里其至近如西善橋亦有十數里若令一律輸之於城即建倉之費官爲籌畫運腳一項近則每石百文遠則每石數百文不等又從何出斷難取之農民更難責令捐戶各自交倉則莫如各存各郵之爲民便也鄉民初聞穀存本郵故樂從完繳一旦轉輸於城無論可否官已不能取信於民又安能見信於董人心解體勢所必然如建倉之議果行鄉董散處四方人事既不相識復何能輸流照管倉務由是官爲主之民何便焉董與民聲氣可通董於官分有所隔固不能與之抗論又曷敢與之爭衡邪茲悉心籌一杜漸防微之法擬請先行出示實貼二十郵鎮存穀之所與鄉民約凡所存捐穀數目倘有虧短情弊或被人鎮

告發或有人舉報或有人密陳或經官訪問一經查出定即從嚴重辦按數加倍究罰勒限追賠

又附嘉慶十九年甲戌江甯大旱井底皆涸郡人秦文慤公上書於百文敏言救荒章程曰總畧有五曰清庶獄禁槽坊訪閭戶查戶口防盜賊次勸捐有四曰延富戶獎異之議敘之赦其小過又次采買有三曰遴委員擇米色兼雜穀其不糶之章四曰先借倉米其後照還寬地分廠以免擁擠較量升斗以杜朘削分貧之次極以定市價其施粥之章六曰定時刻驗稀稠較瓢勺備柴薪及芝蔴秸灰煮之亦麥米相摻云云百文敏用之是歲米升五十民忘其饑

續纂江寧府志卷之三

江寧陳作霖分纂

軍制

昔者聖人作易以地水爲師解之者曰水因地以爲形兵因勢以制變此其取象之義也而象傳復於習坎鄭重其辭曰地險山川丘陵也王公設險以守其國險之時用大矣哉然則兵之爲用豈不貴乎隨時耶金陵襟江負山綰轂吳楚東引大海界判華夷　國朝定鼎之初軫念南服設八旗駐防於省會以將軍都統統之蓋得控御之宜矣總督兼轄軍民標下中左二營實資調遣而分防地汛城守司之綠旗之兵於是乎萃其滿漢員弁之數馬步戰守之額俸薪餉糈之目前志所錄靡有遺中更潢池公私掃地十年休養漸次補苴猶未能悉符舊制也至於兵興以來湘淮二軍堅忍剽銳平粤定撚功績偉然凱徹

之餘留防無幾如督標親軍左右二營本星字營湘軍也駐金陵又有護軍新勁諸營皆同治十三年所募之勇領之者淮軍將也東西南北不常厥居如湘軍合字營駐雨花臺者近調鎮江親軍慶字營駐浦口者近調山東事出權宜無關尺籍據爲典要不亦傎乎茲特取前志之未及詳舊規之未盡復與夫制變之要設險之方隨時之用若長江水師若督標新兵若沿江礮臺若武弁月課者著於篇俾後之談兵者有所考焉作續軍制志

江甯駐防旗營在城東北隅明內城地也以舊宮牆爲界咸豐癸丑之變將軍祥忠勇率都統以下自大城退守內城振臂一呼裹創復戰婦孺喋血視死如歸其潰圍而出者才八百餘人耳經將軍蘇布逼阿奏請集爲一營隨勦江南北之賊同治三年將軍富明阿率之由揚州大營凱徹回防有官二十九員甲兵歷年傷亾厪存三百餘名乃奏以爲江甯駐防八旗頭甲喇竝請撥滿蒙兵

補防逮至十年調到荆州旗營官十九員甲兵五百七十二名小甲三百五十六名編爲八旗二甲喇是年將軍魁玉於荆州撥防官兵子弟內選補甲兵一百八十一名十一年將軍穆騰阿又於二甲官兵子弟內選補甲兵一百三名共二百八十四名編爲鑲黄正黄正白正紅四旗三甲喇光緒二年復調到荆州旗營官十二員甲兵二百八十八名編爲鑲白鑲紅鑲藍正藍四旗三甲喇又於隨帶子弟內選補小甲三百五十六名以足八旗三甲喇小甲額數而旗營粗有規制矣其官員甲兵之數謹据光緒六年案牘臚列之如左

協領六員原額八員　佐領二十員原額三十二員　防禦二十四員原額四十員

驍騎校二十四員原額四十員　筆帖式三員如原額　世職官八十員

甲兵一千五百七十五名原額二千八百六十三名　小甲八百四十九名

原額礮手六十一名匠役一百二十名步甲五百七十二名養育兵一千五十名

按江甯駐防事宜便覽卷四云順治二年撥左翼滿蒙兵三千名駐防康熙二十二年移一千名駐荆州卽由　京撥右翼四旗滿蒙二千名來甯（共四千名）雍正八年移官二十員兵八百駐乍浦遂在江甯挑補以足四千之額乾隆二十八年裁汰京口漢軍案內撥江甯駐防蒙古官四十八員兵一千一百三十七名於京口故云二千八百六十三名（合大小甲兵四千六百六十六名）馬匹之數將軍二十副都統十五協領十二佐領八防禦五驍騎校同筆帖式四雍正九年以前將軍吳　奏准馬乾銀兩扣存其半以備買馬（每匹三十兩）其放牧在萬頃湖（當塗縣地）歸牧在前湖（鍾山西南城闉之外）歲演礮於金子堰（上元東北以鹽規銀充賞）獵於寶華山（句容北藩司解銀三百充賞）

江甯綠營官兵督標城守寶駐會城而浦口一營屏蔽江左其汎

地墩堡之在七縣者則與遊兵奇兵溧陽諸營聯事咸豐中向忠武和武烈兩軍攻圍金陵有江甯綠旗兵隨營征討蓋皆諸營所遺而招集之者也已而江南底定規復諸營官弁皆拔補如額其馬步戰守各兵自同治三年至光緒六年陸續募補之數著錄於尺籍者可得而稽焉

督中營　馬戰兵一百四十四名原額二百五十五名　步戰兵一百十六名原額二百七十五名　守兵一百六十八名原額一百五十七名　戰馬一百三十六匹原額二百二十五匹

督左營　馬戰兵九十九名原額二百三名　步戰兵一百十三名原額二百二十六名　守兵一百八十八名原額一百四十二名逾額四十六名　戰馬九十九匹原額二百三匹

城守左營　馬戰兵五十六名原額九十八名　步戰兵十七名原額三十六名

守兵二百六十三名原額三百四十九名戰馬五十六匹原額九十八匹

城守右營　馬戰兵五十七名原額九十七名　步戰兵十七名原額三十六名

守兵二百六十三名原額三百四十九名　戰馬五十七匹原額九十七匹

浦口營　馬戰兵四十六名　步戰兵七十三名　守兵二百四十四名　戰馬四十六匹原額皆無缺

江甯城垣恢廓爲門十三金川小東清涼三門久塞定淮門道光二十二年因海氛而閉街衢坊廂縱橫交午地大物博奸宄易藏今城內分設十四巡卡每卡兵五名督中營司三卡督左營司三卡城左營司四卡城右營司四卡城門盤查亦以營兵分任每門例有百總二名門軍八名今皆未招補視地之閒劇爲派兵之多寡督中營兵水西門十名太平門五名督左營兵神策門六名漢西門八名水西關二名城左營兵聚寶門十名朝陽門七名城右營兵通濟門八名儀鳳門六名實與保甲相爲表裏皆權宜之制也營汛之規前志載之而未詳其分地茲据案牘錄之以資任緝捕者考鏡

城守左營中軍守備司三汛西華門　木匠營　鄧府巷左哨千總司四汛淮清橋　教敷營　堂子巷　武定橋右哨千總司五汛紅花地　倭緞堂　花牌樓　虹橋　新街口左哨頭司把總司六汛大中橋　八府巷　內橋　白塔　新路　馬路街左哨二司把總司十二汛笪橋　御史廊　太平門　小教場營　集賢庵　高樓門　小四牌樓　文廟　十廟　小武廟　唱經樓　沐府西門右哨頭司把總司八汛東關頭　丁官營　黃公祠　鷲峯寺　東花園　茉莉園　黃新廊　紅土山右哨二司把總司城外三十三汛上孝陵衛　下孝陵衛　羽林　清涼庵　蔣家莊　西平墩汛　高井墩汛　仙鶴門　滄波門　中和橋墩汛　高橋門墩汛　沙子岡墩汛　上方門　靜海寺　北河口　大河西汛　小柵欄門汛　瀋陽衛　盤龍山　蔣廟　白馬羣　觀音門　上仙鄉　燕子磯　岔路口　湖熟　龍都　索墅墩汛　湻化鎮墩汛　石埠橋　攝山渡　帶子洲　東流

城守右營守備司二汛鐵獅子街　張公橋左哨千總司三汛江甯府前　板巷　陡門橋右哨千總司八汛上浮橋　下浮橋　土城　陳府園　五雲庵　鳳游寺　賀家門樓　小門口左哨頭司把總司十五汛唱經樓　南籌市口　指月庵　館驛　獅子橋　四牌樓　斜橋　井亭　大市

橋 圓通庵 北籌市口 廣洋倉 雙門樓 北小門口 晚市 左哨二司把總司五汛 朝天宮 笪橋市 虎賁倉 銅銀巷 永慶寺 右哨頭司把總司十二汛 左所巷 錦衣倉 峩眉嶺 頭鋪 百嵗坊 團瓢 虎踞關 水左岡 四衛頭 雙橋 定淮門 朝陽庵 右哨二司把總司城外三十四汛 來賓橋 安德門 圓覺庵 馴象門 接待寺 石城祠 晏公廟 養虎庵 到彼庵 夾岡門 南城岡 善司廟 雙橋門 馬房橋 蟠龍廟 板橋 斷山凹 江甯鎮 牧龍亭 地藏庵 鍋巷 天妃祠 祐聖祠 水府祠 大王廟 眼香廟 陳杜橋 陶吳鎮 殿巷 秣陵關 朱門 路口 小丹陽 徐埠 以上左營城內三十八汛每汛派兵一名外汛其派兵九名右營城內四十五汛每汛派兵一名外汛其派兵十名

浦口營專防江六二汛千總駐六合城內兼司七汛 梁塘鋪 江家渡 水家灣 雷官集 竹鎮集 馬家集 猴子鋪 其派兵二十一名亂後墩臺皆燬

協防江六二汛外委千總駐江浦城內兼司八汛 小店 石磧橋 新安墩 黃土墩 虹橋墩 東葛墩 西葛墩 汊河集 共派兵十八名墩臺亦失

溧陽營專防句容把總駐句容城內兼司十二汛白兔華墓岡太平莊行香土橋廣福山口竹里橋頭龍潭蘆岡橋塘天皇寺塘袁巷塘共派兵三十名

專防高淳把總駐高淳城內兼司四汛芮家觜西斗門尋鎮鋪下壩共派兵十二名

協防溧陽溧水二汛外委把總駐溧水城內兼司四汛山口官塘楊令橋柘塘共派兵十二名

奇兵營右哨千總司江汛三北江邊汛三江口汛柏家閘汛右哨頭司把總司江汛十朱家觜汛九分塘汛西溝汛瓜埠汛段腰口汛三溝汛沙洲圩汛田家橋把大蓬門把黃廠河把右哨二司把總司江汛三螺螄溝汛天甯洲汛坎潭橋汛以上上元五汛六合八汛句容三汛共派兵四十二名

自操江職廢而長江無水師此粵寇之亂所爲乘流直下也湘鄉曾文正練軍衡陽首立水勇東征制勝厥功爲多金陵既收戰事

大定遂奏請以前募之水勇改爲經制之水兵設立長江水師二十四營以提督統之其在江甯草鞋夾駐劄者曰金陵營屬提標前營水師有造船廠三其一在草鞋夾上自烏江下至通江集以上江汛向係奇兵遊兵營分管前志詳載之今併歸長江水師惟餘奇兵營右哨所管十六汛仍舊詳前汛地類皆其分防汛地并及江浦六合之內河而通江集以下六合江汛則屬瓜洲營焉六合庚辛號及瓜埠河口向屬青山營守備所轄今皆撥歸長江水師瓜洲營後哨守備○淮揚水師之勇未裁者尚有三營右營戰船二十號駐下關一帶江面

金陵營參將一員 左右哨都司各一員 前後哨守備各一員

千總八員每哨二員 把總九員前哨三員左右後哨各二員 外委十二員每哨三員

額兵四百九十名 長龍船二號底長四丈一尺底中寬五尺四寸額兵二十五名內舵工一名月給銀三兩六錢管舵兵一名頭工兵一名礮手四名月給銀一各三兩槳手十八名月給銀二兩七錢每船設大礮前後左右六位 舢板船三十號底長二丈九尺底中寬三尺二寸額兵十四名內舵工一名頭工一名礮手二名槳手十名每船設大礮前後兩位左右設車轉小礮兩位小礮短刀長矛噴筒隨宜配用 督陣舢板船一號較舢

板略加長大額兵二十名內舵工一名頭工一名繚手二名槳手十六名其舢板額兵月餉皆與長龍同餉項出自釐金歸江甯鹽巡道放給

同治八年兩江總督馬端敏以額兵之不可用一則差使太多而分派皆畸零之數一則口糧太少而應募皆老弱之人於是設增餉練兵之法挑選精壯酌加津貼立爲新兵左右前後中五營均於江甯省城左近擇地駐劄其各營挑贍之兵仍留各該處爲分防之用其制至今遵守之

新兵左營督中營兵三百名城左營兵二百名　右營督左營兵三百名城右營兵二百名　中營浦口營兵一百名其餘四百名係瓜洲奇兵二營挑選　前營係在瓜洲奇兵泰州揚州四營挑選　後營浦口營兵一百名其餘四百名係鎮江溧陽青山等營挑選　各分五哨營官以中哨爲親兵

每營營官一員月支薪水銀六十兩公費銀一百兩實任人員只支薪水不支公費　幫帶官一員月支薪水錢二十四千文　哨官五員月各支津貼錢十五千文　兵丁五百名內親兵什長八名月

各支津貼錢五千四百文親兵八十二名月各加貼錢三千六百文正兵什長三十二名月各加貼錢四千八百文正兵三百二十八名內有紅藍旗八名月各加貼錢三千文餘丁五十名月各加貼錢二千四百文長夫十二名月各支錢三千文

古所謂礮以機發石今所謂礮金火相激陷脰洞胸慘於矛戟或造諸中國或購自外洋其不知者以爲惡常而好異其知者以爲合變而通方究之器械精利雖宜海防相地守險尤在師武臣之良自道光中海氛既靖兩江總督壁昌築礮臺於江岸南北因土爲堤而已同治十三年臺灣告警總督開縣李宗羲籌辦防務俟官沈文肅繼之自吳淞江至江甯下關各隘口皆仿西洋形式建築礮臺星羅棊布逮光緒六年而完工其屬於江甯南北兩岸者請詳言之

南岸烏龍山濱江暗礮臺七座安礮七尊明礮臺三座安礮四尊山磯頭暗礮臺四座安礮四尊明礮臺二座安礮六尊守臺勇五百八

北岸沙洲圩與烏龍山對峙濱江暗礮臺五座安礮五尊明礮臺三座安礮八尊守臺勇五百人

南岸下關暗礮臺六座安礮六尊明礮臺二座安礮二尊守臺勇五百人

礮臺之制凡石壁峭峻之處則開山鑿石以爲基址其濱江平坦沙土之地則以大杉木用機器密釘入土以實其基仍厚砌方石以固其址有明臺暗臺之分如暗臺則排椿鋪石後以糯米汁和湖沙石灰黃土名曰三和土過篩拌勻每鋪鬆土六寸用石鐵狼頭搥融攙以桐油以至堅爲度壓得二寸有餘臺之內中空即礮房其後半爲礮兵演礮之所前半八字式爲安礮之所礮口則用外洋熟鐵厚板揩以熟鐵圓柱中襯洋木一間有用銅板者以熟鐵牝牡螺絲大釘貫之使鐵板洋木聯而爲一中開礮洞分別安裝熟鐵雙開單開礮門以便啟閉礮位之下下貫大木上釘鐵路與礮架脚輪符合利於左右進退其礮房之側一旁建造藥彈房一旁爲住兵之所後面開門以通出入臺頂鋪巨木數層用鐵條聯貫除礮房藥彈房住兵所空處外皆以三和土層累築成其明臺上則露頂中貫大木釘以鐵板前左右用三和土堅築厚牆開以礮口臺旁亦建藥彈房臺之外建有藥彈總庫包藥等所兵房濠溝水池各就地勢設立此其大概也

材武之士以軍功得官凱徹歸標入浮於職加以死事孤兒蔭襲

及歲投轅學習位置綦難同治七年曾文正奏仿書院考課之法月試步箭馬箭鳥鎗一次中者優給薪水屢列超等者遇缺拔補每月二十五日先射步箭以中三矢者爲合式始予考馬箭鳥鎗否則免考光緒元年十月沈文肅改用洋鎗打靶健者能連中二三十鎗初用石灰靶中則石灰飛動嗣以灰靶易滋弊端改用鐵靶中則鐙然有聲操習既久復收小其靶且愈推愈遠離靶至一百二十丈今武弁爭購外洋所製鎗名馬梯呢者以習之於體恤之中寓訓練之意他日之將才或出其中則所以馴擾而成就之者大矣此亦有關於軍政者也故併記之按軍事選材質勤訓練閱歷行陣皆不可闕

續纂江甯府志卷之四

儀徵劉壽曾分纂

祠祀

古者聖人先成民而後致力於神故課農桑所以養民蒐軍實所以衞民民生遂矣宜示之以報本展敬之義置都立邑各殊之分幽明之際誠摯之格非法施於民勞定國死勤事與夫能禦菑捍患者不在祀典所以詔民不誣也若夫二氏之廟宇皆其徒自募之官不預焉作續祠祀志

凡城邑皆有壇壝以禮神示是故東郊曰先農壇壇陛五級繚以垣樹以木有齋宮以持敬耕耤之所也西郊曰社稷南郊曰山川北郊曰厲除地周垣植木齋宮皆同二仲官祭之先農祀以季春下戊社稷山川祀皆以戊北郊則各主之以城隍神此七邑之大同也

府城隍廟在府署路北廟未立時權卽金沙井屋宇爲之同治十三年乃因舊址重建而加宏壯有戲樓閻羅王廊神父母夫人諸宮室歲以清明七月望十月朔日輿神象詣北郊主羣厲祭焉在神策門外白土山鹵簿甚盛民日出巡六月二日官祭之水旱必禱古城隍廟在石城門羅廊口宋西城址也凡城闕皆有廟如漢之城門候明制外郭皆有之今外郭全圮而廟間有存者如鳳臺門夾岡門之廟道光中居民猶祀之

武廟舊在欽天山咸豐四年升中祀同治六年建於中正街八年移建雞鳴山府學舊址官祭以二仲

文昌宮在西華門三條巷咸豐六年升中祀同治十二年卽舊址重建官祭以二仲暨二月十日武廟文昌宮禮樂皆詳中祀合編武廟樂舞致演已成

火神廟舊在白衣菴

八蜡廟舊在欽天山同治八年幷移建中正街尙書坊官祭先是同治六年於其地建立　武廟幷江甯官紳昭忠祠嗣　武廟昭忠祠均經另建因以　武廟爲火神廟昭忠祠爲八蜡廟

靈護龍神廟在烏龍山新立光緒五年總督沈公葆楨奏請

賜額

龍神廟舊在錢廠橋西同治六年總督曾文正公以禱雨靈谷寺立應改建廟於寺旁有碑記

倉聖廟舊在雨花山同治[illegible]年升列羣祀光緒三年即府學飛雲閣爲廟以周史籀秦程邈王次仲漢史游許愼祔祀春秋上丁官祭

湖神廟在元武湖同治十一年建造光緒四年重脩官祭

名宦祠在府學增祀江甯知府許兆椿鹽巡道方昂總督陶澍曾國藩四人縣學同

鄉賢祠在府學增祀遵義知府胡鍾浙閩總督董教增福建巡撫葉世倬靜海主簿端木心實廣東巡撫朱桂楨雲貴總督潘鐸歲

貢生伍光瑜兵部尚書何汝霖增生陳授九人縣學同光緒六年正月禮部議準嗣後各省名宦鄉賢呈請入祀者須俟其人身歿三十年後方準具題核辦見部駁上元舉人伍承欽入祀咨文

忠義祠在府學版位仍舊次縣學同咸豐三年以來江甯七縣紳民殉難者均祀金陵官紳昭忠祠

孝悌祠在府學增祀優貢生郭鴻靜海主簿端木心寅國子監生倪之鏕甘遐年文生楊銓按察司經歷銜甘福三品銜山東候補知府前恩縣知縣梅纘高七人縣學同府學向無名宦鄉賢忠義孝悌等祠今增祀右四祠春秋上丁官祭

上元節孝祠舊在雞籠山下同治八年改建於龍蟠里街口

江甯節孝祠在梅岡木末軒側舊址同治八年建總坊仍存右二祠春秋上丁官祭

紀善周公祠在縣學祀明衡府紀善周公是修同治九年重建縣學爲周公成仁處同列者有江西副使程公本立道光二十二年曾祔祀今版位未復

賢良祠舊在欽天山雍正十一年奉　旨建同治九年移建縣學内（賢良祠爲　京師祀典直省無之　憲廟褒異陳恪勤張清恪德政特立祠江甯　今祠在縣學者因致仕知縣鳳池書院山長陳公玉萬祠宇之舊祠即承訓樓爲陳公子江蘇巡撫桂生立蓋私祀也宜在鳳池書院附縣學未合故改祀二公）右二祠亦春秋上丁官祭

十三祠舊在梅岡同治五年知府涂公宗瀛改建於府學忠義祠之側同堂異版略存祠制入祀者凡三十有一祠仍名十三祠者從舊稱也總祠凡六曰青溪先賢祠道光間增祀梁衡州刺史袁公粲宋參知政事范公成大明贈少保大學士禮部尚書李文節公廷機贈太師大學士吏部尚書葉文忠公向高大學士工部尚書范文忠公景文贈諭德翰林院修撰焦文端公竑　國朝貢生羅必顯六人（見上元武志）曰雙廟曰三忠祠（已詳呂志）曰表忠祠道光間增祀吏部尚書張公紞（萬厤江甯志紞作純）御史林烈敏公英御史丁節愍公

志芳郎中梁公田玉刑部主事徐節愍公子權宗人府經歷宋節愍公徵中書梁公艮玉中書宋公和中書郭公節編修程公濟某官葉烈愍公福某官梁公中節官皆失考　中節與田玉艮玉及原祀之梁公艮用所謂定海四梁也　某官郭公艮官失考　北平布政使張忠烈公昺袁州知府楊烈愍公任甯波知府王公槤同知周烈愍公繼瑜永平知縣張烈愍公彥方獻縣知縣向烈愍公樸嘉定知縣練烈愍公大亨永清典史周公縉左副將軍欒城侯李公堅指揮彭公聚都指揮使張忠烈公能萬厤江甯志作阜旗張從軍中之稱也　指揮王烈愍公某名無考　大甯守將卜烈愍公蕭錦衣鎮撫楊烈愍公本四川都司斷事方公法行軍斷事錢公芹參軍宋公某名無考　某官連忠烈公楹官失考　秦府長史鄒烈愍公樸甯府長史石烈愍公撰晉府長史龍公鐔濟陽廩生高公賢甯金川門守卒龔公翊杜公奇黃公墀陳公子方何公洲以上四人

皆士夫坻隸　齊公敬宗方公孝友方公中憲方公中愈陳公鳳山陳公
丹山瞿公某顏公有爲茅公順童茅公道詩胡公傳道侯公敬祖
侯公玘郭公經楊公禮楊公　楊公益盧公原樸葉公夷仲自齊公敬
宗以下皆忠義之門從其父兄死難者　台州樵夫温州樵夫河西傭補鍋匠馮翁雲
門僧若耶溪樵玉山樵夫六十七人右見上元武志　案萬厤朝肇祀表忠據汪氏中表忠祠
碑云一百一十四人惜萬厤志今少傳帙無由考覈然據武志於
呂志失收版位閒標原祀則萬厤以來有所增益後又删省呂志
承藍志陳志之文未能晰言之也祠舊有碑亦不詳刻於何時武
志於官階姓氏多據之咸豐三年兵火碑已毀帙近上元龔榮椿
訪得殘石補鍋匠諸人在焉呂志不載補鍋匠則此碑或刻於脩
志後矣他日新祠宇宜通祀一百八十四人并嵌版位殘石於祠
壁
曰羣公惠澤祠曰昭忠祠專祠凡二十五曰晉梅公賾曰南唐
劉忠肅公曰宋曹濟南武惠王鄭介公馬莊敏公曰明孫忠愍公
方忠文公景忠壯公黃忠節公孫烈愍公周忠節公王文成公黃
公承元王公爌海忠介公丁清惠公耿公定向汪公宗伊張莊節

公何忠節公鄭公一麟曰　國朝于清端公于襄勤公兩于公舊共一祠陳勤恪公姚公延著張公瑛歲以春秋上丁官祭上江兩邑祠廟最盛十三祠合祀之禮事出權宜時卞忠貞公顏魯公大程子三祠已立故未列版位三忠昭忠方忠文景忠壯周忠烈黃忠節丁清惠七祠近乃脩復版位仍在祠中有其舉之莫敢廢也此外未復之祠三十有九見同治上江合志

顧亭林祠在府學東南山陬府學爲朝天宮舊址亭林三至江甯曾寓居其中同治十三年教授趙彥脩教諭吳紹伊因餘屋改建以江甯先正翁荃程廷祚嚴長明談泰胡鎬金鰲陳宗彝楊大堉車持謙朱緒曾陳立寓賢儀徵劉毓崧德清戴望祔祀其樓龕祀明侍郎顧章志贊善顧紹芳國子生顧紹芾官蔭生顧同蔭處士顧同吉顧侍郎亭林之曾王父舊有祠在朝天宮今推本所生更祀贊善以下歲以五月二十八日亭林生日由府學教授教諭率紳士致祭光緒二年江甯布政使孫公衣言議準札行府學

三忠祠在土門岡二忠祠舊址也原祀宋楊文二公後增祀明南京尚書李忠肅公邦華改題三忠同治十二年重建

督學陳公祠在文德橋北祀明南京督學陳公子貞

昭忠祠舊無祠宇祔祀　武廟之廡今坿祀金陵官紳昭忠祠之廡

諸葛祠在軍師巷■年募脩舊名起鳳祠

卞公祠在府學西同治十年總督馬新貽重建有碑記

顏魯公祠在龍蟠里烏龍潭上同治五年知府涂宗瀛重建有碑記

一拂清忠祠在清涼山後光緒五年重建舊祔祀明靖難時閩中死事諸臣及閩六生　國朝督學雷公鋐鄭公任鑰近增祀總督林文忠公則徐督學林公天齡總督沈文肅公葆楨

大程子祠在下江考棚同治四年知府涂宗瀛重建祔祀左龕張氏繹蘇氏昞劉氏安節游氏酢李氏籲朱氏光庭右龕劉氏立呂氏大臨尹氏焞謝氏良佐劉氏絢呂氏希哲并祠裔江甯諸生教文閣門殉難版位敎文宅在祠右

黄侍中祠在貢院河南街侍中貴池人同治中其裔孫因舊址重建一門忠烈石坊猶存

景公祠在平章巷邑人重脩

方正學祠在梅岡同治中總督李鴻章重建墓亦修復祔祀左龕公弟孝友毋族林彥濤等妻族鄭源生等子中憲中愈門人廖鏞林嘉猷等右龕妻鄭夫人及二女

倪公祠在古城隍廟旁

汪文毅公祠在龍蟠里右二祠同治八年知府涂宗瀛重脩

鍾山書院饗堂在聽事之南光緒五年建舊祀總督查公弼納德公沛尹文端公繼善巡道方公昂山長編修楊公繩武侍讀學士盧公文弨少詹事錢公大昕檢討夏公之蓉刑部郎中姚公鼐戶部主事胡公培翬贈禮部尚書翰林院侍講學士秦文懿公承業翰林院侍講朱公珔戶部侍郎程公恩澤庶吉士任公泰增祀兩江總督曾文正公國藩山長太常寺卿唐恪慎公鑑大理寺卿李公聯琇諸生祭之尊經書院饗堂祀總督鐵公保布政使康公基田江甯知府俞公德淵山長刑部員外郎黃公鎔鳳池書院饗堂舊祀山長浦公榔愚升祀康俞二公今均未復鳳池書院山長陳公玉萬承訓樓之祀既廢宜移祀書院饗堂附志於此

惜陰書院饗堂在聽事之西祀兩江總督陶文毅公澍

八旗昭忠祠在西華門內大街路北祀江甯將軍祥忠勇公以下名氏官爵贈階專版見下金陵官紳昭忠祠條餘詳忠義表

楚軍水師昭忠祠與楚軍陸師金陵官紳貞烈三祠皆在蓮花橋

東北同治六年總督曾文正公建中室祀署安徽巡撫安徽布政使珠爾杭阿巴圖魯李武愍公孟羣鹽運使銜記名道蕭翰慶鹽運使銜湖北補用道吳炳昆記名提督額騰依巴圖魯鄧長里記名提督胡敦巴圖魯陳東友記名提督羅進賢提督銜記名總兵衡勇巴圖魯周萬倬提督銜記名總兵世襲騎都尉兼雲騎尉賴榮光甘肅巴里坤總兵成發翔甘肅涼州鎮總兵馮標提督銜記名總兵利勇巴圖魯潘宏勝記名總兵挺勇巴圖魯何瑞祥提督銜儘先副將勝勇巴圖魯郭明鰲總兵銜儘先副將世襲騎都尉兼襲雲騎尉蔡東祥記名總兵易華元蔡渭川副將鄔桂芳副將世襲騎都尉向順福總兵銜副將盧福良照二品例　賜卹參將戴兆熊照副將例　賜卹參將驍勇巴圖魯周貞愍公清原照總兵例　賜卹參將劉德亮副將銜參將鄔世蓮陳光鑑贈光祿寺

卿知府高兆霖易埴章贈太僕寺卿銜知府王呈義照副將例
賜卹都司蕭節愍公捷三等　東廊祀記名提督總兵易光南提
督銜總兵黃明亮總兵成得勝李連陞龔得勝王友祥總兵銜副
將効勇巴圖魯向俊農總兵銜副將賀昆義副將黃其才周文耀
周連陞左鑒生黃錦堂彭昌安黃福田總兵銜參將鄧茂先贈總
兵銜副將銜參將吳脩考贈總兵銜參將陳邦榮照總兵例　賜
卹參將宋耀炳副將銜參將胡榮清朱雲集陳永春甘露霖等
西廊祀總兵滕代祥張志和王東山姚大亮二品封典副將勛勇
巴圖魯劉价貴總兵銜副將劉長貴陳福友副將陽鳳麟向光德
賀發益彭得和謝貽福李永祥李定平雷代脩金青雲向光明曾
祥光副將銜參將姚榮剛胡清順潘復順彭朝惟孫月棟廖其祥
周復興等此祠及湘軍陸師昭忠祠文職三品以上武職二品以上皆立專版餘列總版曾文正公有碑

記

楚軍陸師昭忠祠祀照二品銜　賜卹贈按察使銜知府曾靖毅公貞幹記名布政使汀漳龍道彭忠壯公毓橘記名提督河南歸德鎮總兵一等子爵李忠壯公臣典布政使銜記名按察使勛勇巴圖魯黃忠壯公潤昌鹽運使銜江西補用道李作士江西候補道潘鴻壽記名總兵三等輕車都尉郭鵬程記名提督河南歸德鎮總兵勛勇巴圖魯朱南桂提督銜記名總兵張壯勇公勝祿記名提督直隸宣化鎮總兵張勤武公詩日記名提督安徽壽春鎮總兵世襲雲騎尉剛勇巴圖魯李武壯公祥和記名總兵世襲三等輕車都尉王紹羲副將世襲三等輕車都尉程萬勝總兵胡發達謝光晉曾正明副將蔣仲梅倪桂熊祖錫陳德元戚東昇陳明瑞陳定勝李星泰劉玉春滕迎祥唐遠光黃崇孝胡萬青吳世仁

照總兵例　賜卹參將劉永成熊祖泗照副將例　賜卹參將侯永清曾輝日胡俊昇張志斌照副將例　賜卹游擊周易才姜同國周怡勝照副將例　賜卹都司楊泗知等曾文正公有碑記

金陵官紳昭忠祠中一室祀咸豐三年二月江甯初陷守城殉難之員　賞還總督銜原任兩江總督陸建瀛贈太子太保江甯將軍忠勇公祥厚江甯副都統果毅公霍隆武京口副都統海全記名副都統伯奇贈太子少保江南提督壯敏公福珠隆阿江甯布政使祁文節公宿藻贈光祿寺卿銜署江甯布政使涂文鈞徐州鎮總兵程三光副將沈鼎贈光祿寺卿銜江安督糧道陳克讓贈太僕寺卿銜江甯府知府魏亨逵贈道銜同知銜上元縣知縣劉武烈公同纓贈知府銜江甯縣知縣張行澍贈道銜江甯府通判程文榮祔祀者一千零三十一人　東一室祀咸豐三年至十年

城外大營傷亾之員　欽差大臣湖北提督向忠武公榮　欽差大臣江甯將軍忠壯公和春贈太子太保幫辦軍務江南提督張忠武公國樑甘肅涼州鎮總兵馬剛愍公龍署江甯將軍果勇公蘇布通阿直隸通永鎮總兵虎忠壯公坤元贈布政使銜江蘇補用道溫壯勇公紹原安徽壽春鎮總兵官熊勤勇公天喜贈提督銜直隸宣化鎮總兵官羅壯勇公玉斌湖北提督周武壯公天培贈總兵銜儘先參將周威毅公天孚贈總兵銜儘先參將艾威果公得勝副將銜廣東水師游擊儘先參將李壯愍公鴻勳儘先副將廣西全州營參將鄧壯敏公連科陝西陝安鎮總兵官黃剛愍公靖四川懋功協副將馬壯愍公登富總兵銜貴州定遠協副將余忠勤公兆青副將福庚參將儘先副將周兆熊候補副將巴圖記名副都統博奇湖北提督王浚即補道原任江甯府知府鄭濟

美按察使銜原任直隸長蘆鹽運使彭玉雯副都統協領伊拉固勒巴圖魯常壽總兵銜儘先副將甘肅花馬池營參將王壯愍公夢熊總兵銜儘先副將江南揚州營參將陳壯武公安邦儘先副將浙江衢州鎮標中營游擊周朝安贈道銜同知銜候補知縣姚兪儘先副將山東德州營參將趙剛烈公樹棠總兵銜江南提督中軍副將陳果毅公雲彪福建撫標後營游擊儘先副將鄭朝棟等祔祀者七百八十九人　又東一室祀金陵將領出援各路死於甯國浙江者雲南楚雄協副將蔡勇介公應龍浙江提督鄧忠武公紹良湖南提督周忠壯公天受廣西提督張忠壯公玉良直隸通永鎮總兵戴武烈公文英福山鎮總兵陳勝元等祔祀者一百五十五人　西一室祀江甯七屬紳士及外郡紳士殉江甯者贈太子太保銜雲貴總督潘忠毅公鐸京口副將張攀龍贈道銜

山西忻州直隸州知州曹森贈太僕寺卿銜知府銜候補同知鄧爾晉贈太僕寺卿銜浙江知府邢吉甫鹽運司運同夏鑾贈道銜渭南知縣曹士鶴原任兵部侍郎安徽學政孫文節公銘恩前浙江樂清協副將湯貞愍公貽汾贈道銜前廣西巡撫鄒鳴鶴祔祀者甚繁不及備載　又西一室祀鎮江揚州死事之員大學士一等奉義侯文勤公琦善江蘇巡撫忠烈公吉爾杭阿記名副都統吉林雙城堡總管武愍公台蜚音保黑龍江副都統富呢雅杭阿京口副都統長安京口副都統勇節公綳闊記名副都統壯愍公多隆武記名副都統協領圖薩泰巴圖魯烏爾恭額記名副都統吉林雙城堡總管托克通阿吉林雙城堡總管西昌阿記名總管圖庫魯記名總管伊勒固木圖巴圖魯鍾格甘肅肅州鎮總兵忠毅公雙來湖北鄖陽鎮總兵瞿威壯公騰龍湖南綏靖鎮總兵愍

節公錫福浙江定海鎮總兵李逢春河南河北鎮總兵富陞雲南臨元鎮總兵德坤儘先副將陳壯烈公昇儘先副將左翼協領崑山佐領富勒布候選道劉廷瑛汪應相江甯府知府劉剛愍公存厚揚州府知府世焜儘先副將江南淮安營參將張莊勤公永清副將銜浙江撫標參將廣霖副將銜儘先參將直隸天津鎮游擊勛勇巴圖魯周得雙儘先參將直隸游擊鄭邦俊儘先副將廣西左江鎮游擊蔡其榮儘先副將湖南沅州協都司陳果毅公開選游擊銜即補都司王杰儀徵知縣焦肇瀛溧陽知縣尚那布金壇知縣李淮丹陽知縣方濬泰曾文正公有碑記

金陵婦女貞烈祠均見貞烈表五品以上命婦立專版餘列總版

祥公祠祀江甯將軍忠勇公祥厚以江甯布政使祁文節公宿藻祔祀

劉公祠祀贈道銜同知銜上元知縣劉武烈公同纓右二祠在欽天山皆同治十二年建

向張二公祠在金沙井祀　欽差大臣湖北提督向忠武公榮贈太子太保幫辦軍務江南提督張忠武公國樑同治十三年建祠有二公畫像

李公祠在梅岡祀記名提督河南歸德鎮總兵一等子李忠壯公臣典同治四年按察使黃潤昌捐建忠壯湖南人同治三年六月復城先登傷重旋卒年才二十七

曾公祠在孝順里祀贈按察使銜知府曾靖毅公貞幹同治四年吉中等營捐建

曾太傅祠祀贈太傅兩江總督一等毅勇侯曾文正公國藩同治十一年建歲十月十一日爲公生日邦人私祀救生局主之士民又別祀畫象於華嚴菴　今山西巡撫曾威毅伯長生祿位

版在妙相菴邦人感復城功
也於六月十六日羣拜之

馬公祠祀贈太子太保兩江總督馬端敏公新貽同治十年建

沈公祠祀贈太子太保兩江總督沈文肅公葆楨光緒六年建右

三祠皆在龍蟠里

句容先農社稷山川三壇齋宮未建厲壇已脩復

城隍廟未建寓祭四賢祠

武廟未建寓祭葛仙菴

文昌宮未建寓祭華陽書院

倉聖廟未建

八蜡廟在西門外光緒四年因旱蝗建

龍神廟未建寓祭東嶽廟

名宦鄉賢祠皆新建

顔魯公祠在虎耳山今未建

昭忠祠舊無之今士巷孀婦曹朱氏舍宅爲祠

清惠祠祀前令陸鈞在龍潭今未建

四賢祠在西門内舊屋未燬祀明督學金蘭知縣丁賓徐九思陳于王後又附祀 國朝宋楚望林光照范廷杰

溧水先農社稷山川厲四壇齋宮未建

城隍廟在大東門内紅藍埠別有廟同治五年邑人張鍾張質成等建

武廟在大東門内皆同治十年因民屋脩

文昌宮未建寓祭 武廟

火神廟在小東門外同治八年建

八蜡廟未建

名宦昭忠鄉賢祠未建

江浦先農社稷山川厲四壇齋宮未建

城隍廟在縣城西門内正殿尚存

武廟　文昌宮　倉聖廟　八蜡廟未建

名宦鄉賢祠未建

昭忠祠在縣城小東門内同治四年江甯將軍富明阿建祀記名副都統協領圖薩泰巴圖魯烏爾恭額記名副都統吉林雙城堡總管武愍公台斐音保湖北提督周壯武公天培知府銜南河同知宣維祁升用知府南河同知孔繼鑅千總銜河標葦蕩營把總包定國江浦千總徐綸庚等有朱家滸祭田三十畝朱承貴出售有碑記

六合社稷山川厲三壇齋宮未建先農壇齋宮階五級左右角門堂五間以中三間爲神位有耤田坊

城隍廟咸豐年脩邑人徐鼒有碑記

武廟　文昌宮　倉聖廟　八蜡廟未建

劉猛將軍殿在城隍廟後光緒三年知縣方紹曾建

白龍王廟在縣南毛許墩邑人新建

名宦鄉賢祠重建同治中名宦增祀雲茂琦

忠義孝弟祠舊在縣東門外道光中曾脩之同治七年邑人總兵王永勝捐貲移建於西門内八佛菴址光緒六年邑人公捐歲脩之費立案勒石

昭忠祠在後街積善堂同治三年將軍富明阿建祀宣化鎮總兵羅玉斌幷弁兵長壽等二百十九人

高淳先農社稷山川厲四壇齋宮未建

城隍廟在西門同治八年知縣楊福鼎倡捐重建邑人孝廉方正

陳嘉德為募貲成之

武廟舊在北門內今移建正街中

文昌宮在　文廟右同治四年建

倉聖廟未建

劉猛將軍廟在東門外光緒五年建

龍神廟在西門同治八年建

湖神廟在固城湖同治八年知縣楊福鼎捐建

名宦鄉賢忠孝祠皆新建

忠義祠在城隍廟廊左祀殉難諸人卽昭忠祠也

節婦祠在城隍廟廊右

遺愛祠在賓陽門外光緒五年建

續纂江甯府志卷五

儀徵劉壽曾分纂

學校

上清下濁萬品亭毒楷柱之者人也人稟五行二氣之秀山川之靈淑其閒相去若秦越則今昔純駁由其氣運所流轉之不一致也古之聖王知其然故總之以學校範而圍之括而羽之遴而拔之天下無異言海內淸晏人才率由是出否則爲異途故君子貴之作續學校志

江甯府學明之國子監也自嘉慶二十四年二月朔天火後建置一新賊甫入城首先毀之同治四年李鴻章權總督改卜於明朝天宮舊址卽山爲基因運瀆爲泮池崇宏儗宮闕僅建櫺星門戟門大成殿兩廡也曾文正公再督江南始改鑿泮池陶黃瓦建崇聖殿敬一亭制度乃備復延師教樂舞肆雅音仲丁大府主祀禮

彩執籥進抑退揚彬然煥然甲於各直省教授訓導二署明倫堂尊經閣俱在殿東崇聖殿在正殿後名宦鄉賢忠義孝悌三祠及先賢表忠南城外十三祠祔焉倉聖廟顧亭林祠亦祔焉亦皆在殿東器皿犧殺一如呂志正殿匾額道光中頒　御書曰聖協時中咸豐中頒　御書曰德齊幬載同治中頒　御書曰聖神天縱今　上尚未頒焉兩廡從祀道光中增劉宗周二年湯斌三年黃道周五年呂坤六年陸贄六年孫奇逢八年文天祥二十三年謝良佐二十九年咸豐中增李綱元年韓琦二年公明儀三年公孫僑七年陸秀夫九年曹端十年同治中增毛亨方孝孺呂柟俱三年袁燮七年張履祥十一年光緒中增許慎劉德陸世儀孔璇俱二年張伯行四年輔廣五年邑人立灑掃會其產只馬巷北首房二間九兒巷房樓上下四間有碑載捐貲人姓名鄉也樂器縣而不作同治十年府學工竣邑人陳開周稟請上丁

用樂十一年秋祀行之至今縣學所無初樂典久廢邑人不知乃延上海師儒八人舍於府學以上元縣胡裕燕候補縣繆金鎔府教授趙彥修教諭吳紹伊提調主管妙選英年之士六七十人肄習四月乃能嫻熟

八旗舊有夫子廟在嵩祝寺邊今尚未建

上元江甯兩縣學同治八年建地濱秦淮苦潦加高三尺殿加高八尺廟居水北因淮爲泮池南有照壁築隄環抱曰月牙池泮之義也東利涉木橋奎星閣閣上藍琉璃頂邑人何恪愼公所捐造西文德橋舊木橋後易以石亂後仍用木得月臺灑掃會造高廩齊也左右街有坊德配天地道冠古今立學所同街南臨淮周以石欄大成泉在焉街北稍西有八角亭又西有方亭八角亭舊有石刻聚星亭三篆書字徑尺餘其北面有粉牓書佟公桃李字歲久薰墨其小字不可辨然實有字也按白下餘談指爲佟世燕宰江甯事康熙二十二年也或曰佟法海督學江蘇事雍正元年也同治九年法海五世孫繡綸通守述之觀察孫公衣言公爲刊石書之懷甯方朔又書邑人汪士鐸所爲文亦刊之石然皆誤立方亭中方亭本曰思樂亭二縣志記其事今爲正其誤或有移之者街北之中曰天下文樞坊舊王澍書今毀邑人陳鳴玉書之後又易以邑人端木埰書又

北欞星門其外周以朱闌三面又北戟門大成殿兩廡皆如舊制戟門外廷東面門曰持敬門出入處也元人封至聖夫人碑封四氏碑皆至順二年又康熙中修學宮碑又垣上有石刊灑掃會出錢人姓名又光緒二年重整灑掃會碑附後又重建兩縣學碑在焉燎鑪神廚宰牲亭瘞坎府學備矣此猶未也崇聖殿在正殿東北正殿後曰明德堂彝倫堂後改明倫堂天下所同惟此曰明德堂舊爲文天祥正書今曾文正篆書堂下廷三周朱闌正中曰東南第一學秦大士正書今亦易以小篆闌中有志道據德依仁游藝四齋只一楹爾堂上東爲臥碑楄四周縣科第題名牓堂後爲尊經閣舊藏經史所也閣後小山土阜爾舊聖賢遠像及神識碑燬餘石尊經閣灰燼所積上曰敬一亭旁蒔梅竹衞之殿東爲忠義孝悌祠爲明衡府紀善周公是修祠爲賢良祠本鳳池書院舊址及院北承訓樓地爲上元縣儒學兩署署北爲青雲樓舊制也樓下新供歷任督學版位其南出曰玉兔泉外爲儒學門外爲街有泮宮坊舊爲朱子書今亦易以近人書坊左右記及第者與鄉會之元姓名其陰記武科亦如之殿西爲名宦鄉賢土地三祠爲江甯縣儒學兩署舊射圃也尊經書

院者嘉慶十年五月杪尊經閣燬於火總督鐵保（字治亭）藩司康基田（字茂園）重建之因立書院道光中藩司賀長齡（字耕耦）扃門試士因即閣前明德堂置几案焉非禮也（今就考棚行之是也二縣新志注載兩縣學田學租社學租已）

詳呂志中茲不綴惟灑埽會近賴邑人伍承欽田寶瑚實力經營不可略其已收之效也附上江兩縣學灑埽會碑記 江甯府正堂蔣 欽 爲給示勸石遵守事本年十二月初八日據舉人汪士鐸伍承欽楊長年等稟稱上元江甯兩縣學向於雍正年間卽立有灑埽會由紳衿捐貲置產生息以供 至聖先師誕辰升遐春秋兩祭及學內各祠祭祀朔望香火幷埽房拾漏培樹薅草僱役看門等用紳捐紳辦輪值年月而於尊經書院及儒學四衙署遇有事故槪不與聞此係百數十年舊章相沿勿替兵燹之後百物蕩然同治九年大憲重建 聖廟其灑埽會公產亦經各紳衿漸次清釐並自行設措添置房產爲經久之計並未請領官項亦未向人募捐誠恐日久弊生致有爭奪侵蝕情事爲此開具現存產業坐落清單粘呈憲鑒立案以杜日後爭奪侵蝕諸弊並求賜示勸石以永遵守等情到府據此除批示准立案外合行給示勸石遵守爲此示仰該紳士人等知悉務各遵照將灑埽會房產妥爲照管收租照舊備辦各祠祭祀等用毋得日久廢弛嗣後房產基地如有更動起造並卽隨時稟報以備查核毋違特示 一 [illegible]

門大街下江考棚對門店房一所計迎街門面一間一進一披一井一方後有披一厦地基未蓋 一 狀元境住房一所在貢院[illegible]

街口計前後三進九間披二厦後有基地一方未蓋一狀元境市房迎街一間後有空地一學宮西首文德橋下市房一所計迎街樓上下八間又鑪披一厦此房於光緒元年起造一文德橋下毗連泮池居又一所計前面迎街側面沿河樓上下市房十四間又樓廂房上下八間亦係光緒元年起造一毗連得月臺店房一所計河廳二間後廚房二間亦係光緒元年租張姓基地起造一文德橋東陳公祠並非載入學宮祀典歷歸灑埽會經理嗣因燬廢復經會中自行籌資於光緒二年十月興工一律修復一學宮對岸橋坡右空地一方現有周姓租地蓋屋一鈔庫街面西坐東在蘭姓地基左首兩進六間現有林管二姓租地蓋屋一鈔庫街對岸橋尾左三架梁披厦三間毗連陳公祠一鈔庫街西首謝姓對門浴堂隔壁朝東地基兩號迎街門面闊二丈二尺四寸長約四丈後面係汪姓堆磚已產空地內有四尺走道一土地祠西首牆外空地一方內有王鄭氏捐入二丈二尺今爲劉姓租地蓋屋二間坐南朝北在東牌樓小巷內又學前文星閣聚星亭兩處每被閒人作踐舊例如刻字鋪命館等項皆准招租藉資看守光緒二年十二月二十四日示

句容縣學新建如舊制光緒六年完工有碑知縣袁照撰文又捐貲二百四十餘緡始落成碑文不能具也故坿記之

孔夫子廟有二舊有聖像一在許巷尚存一在城內孔巷亂前即燬聖像移供尊經閣今閣與明倫堂尚未建兩儒

學亦未建置

溧水縣學於嘉慶間改卜小東門內兵燹焚燬同治十年由縣勸捐重建櫺星門戟門正殿兩廡捐款漸集始行營造十二年春興工光緒三年十月工竣前存牛本銀二千四百兩邑人捐款制錢壹萬緡寄籍在外捐洋蚨千餘元曹趙二姓入籍捐款一千兩用出足錢萬五千有零餘如崇聖殿明倫堂尚未建兩學署亦已補葺是年八月知縣丁維立灑埽會有案

江浦縣學毀於咸豐八年侯氏待徵錄上湖嘉慶十七年知縣丁猷駿修後未有修者丁侯并易泮池以石闌

六合縣學道光元年改建於西門高岡舊址咸豐八年毀於賊同治九年紳士劉家善等稟請復建總督馬新貽飭工重建造册二萬七千四百兩零卽於本邑五成釐金撥給十二年冬工竣并購街南民地爲泮池初鑿此池卽得古井三形如品字繼又得泉脈一泓瑩然清徹其餘一循舊址且建歲修房屋立灑埽會焉

高淳縣學在縣東嘉慶四年知縣霍來宗諭令七鄉分修於是崇教鄉任大成殿遊山立信二鄉任明倫堂安興鄉任兩廡永豐鄉任櫺星門永成鄉任尊經閣唐昌鄉任戟門餘亦派分嘉慶十七年道光二年二十七年二十九年迭次分修咸豐十一年毀於兵火同治八年七鄉復謀重建殿宇一新規制如故兩學署亦新建

八旗文武童試案八旗事宜便覽卷三載嘉慶四年各省駐防始准就近應文童試有府試無縣試五人內取中一名十八年武童始就近應試并武鄉試二十一年丙子文生員始在本省鄉試并京口旗生別編字號每科取中三名旗生肄業鍾山書院別設駐防內課五名

七縣學額如常制道光元年三十年同治元年光緒元年皆遵例廣額大學七名府上江句容中學五名溧水高淳小學三名江浦六合同治七年十一月江西贛州鎮王永勝呈請以糧台積次欠發餉銀二十二

萬兩捐爲永廣學額二十二名以六名入桐城（王所領乃桐城程學啟舊部示不忘本也）六名入六合（王乃六合人）以十名分入元甯（王今居郡中）立石府學明倫堂記之

學使歲科兩試每屆以三千八百兩爲限辦理不敷自行賠補（此款分二十股如光緒三年八月由上元承辦於是上元二股江甯二股句容江浦高淳各三股溧水六合各三股半每股百九十兩其時郡無墊款經方伯孫公准借庫銀扣各縣廉項抵消）

下江考棚在南門街東道光三年督學周公（系英）飭以罰款重修咸豐三年毀於賊同治四年署總督李公（鴻章）重建之宏壯逾昔日今每月官師課皆以扃試書院士焉（道光中甄別亦於斯）二堂之廷有明人學使題名碑

貢院舊制號舍庳狹土地不甓小雨輒沮洳泥滑道光初上下江紳士合募重建邑人汪度（字鄴樓）監護匠作度久困棘闈者也銳然

任事不辟勞瘁高廣以身爲度鬻地以石舍後度閣土流頒之賊於城內公私毀燼獨留此爲靈光然止萬五千號爾復城後亦權用之同治六年署總督李公鴻章增號舍二千八百十二閒改西供給所八字號爲狀元境新號十二年署總督張公樹聲增號舍二千閒在院東共號衙二百九十五字號舍二萬又六百四十六閒亦各直省所鮮見也居有科之年值事藩司上下江輪值提撥漕耗銀七千兩江蘇安三屬分派編征銀三千餘兩其餘在三藩司釐金項下各津貼銀一萬八千兩大約正消一萬外消六倍也其武闈則藩司撥耗羨銀二千兩　恩科則加六百兩由　恩科無編征供億之款可徵也以向有編征供億一款各州縣多寡不等徑解本司以三年之銀爲一科之用如有不敷安屬捐銀二百四十兩江屬八百兩蘇屬百三十二兩在各州縣養廉上扣存同治中兩科並行舉人之數太多每科戶部項下請消二千四五百兩工部項下消銀一百六十餘兩概由外籌補　坿固始吳子健中丞光緒五年監臨南

闈有松雪研齋紀事詩三十章內載八月初二日點場初三日考入內簾於察院詩文各一外內簾員四十名遴內簾十八名外簾受卷彌封謄錄對讀收掌五所共二十二員初六入闈初七排印坐號旗生十名中一名不得踰三名官生二十人中一名仍上江不得踰二名下江不得踰四名旗生官生皆各編一字民卷上江原額及加廣共五十三名下江原額及加廣共八十三名副榜上江九名下江十三名皆不加廣共計是科試卷一萬八千九百十七卷上江謄錄生五百二十一人下江七百五十九人每人日責以謄三卷對讀生上江百四十八人下江百九十八人其進卷也分上下江以四十卷爲一束十八束爲一批裝一箱旗生官生各爲一包由內提調監臨驗畢隨供給進交內收掌分送同考官閱薦逢齋戒日向進素供主司云順天及他省無此例以非與祭之員可不致齋也皆關掌故因並記之

外提調公館在貢院道南牌坊之東同治八年十一月總督馬端敏公飭軍需局會同保甲總局收買民房照歷屆定章給價每方一丈給湘平銀一兩四錢二分八釐東自西牌坊西抵奎星閣南至河干北界官街經營刱建爲外監試外供給外巡察諸官公館九年春工旋其東西兩坊之中八月間梁木架河爲中路點名大道試畢拆之以通舟楫道

光時所未有也其貢院前收買民房經費曾文正公所存也會試川資向在各縣存留雜支項下數各不同總督裕靖節公人另給十兩耆公英人另給八兩他無聞焉縣中亦人約給八兩八旗事宜載嘉慶二十二年准戶部咨文武會試照驍騎校引　見例每名借與銀二十兩作二十四月扣還同治九年湖廣總督李鴻章札發江甯府屬牛本銀由七縣繳還者湘平八千七百五十兩以其半四千三百七十五兩生息為七縣士子公車費經邑人石楷王延長等妥議章程四條刊石府學中武舉人向無川費自同治十二年總督李宗羲始給城內武舉人二十兩然一時之捐廉也近科頗有援以上請者尚無定章公車費交江甯口岸鹽旗按月分半取息以三年所積累寄都中俟三場畢按人數多寡公分之

前志所載諸書院嘉慶中多圮清涼山半尚存耿天台舊址而已惟存鍾山道光九年布政司賀長齡籌款新建院中學舍東西各五重每重平房排列五間月二試科舉年場前月三試逢二為期官課一師課二每試

辰入酉出有午飯肉一方蔬一盂又纂皇朝經世文編以敎士賢方伯也尊經賀公課之如鍾山惟無地建屋耳其鍾山內課五十名外課七十名外旗生各五名膏火銀內課月二兩四錢外課半之外籍者准附試須有本學學官印文否則不准尊經不准附課無額尊經內課三十名外課九十名外加旗生各三名膏火如鍾山道光十八年總督陶文毅公立惜陰書舍於盋山園課士經史詩賦不及制藝有優獎無膏火月一試之公自捐廉一萬兩發典生息焉超等第一四兩二三名三兩四名至十名二兩十一名外一兩特等皆五錢經亂皆廢曾文正公復城後他務未遑先命建鍾山書院其年冬卽民屋興建在門東舊漕坊苑街東花園故冏光寺之前以後遞次修建地偏於一隅不似舊地居城之中也規制略備尊經本無院舍院長寓居縣學尊經閣下今亦未建院長寄居惜陰書舍中其後李公鴻章又復修建惜陰書舍盋山園郎四松庵陶文毅於其西建祠祀其遠祖晉長沙桓公侃因取桓公語以名書舍亂後邑人石楷見文毅木主於庵廚因告當路祀其主於書舍中其經費有後湖租有典商生息有淮鹽引捐同治以來取之善後局以湖

租日減典息爲賊焚刼而岸商又慳吝太甚也迨光緒初孫方伯衣言憂局項日絀難於持久五年秋司道請籌一專款庶期經久在籍紳士石楷遵即會議在於儀棧北鹽餘利款內歲提銀六千兩又於兩淮運庫收存善後一成項下按年撥解銀三千兩由江藩司主稿會詳總督沈批准立案統計歲需銀九千兩又師課增給減半膏火係自光緒五年二月分起奉沈公札飭海分司於淮北經費項下按季撥解銀五百兩作爲定額以上各款俱解江甯府收支

坿記鍾山書院　山長束修八百兩　火倉一百六十兩　節敬二十四兩　課額超等五十名每名二兩六錢特等七十名每名一兩三錢初二日膏火每月二百二十一兩通年計十一課共銀二千四百三十一兩逢閏加一課　又十六日減半膏火計十課共銀一千一百零五兩十二月無師課逢閏加一課　恩課十名每名二兩六錢計十一課共銀二百八十六兩

尊經書院　山長束脩五百兩　火倉二百四十兩　節敬二十四兩　課額超等三十名每名二兩二錢特等七十名每名一兩一錢初二日膏火每月共一百四十三兩通年計十一課共銀一千五百七十三兩逢閏加一課　又十六日減半膏火計十課共

銀七百一十五兩遇閏加一課　惜陰書院鍾尊兩山長兼閱課藝山長束脩年終致送銀二百兩　課額超等二十四名特等四十名共六十四名每月膏火銀五十七兩計十貼課共銀六百二十七兩鳳池書院隨同大書院一體與考　山長束脩三百兩三十火食一百二十兩節敬二十四兩課額上取二十名中取三十名共五十名初二日膏火每月共二十八兩計十貼課共銀三百八兩又十六日減半膏火共銀百四十兩計十課又二十三經古上取八名中取十名每月十兩四錢共銀一百一十四兩四錢與考之月停課閏月照加初二十六二十三考試雜費約需一千數百兩其鳳池經費亦歲由淮南解銀一千兩交江甯府收支向章書院俱有監院以在城六學博輪值之其童試則有奎光鳳池兩書院源流具前志鳳池舊在縣學內規制狹隘嘉慶二十五年蘇撫錢塘陳公桂生以乃父儼亭名玉萬曾主講席公實隨侍因築承訓樓以祀其父竝捐廉俸千金生息廣內外課若干名內課銀月八錢外課半之道光二十年迺改建於舊王府五畝園之東池館橋亭遂擅一時之勝經賊毀折今成桑園同治七年知府涂宗瀛乃購新廊民屋爲之遞有修葺具建置志而奎光則無議復者以經費無出也昔者小試書

院莫善於崇義堂堂爲淮商所立在翦子巷內分四堂延師教授皆住堂中不住堂者曰附考不與住堂者同甲乙獎資上取一名三百文餘半之次取則無住堂者其縣府院考諸費皆堂中代送然有定格入泮則題其名於榜一時科第之士出於此者十八九住堂皆貧士附考則不論貧富月之初二本府及兩縣輪試之其時太守不試大書院也每年二月二日則請巡道甄別以定其甲乙一切由商人經理亂後亦廢上江兩邑小試者約每邑七百五十八廩保稽其籍貫以杜跨考冒籍之弊歲有摘發

義學道光中救生局有之外不多見同治中知府涂宗瀛首捐立之今郡城之中凡八九處官捐紳立詳見義行傳

句容句曲三友江左三書院皆久廢道光中惟天王寺之道一書院甚盛兵火後茅山下之華陽書院尚存亦未修知縣周公光斗創新書院以敎士自捐廉也

溧水高平書院在小東門外燬於兵火無款重建前各賢尹咸殷

勸學皆卽縣署局試膏火之資捐廉給發迄今踵行不替

江浦書院向推明倫堂右之珠江浦口之同文湯泉惠濟寺之英華三處人文萃聚今俱爲賊毀惟同文於光緒二年舉行然屋宇未復也又新江書院在南門外又有石洞等八書院皆昔賢講學處也今俱圮

六合六峯書院向在西門呂祖祠其房舍庭廡甚合規制兵火後略加修葺未能如舊觀也

高淳學山書院本名高淳書院道光八年知縣許心源創興捐款甚鉅兵燹後田地荒蕪典息全燼同治十一年鹽道淩公煥捐錢三百千營官李龍元捐錢一百千文知縣楊福鼎捐錢五百千始能舉行月課　高淳各鄉向有文塾在崇教曰集賢在立信曰合美在永豐曰白鹿在永成曰成德在遊山曰游峯在唐昌曰育才

在安興曰桂香即社學遺意也社學久廢前志於上江二縣已言之知縣楊福鼎各捐錢五十千助之眞今之文翁矣

補註省垣書院正課無課今臘月增官課無師課自沈文肅公始也然惜陰鳳池仍不加課其加獎銀官課由各考官捐給無定例院課在經費開支鍾尊兩院每課各二十兩十課共四百兩鳳池加獎每課五兩二錢十課共銀五十二兩

續纂江甯府志卷之六

上元羅震亭分纂

實政

昔周宣中興撥亂起衰而江漢之詩作其曰經營四方告成於王美召穆公之績也咸同之際粵賊雲擾軍事繁興文臣單其謀武士殫其力雷動電翕霞舉飇發萃天下人材物力時歷星周乃龕平之而當事諸公因時立制以濟一時之變者事亦綦眾大難既夷埽地赤立治汙萊繕城郭補復殘闕政繫益上利民者次弟興舉其規畫出於實心雖變通趣時而康乂江表至今賴之仁愛何可諠也爰條具同治三年以來剏立原委作實政志

吏治局　同治七年八月立初以司道掌其事月集候補丞倅牧令佐雜試以策論兼讀　大清律例吾學錄　皇朝經世文編牧

令書有所發明札記書眉限期彙進甲乙之十三年四月以後局試於善後局專命策論題道員一人掌之第甲乙如前初立局錄取無定約分正取備取次備取同治十三年改章後以丞倅牧令爲大班額取三十人佐雜爲小班額取六十八奬賞之數大班正取以十二兩十兩十元爲差備取八元次備取五元小班正取以十元八元六元爲差備取三元次備二元

交代局　同治六年立江甯布政使掌之稽核同治十三年以前各州縣經辦兵差台站墊款今撤

八所善後事宜由江甯將軍副都統派員經理

善後局　同治三年七月立布政使督糧道鹽巡道暨候補道員掌之總財賦之出內上下敎令以毗省之大政凡事涉撫綏安集者皆隸焉立局之初庶事草創如江甯巡道以下各官津貼七縣驛站夫馬皆由局支放需款甚巨至同治閒試辦抵徵七縣坐支漸復舊制經費初以善後大捐爲大宗捐款既罄僅恃金揚一成善後釐捐後湖魚茭租等款不敷支放兩淮鹽政曾文正公檄湖北督銷局每月於鄰鹽款內撥銀四千兩解局濟用計自立局十七年來經費不下數百萬皆由外籌

善後分局　同治三年七月立東北西北局各一以知府一人掌之旋裁併各城門以文員營弁譏出入紳士副之隸善後局光緒三年裁撤紳士洪武門由旗營派員稽查

保甲局　同治三年十月立以知府總其事畫城四區設東南西南東北西北四局制約以百家爲甲甲有長立門牌稽丁口以詰奸宄除盜賊各於紳耆辦房地主客平其侵冒以安編戶局員夜率親兵巡警扞掫五年四月裁總局分局改設城南城北兩局同治七年四月併爲一局局之分合不常而四區編甲之制則無甚改易計東南二十六甲西南四十九甲東北十八甲西北二十九甲總計一百十有二甲甲統於段城南分十五段城北分十五段段有分局　駐防城不編甲其政旗營掌之自三年起皆隸善後局十二年十二月以道員一人會同知府經理轄分局十有八城南十局分十段其六段兼管五段其九段兼管七段別有河北河南段卽原設十一段

至十五段也城北八局分八段其二段兼管三段四段五段其六段兼管七段其十二段兼管十三段滿城分局一

巡卡十有六城南曰茉利園賜福巷內橋灣倉頂西南曰七家灣朱狀元巷下浮橋城西曰堂子大街西北曰小桃源群家巷雙石鼓城北曰沐府西門土街口東北曰斛斗巷城東曰倉門口城中曰天津橋卡房守兵營弁統之同治九年設專司巡夜每值冬月擇四城居中之地暫立會哨局爲弁兵會集之所同治五年以城內多盜暫設巡馬旋裁

城外保甲局　四廂舊不立局保甲事宜由附近分局兼治光緒二年八月以道員一人分駐水西門外治局事職掌如城局轄分局七三山門外聚寶門外儀鳳門外通濟門外觀音門上新河水西門外漢西門外總局主之不立分局太平門外轄於城北六七段聚寶門廂九甲三山門廂七甲儀鳳門廂八甲

招墾局　同治三年十一月立以紳士二人會同知府經理七縣縣紳士一人分治其事鄉別以保保別以四莊勘田之荒熟圖之籍之每保有總圖每莊有分圖用開方法其別凡四曰有主之田曰官莊曰老荒曰絕戶嚴隱冒之罰勘實以聯照授之官借牛本籽種以邺貧戶蠲其息以時斂之牛本籽種民間

繳還後即留爲地方公款後改爲勸農局光緒三年正月裁撤江甯七縣田凡五萬五千二百餘頃現未墾荒田尚有三萬一千餘頃

穀米局　同治四年二月立就舊存陶文毅公所建豐備倉脩葺爲局隸善後局委牧令以下官掌收穀礱米曬晾風戾之事以時采買支放供每歲收養難民及普育堂倉米

積穀局　光緒四年八月總督沈文肅公布政使孫公籌款采辦省城積穀十餘萬石委知府掌買穀之事分儲虎賁等倉以備荒政是年自總督司道府縣共捐穀三千五百石紳富又捐積穀七千餘石俱存廣豐備倉六年秋邑紳石楷請於總督劉公奉批行藩司梁公定議歸紳士接收經管係仿道光年間剏建豐備倉成章也

典牛局　道光中總督林文忠公荒政之一也同治八年七月江甯水災高郵學正葉觀揚請於制府脩文忠成法總督馬端敏公檄以督標中營爲總局所典牛隻分派各營兵牧養九年二月裁

撤光緒二年九月江甯旱災總督沈文肅公復脩端敏成法由營牧養三年二月裁撤同治八年立局用錢二千二百七十二千有奇光緒二年立局用錢八千七十七千有奇

附章程　一總局收牛至十頭由中營牧養續收者歸左營城守各營牧養周而復始其票填注中左等字一所典牛隻由總局先於票內填寫毛色齒數再於牛角漆書當戶姓名及號數一本日給票次日發錢以防盜牛質當來路不明之弊一典價分三等壯牛十千文次者八千文老牛六千文母牛帶有子牛者給二千文在局孳生之牛取贖時仍給牛主收領一牛每牛一隻日給稻草三十斤由總局購買動放一於票上注明牛隻有病無病如病牛倒斃即傳牛主驗明弔銷原票免其取贖其牛隻到局後倒斃者亦照此辦理牛主貧者給當本之半倒斃之牛不準剝賣擇淨土掩埋一贖牛在兩月以內暫不取息兩月以外加息一分典期以來年二月底為限逾限不贖由官變賣其價照當本月息科計如有贏餘仍傳牛主給領

捕蝗局　光緒三年冬天氣亢旱江北蝗生飛渡而南撒子遍地布政使檄江甯縣丞掌捕蝗事宜即丞署為局總督沈文肅公恐鄉民搜捕不力更檄合字親兵護軍親軍各營助捕十一月撤局四年二月再立局六月撤局飛蝗以尾錐土撒子入土塵三五寸土面有小孔俗呼為蝻子掘而出之

漸長如蝻如蟻五更露濕多潛於草底俗呼爲蝗蝻掃而聚之翅成能飛俗呼爲飛蝗則須撲打矣故治蝗以早捕蝻子爲上各營掘送蝻子每斤給錢四十文鄉民掘送蝻子每斤給錢六十文蝗蝻飛蝗覩此遞減　治蝻子以沸湯治蝗蝻飛蝗以石灰均下土掩埋上元分局九東陽土橋龍潭觀音門湖墅曼高橋大衛龍都廣嚴寺也　江甯分局十九安德門西善橋板橋江甯鎮銅井木龍亭東善橋鳳臺門陶吳朱門小丹陽谷里郘沙洲圩沙子岡祿口秣陵關殷巷元山周干圩也　總局設江甯縣丞署事則上元縣丞分治之

織緞爲江甯巨業咸豐三年以來機戶以避寇遷徙北至通如南至松滬多即流寓之地募匠興織販運各省同治三年克復江甯機戶安土重遷觀望不歸備趁貲食者無以厚生元氣難於驟復總督曾文正公委員四出招集回省復業并檄金陵善後總局蘇州司釐總局分議販運緞匹扼要總捐一次其沿途水陸卡釐概免以示體卹　按招來機戶典商事在三年十月曾文正公示諭云緞業用人較多使貧戶有覓食之所典鋪挾貲較厚使貧戶有通財之處無非借商之力以養農借稍富之力以養極貧之民

桑棉局　同治十年六月立先是四年[illegible]月知府涂宗瀛於石城門內蛇山設局貧民願植桑者戶給桑三十五株別自種佃種書於冊籍佃種者蠶時官收其息（自種謂民地佃種謂官地也）至是移局妙相庵隸善後局以冬月委員購嘉湖桑秧民願領種者呈糧串地契爲驗乃賜給之以蒻接灌溉之法課之（刊有種桑規條）植官桑爲之程（局前城西北隅及王府園爾望綠野皆官桑也）附郭內外比戶業蠶光緒六年撤局（江甯蠶桑之利未薄自官府課桑民閒漸知育蠶其絲不若浙產良名曰土絲不中織也光緒二年常鎮道因中和洋商有請照赴江甯收絲之事咨蘇省牙釐總局請移行江省亦立一局征收絲稅三年二月紳董高德泰等稟稱窒礙難行約有四端一絲貴細熟土絲粗肥洋人不合用一土絲不多買賣不過兩三月遂無絲報捐一機一戶皆赴浙不購絲土絲零星小戶無從稽查且自繅自用向不投行一戶設局必不能一處既多浮費得不償失且恐滋騷擾奉署布政使勒公方錡檄上江兩縣幷委員閱式文會議詳請督府云高德泰等所呈四端的係實情查民閒元氣未復實難籌辦所有金陵城鄉土絲土產土銷應率由舊章買賣一律免捐以順輿情倘有出運賣洋之絲一俟買戶打包即責令行戶舉報按照原議每包以八十斤計算捐鷹洋十六元給予執照局卡驗放奉總督沈公批如詳辦理

行知布政使由司札飭上江兩縣出示曉諭高德泰等勒碑以垂永久碑有二光緒三年五月立一在雨花臺之同善堂一在雲錦殿其文同也

後湖魚菱等稅舊以上元知縣領之同治四年善後局以太平門稽查委員兼領後湖事湖產以魚爲大宗每年春季收買魚秧善後局派員監放漁戶取魚由委員秤查斤重輸納魚稅其餘菱茶荷葉菱角等項亦納稅給票乃准入湖采之稅錢皆輸上善後局歲入錢約壹千千文舊例湖民止准賣荷葉不准賣藕其沙洲圩七里洲等處止准賣藕不准賣荷葉自脩復後湖每年夏秋之際善後局檄各城門委員稽查入城荷葉凡無後湖委員執照者概曰私荷不准入城售賣并申明禁例勒碑太平門

坤輿博厚所以載物凡煤井上只方丈其內曲直委折有一綫交通至百餘里外者地面殊不覺也開鑿既久空處下陷其上城郭宮室以及田園墳墓無不傾圮以故諸礦多在邊徼大山人迹不到之區江甯素不產五金同治七年奸商何致華在丹徒地方假

託葬地議開挖山穴鄉人逐之而止八年上海奸民魏鏞等誘串洋人指言上元句容有煤復經常鎮道沈公嚴駁而止後有江甯奸民王浩生煽議上欺使相李公欲在兩縣祠山土山英山等處開井郡人大駭籲於總督李公並上書使相二公心念遺黎窮困不忍再傷其意亟諭罷其役此同治十三年事也光緒五年又有人以利賄鎮江李殿撰承霖使不言者李公嚴斥之遂稟請總督沈文肅公禁止明年復請總督劉公立碑永禁郡人聞之援案以請亦蒙准立碑永禁光緒六年八月江甯紳士温葆深等稟請禁止開礦一案奉總督劉批查禁開挖煤礦一事昨據鎮江李紳士承霖等具稟當以採煤以給民用開礦以興利源祗可於幽深荒僻之處爲之若人烟輻輳之區且爲墳墓所在豈可傷地脈拂輿情啟亂召侮顧小失大批飭鎮江府遵照勒石永禁在案茲閱該紳等稟呈各情核與鎮紳所言大略相同自應照案准其勒石永禁並樹立府縣學門外俾衆咸知仰江甯府遵照辦理仍移該紳等知照

煤礦利源之巨者也然東南之山向不產煤與西北異請以近事言之光緒三年有請以官本制錢三十萬在湖北廣濟興國等州縣勘定煤山招工開挖獲煤甚劣

賈用不售糜費已過半矣嗣由洋礦師勘得荆門州屬煤山產煤甚旺因請招商承辦未聞報得煤也

撫卹局　同治二年浙江巡撫曾公國荃即軍中立局以處難民委營員經理三年六月收復江甯總督曾文正公於城中立局二一在評事街江西會館一在北門橋以凱士餘米分哺之四年正月裁撤資遣外郡之人留養土著老弱於普育堂

貞苦之嫠官月賦錢米郡邑常制也同治四年總督曾文正公以宦裔士族婦女嫠者尤可哀矜於善後局籌款每名月給一千文其額數屢經核減近以二百二十人爲定額每月二十日由救生局赴府領錢散發

官粥廠　同治四年立在南門外知府涂宗瀛議以每年十一月朔開廠次年二月截止由知府委牧令一人掌之搭蓋蘆棚以處貧民就食者立棚頭鈐束其衆每人日賦米八合歲振貧民千餘人或數千人粥米由穀米局發給銀款由善後局發給

淮泗貧民行丐者每年冬月多來江甯擇其老弱立厰收養以縣丞一人掌之歲以十月十六日開厰次年正月資遣回籍每日給丐目錢一百文小丐目錢四十文丐錢二十文給腰牌以稽出入

督銷鹽局　同治四年立江甯鹽巡道掌之稽江甯食岸之數督收釐金淮鹽任運章程以六百斤爲一引外加滷耗六十斤包索三斤半每引分裝八包每包連包索計重八十六斤分作春秋兩綱無論官紳商富淮赴局具呈認辦其釐金皆按季完納同治八年鹽巡道龐公際雲詳定江甯八岸銷鹽完釐章程歉則包釐溢則加釐循爲常例矣八岸者儀徵岸商福祥裕亦歸江甯完釐也

下關掣驗淮鹽局　同治四年立以牧令掌之稽查商民船隻夾帶淮私

善後大捐局　同治三年七月立以道員一人掌之委員分赴裏下河各州縣勸諭紳富捐輸以濟江甯善後經費五年移局江甯十三年裁撤計先後捐銀五十餘萬兩分案　奏請給獎別有善後大捐請獎局即附設善後局內今亦裁撤

門釐局　同治三年七月立稽收貨釐備七縣牛本籽種之用隸善後局四年五月裁撤

釐捐局　咸豐三年刑部侍郎雷以諴督兵揚州立行商稅釐之法爲東南釐捐之始營員掌其事嗣以江甯布政使兩淮鹽運使掌之專收水釐局舊設揚州光緒三年六月移局江甯四年以道員一人會同布政使經理總百貨之盈虛覈其本息抽稅之江甯所屬分局四曰大勝關局轄洲頭上卡下卡曰下關局轄江口分巡皆隸上元江甯境曰六合局轄通江集段腰瓜埠東溝四分卡隸六合境曰大河口亦隸六合境轄龍潭分卡句容境也

木釐局　局初設於鎮江鮎魚套以木簰停泊屢遭火災同治十年九月改設於上新河龍江關舊址道員一人掌之轄分卡凡六曰大勝關曰下關曰北河口曰西江口曰鎮江曰瓜洲稽察上游

木簰下駛者分南北路稅之其捐章凡木簰到灘先完沙漫洲錢捐一道改把下駛其運於南者完八四銀捐一道運於北者完八四減二成銀捐一道又仙女廟進口銀捐一道所收之銀每年解江甯鹽巡道衙門銀十二萬兩專供長江水師兵餉餘解江甯藩庫兌收撥用

甘捐局　同治九年五月立專濟甘肅軍餉十年七月裁撤

統捐局　同治十年八月立先是皖黔滇秦甘等省勸捐濟餉或彼省督撫暨統兵將帥委員至江省經理或本省代籌之章程未能畫一至是立局以道員一人治其事統收分解光緒五年五月裁撤

晉豫賑捐局　光緒四年八月立晉豫告饑勸捐助賑道員一人掌之五年五月裁撤

書局　同治三年四月總督曾文正公與公弟今山西巡撫威毅伯刊王船山遺書立局安慶江甯收復移局東下初設於鐵作坊

後移江甯府學之飛霞閣延請紳士一人督理局事提調道府一人佐之並延四方績學之士分任校勘稽工匠之勤惰遴良者授以事書成平其值售之已刊之書經部有易程傳易本義書集傳詩集傳毛詩傳箋周禮鄭注儀禮鄭注句讀禮記集說春秋左氏傳公羊傳穀梁傳仿宋岳相臺五經孝經四書爾雅佩文廣韻匯編　史部有史記索隱集解正義合刻坿札記仿汲古閣本史記兩漢書三國志晉書南北史宋書南齊書梁書陳書魏書北齊書北周書元和郡縣志元豐九域志讀史鏡古編朱子年譜　子部有家範小學大學衍義四禮翼重學幾何原本則古昔齋算學王氏讀書雜志老子章義　集部有仿汲古閣本楚詞文選王氏古詩選唐人萬首絕句選姚氏今詩選丁氏曹集銓評　提調今河南巡撫前江甯知府涂公宗瀛自刊之書有瀨溪集二程全書張子全書朱子文集語類魯齋集居業錄讀書錄河南劉氏理學宗傳辨正吳侍郎拙修集倭文端公遺書提調今兩淮鹽運使洪公汝奎自刊之書有易說醒平齋春秋說爾雅翼仿宋韓柳年譜鄉賢祀典徵實隸釋隸續宋本洪氏集驗方泉志松漠紀聞容齋隨筆夷堅志續軒渠集豫章三洪集鄒陽集平齋集并代其友刊四書或問論孟精義松陽講義

聚珍書局　同治六年立總督李公鴻章用砌字本排印硃批諭旨以道員一人掌之光緒五年裁撤砌字本別有兩漢刊誤補遺三國志史姓

韻編棠陰比事同官錄版行者有李氏音鑑宋名臣言行錄歷代紀元編歷代地理韻編皇朝輿地韻編歷代地理沿革圖皇朝一統輿圖呻吟語五種遺規學仕遺規補古文詞略唐詩近體浪語集楊忠愍公遺書曾文正公奏疏文鈔合刊

勸學官書局　同治十年七月立江南鹽巡道孫公衣言以江寧士子寒畯者多難於得書請於總督曾文正公取江寧江蘇浙江湖北四書局新刊經籍每部四分藏於惜陰書院凡本籍士子得詣書院借讀事領於官而簿鑰出納則紳士掌之附章程院樓房三間一庋書藏書籍凡一借書者隨同典書者稟明山長上樓開一櫃事畢即局鎖以杜盜竊一每屆夏令典書之人公同曬晾一凡一切大小文武現任致仕官員弁外來僑寓仕宦概不準借一凡借書大部八本一次小部每部一次繳還不得逾十日不得污損必素識循謹方正之廩生出具保結　江寧局之書曰易程傳易本義書集傳詩集傳禮記集說周禮鄭注儀禮鄭注句讀姚氏春秋左傳讀本仿宋公羊何注穀梁傳范氏集解四書爾雅郭注史記兩漢書三國志朱子年譜小學四禮翼重學幾何原本則古昔齋算學讀書雜志老子章義文選王姚古今詩選萬首絶句選　江寧聚珍局之書曰李氏音鑑兩漢刊誤補遺三國志宋名臣言行錄史姓韻編李氏史學五種合刻　五種遺規楊忠愍公遺書古文詞略唐詩近體　蘇州局之書曰　聖諭十六條附律　聖諭廣訓

直解欽定左傳讀本資治通鑑畢氏續資治通鑑明紀百
將圖傳牧令全書五種察吏六條陸清獻公治嘉格言治嘉遺迹
江蘇省例律例便覽吾學錄初編近思錄集注程氏性理字訓小
學集解小學義疏小學纂注讀書分年日程司馬溫公書儀二十
四孝圖說朱子治家格言弟子規童蒙須知韻語孫氏耕遠築圩
圖說東雅堂韓集楊園先生集周文忠公尺牘古文辭類纂　杭
州局之書曰　御纂周易折中　欽定書經傳說彙纂
詩經傳說彙纂周官義疏儀禮義疏禮記義疏春秋傳說彙纂康
濟錄　聖諭十六條附律綱鑑正史約小學韻語四書反身
錄三魚堂全集陸子全書　武昌局之書曰　欽定明鑑康
濟錄　御製人臣儆心錄大輪講兩經　聖諭廣訓直
解仿宋本儀禮張氏惠言儀禮圖仿撫州本禮記鄭注春秋左傳
杜氏集解仿盧氏本經典釋文桂氏馥說文義證仿王氏本史記
仿明道本國語仿剡川姚氏本國策陸侍御年譜佐治藥言學治
臆說五種遺規手札撮要庸吏庸言讀律心得實政錄文廟祀位
丁祭譜祭器樂舞錄荒政輯要救荒補遺近思錄集注小學集解
讀書分年日程雙節堂庸訓名法指掌捕蝗要訣除蝻八要仿鄱
陽胡氏本文選　同時達官寓公亦各出善本以增益之如瑞安
孫氏之木鐘集水心別集獨山莫氏之中庸集解張楊園先生全
書桐埜詩集雪鴻堂詩集六安吳氏之戰國策去毒溫病條辨皆
是
也

小說九百本自虞初支裔所流衺淫是尚坊賈射利傳刻風俗之

憂也同治　年江蘇巡撫丁公日昌示諭永禁紳民立碑向張二公祠前

兩江采訪忠義局　咸豐十一年總督曾文正公駐軍祁門卽軍中立局以紳士掌之甄錄三省死事之人彙案上制府分別　奏請旌卹同治元年移局安慶三年移局江甯十一年總督何公璟刊刻兩江忠義錄忠義錄以府爲綱分縣編次其目凡六曰全家殉難曰請卹官紳曰請卹團丁曰請旌官紳曰請旌士民曰請旌婦女有事實可書者則立傳現刊至四十九案止　奏請旌卹之案已至八十一起

府城新立祠廟灑埽潔除之役多募僧司之月有餼給名曰香鐙錢由善後局支放武廟月十六千　文昌宮火神廟八蜡廟龍王廟湖神廟祥忠勇公祁文節公曾文正公馬端敏公三祠月三兩　向張二公祠月四千　顏魯公祠月一千五百文

洋務局　同治七年十月立兩江總督例兼南洋通商大臣以道員一人督守牧以下官掌通商各國餉餽讌勞之禮其中外交涉事件海關道

員掌之

下關稽查洋務局　同治五年十二月立以牧令一人稽查上下游通商各國過境者姓名月具册籍報於通商大臣

同治七年總督曾文正公以官軍凱撤後收標武員多置閒散仿書院考試之法月以二十五日派道員及提鎮十八分五棚校閱馬步箭火鎗第其甲乙餼之光緒元年十月總督沈文肅公改試洋鎗第甲乙如前獎賞章程凡游擊以上爲一班無薪水者超等給洋錢十二元特等八元一等六元有薪水者超等給銀四兩特等三兩一等二兩都司以下至武舉爲一班無薪水者超等給洋錢八元特等六元一等四元有薪水者超等給銀二兩特等一兩五錢一等一兩外委武生爲一班無薪水者超等給洋錢四元特等三元一等二元有薪水者減半其款均由善後局籌款動放並咨戶兵二部有案光緒元年改試洋鎗以中五鎗者爲超等中四者爲特等中三者爲一等其獎章仍舊歲終用比鎗法以鼓舞之其最者得優賞

營務處　軍興以來凡督師大帥及統領一軍者皆設營務處以

佐軍政和行陣儲異材同治八年總督馬端敏公簡江甯揚州綠營之兵立新兵五營加給月餉以時訓練乃設督標營務處以道員一人掌之其後總督曾文正公添募老湘合字營總督李公宗羲籌辦海防增募各營并直隸總督李伯相所撥留防江南武毅慶字等營其徵調餫饟之政督府均下營務處籌議轉行十三年兼節制護軍營督捕營督標親兵水師營而督捕營所獲盜犯由營務處訊鞫詳請定讞每月武課試畢亦由營務處彙呈督府榜示等第

長江水師發餉所　江甯鹽巡道司長江水師下游兵餉道署兼管庫官以佐貳一人掌之經收釐金凡兩江境內水師月餉皆由所支放

淮揚水師支應所　同治四年自蘇州移設金陵道員一人掌之

兼司淮揚水師營務處

軍需局　同治四年總督曾文正公北征捻匪設北征糧臺以饟諸軍同治八年改爲軍需局以道員一人掌之專濟西征老湘營一軍及江甯防軍合字六營新兵五營各軍月餉

金陵軍械所　同治四年閏五月立以守丞以下官掌之初名內軍械所專儲外洋軍火供各軍之用別有外軍械所以儲內地軍器洎各軍移撤其分儲軍械多聚於此海防事興購製外洋軍器益富且精矣乃併內外二所爲一凡江甯綠營及湘淮水陸征防各軍皆取給焉別其良窳利鈍時其收發月以冊籍上於制府光緒六年區軍械爲二十八庫其額曰大功定我武揚日月光兵氣藏乃其有備惟精爲良以威南服永固金湯　其儲內地軍火有火藥硫磺刀叉長矛擡鎗鳥鎗銅砲鐵砲劈山砲狗頭砲鉛子鐵子並鎗砲所用藥瓶藥角九龍袋火繩火香之類　其軍裝則有帳房籐牌勝帽號褂旗幟鑼鼓銅號之類約其名目凡四十餘種別有鐵練一根長七百七十五尺有奇馬端敏公鎔砲爲之以備鎖

江口者其儲外洋軍火曰燕非來福曰恩費來福曰英國來福曰恩非而來其福皆前門馬步鎗也佐以洋藥銅帽鉛子皮紙之類曰林明敦中針曰林明敦底針曰士乃得曰後進子曰溫切司得曰十三響亦名吃啫司得曰六門手曰十門手曰馬梯呢皆後門馬步鎗也佐以合膛銅捲藥彈之類凡洋砲以磅數之重輕辨砲質之大小磅內地十二兩也前膛砲雖有三楞六楞來福銅鐵諸名後膛砲雖有子母拔槽過山克虜泊諸名總名之曰若干磅砲其配用各件則有砲藥三稜砲藥石子式砲藥銅管拉火及烏理治勃休馬瓦瓦司克虜泊砲彈視砲為準彈有長圓開花實心二種長彈之開花者用自來火銅五件圓彈之開花者用藥引木信皆引火入彈燃藥使炸故又名炸彈又有後膛美太於士砲形如蜂窩一發二十五聲格林砲樹直彈筒於後搖轉機軸連發可數十百響砲彈均如後膛鎗子而稍豐他如炸船之大小水雷水兵之軟硬水甲二十四磅火箭十二磅火箭以及各砲所配車架表尺螺絲諸零件每砲動計數十種不勝枚舉今管以道員

火藥局　同治四年八月立在龍蟠里丞牧一人掌之凡製造火藥解局存儲備支放各軍之用所儲有本藥洋藥鎗藥砲藥炸藥三稜藥石子式藥以及硝磺各種領分局二曰草場分局同治九年六月立所儲有本藥洋藥三稜藥石灰砲九龍箭萬人敵噴筒各種曰雞鳴山分局同治十三年立所儲有本藥洋藥三

稜藥砲藥鎗藥英式火箭英式鐵火箭架各種

報銷局　初設於蘇州同治五年二月移駐江甯道員一人掌之稽核留防湘淮兩軍餉需彙其成數以冊籍上制府達於部

籌防局　同治十三年六月立布政使道員掌之專理江防軍政大江設防自下關至吳淞口止於濱江險要建築砲臺儲備鎗砲軍火分兵屯守

中國製造輪船議始於咸豐十一年總督曾文正公疏請也同治元二年間設局安慶試造四年五月蘇松太道丁公日昌於上海開設鐵廠製造益廣後福建亦設船政大臣領造輪船事宜十餘年來滬局製造者曰操江曰測海曰威靖曰海安曰馭遠曰鐵甲閩廠製造者曰萬年清曰湄雲曰福星曰伏波曰鎮海曰揚武曰飛雲曰靖遠曰振威曰濟安曰永保曰海鏡曰琛航曰元凱曰藝

新曰登瀛洲曰泰安曰威遠曰超武曰康濟其捕海盜所得者曰靖海購自外洋者曰海東雲曰長勝曰福勝曰建勝曰鐵皮曰白雲曰橫雲曰問津曰定海曰寶順曰淩風曰飛虎及蚊子船八號龍驤虎威飛霆策電鎮東鎮西鎮南鎮北其常川至江甯者則測海威靖馭遠鐵皮白雲橫雲問津登瀛洲靖遠數船也

同治　年上海設立招商局以中國官紳領其事局中所轄輪船曰利運曰漢廣曰鎮東曰保大曰海定曰永清曰興盛曰豐順曰和眾曰日新曰江天曰永甯曰海晏曰海珊曰海琛曰富有曰懷遠其行駛長江由江甯經過者曰江寬曰江永曰江孚曰江表曰江靖

洋煤廠　初設於下關開花砲隊營內光緒三年砲隊裁撤乃於下關擇地建屋以丞牧一人掌之其煤由上海船捐捕盜局解廠

存儲以供白雲横雲等輪船之用隸軍需局

審案局　同治三年九月設於總督衙門外收令掌之專收民間上控呈詞略訊供情稽其保歇彙上之以通民情理冤滯

道路有殣附近居民每以株累興訟獄致傾其家同治　年江蘇巡撫丁公日昌示諭凡路斃之尸准由救生局報官驗明掩埋以省民累紳民立碑向張二公祠前

織局　同治四年立隸織造衙門設織機六百餘張以官領之凡例貢若傳辦度其采章方幅之宜以授匠作織成輸上内務府

善後工程局　同治三年十一月立以道員一人掌之材石瓦甓之屬儲峙以時凡營造壇墠祠廟官署臺榭度基址之所宜審工段脩廣之數檄牧令以下官分領其事督匠作勤惰考其成五縣有興造如之旁郡或請遴員監工作亦如之光緒六年裁撤以知

府一人提調局事隸善後局其經費初提用善後大捐捐款不給則於藩庫提存皖岸報効各款內動用木植多購自湖北亦有外洋巨木汎海來者采階礎之石於陽山青龍山范土於周家山西善橋燒造磚瓦工作之人多自湖熟鎭募充蔴鐵油漆之購於市者平價給之民不知役　其興造年月房屋間架皆詳建置

水師船廠　咸豐三年曾文正公於湘鄉本籍刱造水師戰船設廠於衡州湘潭造快蟹長龍舢板等船既肅長江奠定東南遂改水師爲經制之兵　奏定章程各船每屆三年脩理一次十二年即行更換其風篷等件三年亦更換一次桿索纜縴等物每屆脩整之年酌量添換同治七年乃設船廠於燕子磯掌造拖罟長龍舢板八團八槳快蟹之屬及錨木腦索砲繩旂幟紅白油布篷等件以備下游水師各營更換其外海水師戰船脩造之政亦兼掌之

製造火藥局　江甯各營所需火藥向由安慶火藥局撥濟同治

十一年總督何公璟議由江甯製造八月立局於通濟門外以牧令一人掌之采硝於壽亳鉅野歸德亦開用洋硝配藥視土硝力猛價相埒也凡購硝宜秋冬凝結之時產旺而值廉初用土礦洋礦近則購用臺礦采松柴木於青陽竹潭鎮者良嫩柳炭於鎮潭別皮去節杉炭於西溪丁坑皆皖南地辨其色質與性審火齊之節督匠碓造皖鄂二省製法皆用碾北五省則用碓施於鎗砲皆宜核各軍演放之數以爲作輟凡火藥存儲日久易致變壞通計製造之藥能足二三年操防之用即暫停工作其空閒之時江甯城守營或借局製造焉

機器製造局　同治四年立屋宇皆仿外洋之式營造以道員一人掌之購機器於外洋募洋匠爲師督諸匠製造砲位門火車輪盤架子藥箱具開花炸彈洋鎗擡鎗銅帽等項解濟淮軍及本省留防勇營之用鎗砲之屬自融冶至於成一次即有一項機器治之同治　年於烏龍山暫設砲臺機器局光緒四年歸併

製造火箭局　隸機器局

試造洋藥局　同治十二年五月立十三年十二月裁撤

算學局　光緒二年五月立布政使梅公啟照剏議以丞牧一人掌之招延生徒講求鑄礮之法幷測準演放諸藝以爲江海防務之助六年五月以無成效裁撤

水雷局　光緒三年七月立委員招募藝童學習洋文洋語四年挑留八名送赴天津教練水雷局學習五年以洋教習期滿回國於十二月撤回隸機器局名電學館六年五月以無成效裁撤

續纂江甯府志卷之八終

續纂江甯府志卷之七

江甯石永熙重次

建置

粤寇發難盜江甯爲窟穴凡祠廟衙署堤堰橋梁之屬舉燬夷之無留遺文正曾公剗滌穢亂掃地立郡邑躬節儉爲寮屬倡一時監護匠作者心大臣心權緩急爲先後興廢升墜各有矩矱其後居其職者或患狹隘不能容賡續修繕甚者出私橐就隙地稍稍增舍宇而外縣之待舉者猶衆也今删其已見祠祀學校各類者而條舉興造年月俾來者無忘鼛鼓版築之勤云

作續建置

萬壽宫舊在府治柏川橋東廠今圮移建中正街同治十二年造宫門大殿朝房方亭左右角門下馬牌磚牌坊二座石牌坊一座儀仗器具百七十件俱如制外縣待建權就潔地祝釐焉

雨花臺　永濟寺　燕子磯　北極閣各　御碑亭同治中俱修葺如制

城垣

江甯府城明初都城也故周九十六里有門十三垜口萬六千奇南面之東曰正陽門（本洪武門）迤西曰通濟門正南曰聚寶門南門也城外古長干枕雨花山道光中知縣傅璋修城闕有碑記同治三年夏浙撫威毅伯曾公國荃營城外鳳臺山復城後駐節城樓建屋臨下光緒元年三年再修南之西曰三山門俗曰水西門矮城也光緒四年重造城券二道有碑記又西曰石城門俗曰旱西門再西斜出曰清涼門（卽清江門）背有船廠其內清涼山倚城垣今塞至西曰定淮門枕古石頭城道光二十二年塞西北曰儀鳳門外瀕江滸省垣要津也折而東曰鍾阜門踞盧龍山岡今塞又折而東

曰金川門城之北面也外曰幕府山今塞又東曰神策門門外之東有大壯觀山光緒三年重造甕城並城牆營房又東曰太平門外即元武湖同治三年六月十六日賊造地保城於鍾山之陰提督李臣典穴此門以入遂復省城缺口旋堵築總督曾文正公有碑記折而南爲省正東曰朝陽門外依鍾山及前湖同治四年於城券外增建方越城於是折而西至正陽門其各門牆垣復城後開補葺之今須修整其外郭門久圮今曰土城頭高阜絡繹而已駐防城明故宮也起太平門東包朝陽門南至正陽門通濟門省垣也其西面西華門一帶咸豐間燬於賊明之北安西華西長安諸門也

句容縣城光緒中知縣袁照捐廉重建東西門城樓

溧水縣城尚未大修葺

江浦縣城凡五門東曰朝宗南曰鍾奇西曰遵和北曰拱極東南

曰敦艮道光二十六年重修咸豐中樓櫓多圮毀未復　浦子口城凡七門曰攀龍曰廣儲曰金湯曰附鳳曰朝宗曰拱極曰萬峯嘉慶戊寅知縣王頫重修上元管同有記咸豐中屢經兵燹漸就傾圮　中敵臺在浦口城南門光緒二年重修

六合縣城咸豐初知縣溫紹源捐修光緒三年知縣謝延庚詳准撥款重建大東大南大北小北四門城樓及小東門墻垣城河橋一道

高淳縣舊無城設關防門七正東曰賓陽南曰迎薰西曰留暉北曰拱極東南曰安瀾西南曰襟湖東北曰迎賢道光二十七年水災圮光緒五年知縣楊福鼎諭邑人捐建又增建四門曰青龍曰久大曰臨渡關曰淩雲

祠廟

社稷壇舊在府治水西門外道光年間移建於南門外三里店同治十一年重建

神祇壇在府治雙橋門外同治十一年重建

先農壇在府治通濟門外同治十一年因舊址重建

江甯府學文廟舊在府治北明國子監今改建治城山陽朝天宮道院故址同治四年署總督李公鴻章飭江甯府知府涂宗瀛監造者大成殿東西兩廡戟門神庫官廳欞星門六年總督曾文正公飭道員桂嵩慶續造者崇聖殿宮墻泮池牌坊府學頭門照壁明倫堂四齋尊經閣教授訓導署並製祭器規模閎敞甲於東南曾文正有碑記八年重修宮墻光緒元年製樂舞棚　名宦鄉賢忠義孝悌三祠同時俱建在尊經閣後　倉聖祠舊在南門外圯光緒三年以府學飛雲閣改建　十三祠新建在府學　顧亭林

先生祠同治十三年就府學東偏樓屋改造

上元江甯縣學文廟舊在府治東南秦淮上本明應天府學址同治九年總督馬端敏公飭道員桂嵩慶監造凡大成殿東西兩廡戟門官廳欞星門天下文樞坊宮墻泮池石欄杆崇聖殿尊經閣明德堂東南第一學坊四齋教諭訓導署青雲樓奎星亭泮宮坊佟公桃李亭方亭製祭器光緒間兩次修之　名宦祠　鄉賢祠在縣學右　忠義孝弟祠　明衡府紀善周公祠　賢良祠在縣學左俱同治九年重建　豫章陳公祠在文德橋南光緒元年重建

文昌廟在府治西華門三条巷同治十二年因舊址重建

武廟舊在欽天山今圮同治八年移雞鳴山下府學舊址改建

龍神廟同治六年總督曾文正公於朝陽門外靈谷寺祈雨應占

遂建廟以祀有碑記按省城內舊有龍神風神廟在錢廠橋西係官祭今圮

祈澤寺原名嘉惠寺在高橋門外光緒五年因舊址重建祈雨也

湖神廟在太平門外元武湖中同治十一年因舊址重建

火神廟舊在府治東北　八蜡廟舊在府治南門外二廟均圮今移府治中正街同治八年改建

府城隍廟在府署前同治十三年因舊址重建

古城隍廟在漢西門大街同治間重建宋城西門也

蔣帝廟在太平門外鍾山之陰同治間重建

卞公祠在冶山西麓同治間重修

顏魯公祠在石城北烏龍潭後同治間修路旁舊有顏魯公放生古道磐石門額董其昌書今移於祠前

一拂清忠祠在清涼山麓已圮光緒三年因舊址重建

大程子祠在下江考棚西首同治四年修知府涂宗瀛有碑記

三忠祠在南門外已圮同治十二年因舊址重建

方正學先生祠在南門外雨花山木末亭旁圮同治十一年祠亭重建並先修方公墓李伯相立石表之

景公祠在絨庄同治間重建

汪文毅公祠在龍蟠里同治八年修知府涂宗瀛有碑記

黃公祠在利涉橋左同治間重建其西即鄉試年貢院中路點名大道也

丁清惠公祠在奇望街同治間重修

倪公祠在治山西南同治八年重修知府涂宗瀛有碑記　以上皆舊祠之僅存者

祥忠勇公祠在府治北欽天山下同治十二年建祀江甯將軍祥厚附祀江甯布政使祁文節公宿藻

劉武烈公祠在祥公祠右同治十二年建祀上元縣知縣劉同纓公塔縣丞黃大受呈繳捐欵銀三百餘兩由上元縣撥産取息爲祠中祭祀之資

向張二忠武公祠在府治南金沙井同治閒以故廟改建合祀提督向榮張國樑有碑記

李忠壯公祠在南門外雨花山祀總兵李臣典同治閒舊部吉中等營捐建

曾靖毅公祠在殷高巷孝順里祀按察使銜知府曾貞幹同治閒臬司黃潤昌捐建

曾文正公祠在龍蟠里祀總督曾國藩同治十一年建有碑記是年士民捐貲於漢西門外建民不能忘石碑坊一座奏明有案

馬端敏公祠在龍蟠里同治十二年建祀總督馬新貽

沈文肅公祠在龍蟠里光緒六年建祀總督沈葆楨以上專祠皆奉旨者

上元節孝祠舊在府治北雞籠山下有石總坊均圮同治九年改建於龍蟠里南妙音庵址坊尚未建

江甯節孝祠在南門外雨花山同治九年因舊址重建石坊尚存

昭忠祠在府治北雞籠山下同治七年建總祠凡四一楚軍陸師昭忠祠一楚軍水師昭忠祠一金陵官紳昭忠祠一金陵貞烈祠八年侍郎彭玉麟捐建祠旁園亭並置果子行大街市房二所買弓箭坊基地建屋取息爲香火之資詳咨有案

半山寺在朝陽門內本謝公墩舊址同治九年重建

妙相庵在府治北薛家巷道光閒總督陶文毅公捐廉增建亭臺樓閣爲屈子祠亂後屋宇均存今爲主考下車行館鄉試年官爲修之

劍池道院在朝天宮旁同治中建以處朝天宮羽流者因其舊地改建府學

元眞觀在通濟門外光緒六年官修

甘露庵在府東大街今傅相李公鴻章以昔鄉試寓此題詩於壁亂後庵毀同治五年重建

毘盧庵在督署東南隅光緒六年官修

天曾長生祠在東花園琵琶巷同治六年總督曾文正公重建

華嚴庵在水西門外莫愁湖濱道光中邑人姚君廣之咸豐中賊毀同治十年因舊址重建

鼓樓上有大碑高出山椒同治四年合肥張紹棠捐修按二氏祠廟例所不收以上所錄皆官爲興修故附錄於諸祠後

句容縣

厲壇在縣治東北郊同治中建屋一間

文廟同治十二年因原址重建光緒六年落成大成殿戟門

櫺星門泮池宮牆牌坊俱還舊制惟明倫堂未建　名宦祠在學左　鄉賢祠在學右均同治十二年建有碑記

武廟未建借葛仙庵致祭

文昌廟未建借城內華陽書院致祭

龍神廟在華山光緒六年知縣袁照捐建大殿三間華山舊有龍池五年六月旱禱雨有應酬神貺也

八蜡廟在縣治西門外同治間建

城隍廟未建借四賢祠致祭

昭忠祠在縣治土橋同治間民曹秉衡妾孀婦朱氏捐建

溧水縣

文廟在縣治小東門同治十二年因舊址重建先是十年教諭章驥率諸生稟縣詳准復建計造大成殿東西兩廡戟門櫺星門至

光緒三年落成崇聖殿明倫堂未建
武廟舊在縣治城外圮同治間移建於大東門內
火神廟舊在縣治小東門同治八年因舊址重建
城隍廟舊在縣治通濟街同治間移建於大東門內
江浦縣
文廟在縣治東嘉慶十七年知縣丁猷駿道光十八年知縣鄧夢鯉先後重修咸豐八年毀今借文昌殿行禮議建未舉
名宦祠　鄉賢祠　忠義孝弟祠在學內今圮
節孝祠在縣署影壁大街咸豐中毀同治十二年邑人捐建祠屋三楹
城隍廟在縣治西門內兵燹後正殿僅存
昭忠祠在縣治敦艮門內同治四年奉旨江甯將軍富明阿捐

建

六合縣

文廟舊在縣治小東門外道光元年改建於西門高岡咸豐八年毁同治十二年因舊址重建其規模悉如舊制惟拓廟後餘地建明倫堂以堂之舊址建崇聖殿齋房泮池舊在櫺星門外水有時涸因購街南民地濬爲池環以宮牆其地有古井三如品形因以甃池而水得常清廟後有文昌閣亦新修光緒五年換奎樓甆頂　名宦祠　鄉賢祠均同治八年建

先農壇

八蜡廟附建於城隍殿西

龍王廟凡四一在縣治龍池東岸同治間知縣張振鐄重建一在縣治治浦橋東現移建於小東門外河口其馬頭山靈巖山二廟未建

白龍王廟在縣治南同治間重建

城隍廟在縣治西高岡同治間因舊址重建

昭忠祠在縣治集善堂後同治三年建

忠孝節義祠舊在東門外同治七年改建於西門八佛庵址並捐置南街市房一所取租作歲修之資

高淳縣

文廟在縣治通賢門外先是嘉慶四年興修派七鄉分任崇教鄉修大成殿游山立信二鄉修明倫堂安興鄉修兩廡永豐鄉修櫺星門永成鄉修尊經閣唐昌鄉修戟門其餘房屋亦勻派任修嗣歷次加修亦係七鄉分任立有碑記咸豐間廟毀同治八年知縣張金荃集七鄉紳士勸捐因舊址重建並添撥公款助役　名宦祠在戟門左　鄉賢祠在戟門右　忠義孝弟祠在戟門左

武廟舊在縣治北門內已圮同治年間移建於正街中

文昌宫在文廟右同治四年建

劉猛將軍廟在縣治東門外光緒五年重建

大王廟在縣治襟湖門外口口年間捐建

龍王廟在縣治西門同治八年建

湖神廟在縣治固城湖口同治八年知縣楊福鼎捐建

城隍廟在縣治察院西同治八年知縣楊福鼎捐建

許公祠在縣學明倫堂左同治八年建祀知縣許心源

遺愛祠在賓陽門外光緒五年捐建

陵墓

明太祖陵在府治朝陽門外鍾山之陽道光中修之同治十二年修建守陵房屋三間安設栅欄以禁樵牧

晉卞忠貞公墓在府治治城山西同治十年修之光緒中重修祠

屋

明徐中山王達墓同治六年江甯藩司孫衣言捐資發署上元縣程遵道修整墓門石坊重立舊碑

方正學先生墓在雨花臺山同治十一年砌碎石修之光緒中有黄州士人覓杜茶村墓者或言在揚州或言在太平門外無碑碣不可辨而宣城詩人沈崑銅墓在雨花山葆光寺路旁有小石碣附志之

署廨

江甯將軍署在駐防城內　江甯副都統署在將軍署東南均同治十一年因原址重建　旂營官署兵房均在駐防城內同治六年建前鋒兵房五百閒八年建前鋒領催兵房四十六所所四閒共一百八十四閒馬甲兵房二百七十二所所三閒共七百四十六閒佐領官署一所二十二閒九年建協領官署二所所三十二閒共六十四閒佐領官署六所所二十二閒共一百三十二閒防

禦官署八所所十七閒共一百三十六閒驍騎校官署八所所十二閒共九十六閒領催兵房二十八所所四閒共一百十二閒馬甲兵房六十所所三閒共一百八十閒舊存兵房九十八閒十二年建世職房六十所所四閒共二百四十閒協領署二所所三十二閒共六十四閒防禦署八所所十七閒共一百三十六閒佐領署七所所二十二閒共一百五十四閒驍騎校署八所所十二閒共九十六閒筆帖式署三所所十二閒共三十六閒公衙一所十一閒左右司並銀庫房三十六閒軍裝火藥庫十閒兵房一千一閒光緒元年建協領官署一所三十二閒二年建世職房三十七所所四閒共一百四十八閒協領署一所三十二閒佐領署六所所二十二閒共一百三十二閒防禦署八所所十七閒共一百三十六閒驍騎校署八所所十二閒共九十六閒兵房三百九十七

間五年建兵房九百間

兩江總督署在府治東北沐府東門同治十年因舊址重建署前增建官市房五十八間曾文正公初入城駐節水西門民舍七年駐今府署九年駐巡道署歷加締構不能詳記

江寧布政使署在府治南大功坊同治六年因舊址重建初復城寓南捕廳民舍光緒三年藩司孫衣言增修　理問署在淮清橋同治十年因舊址重建

日盈庫大使署在全福巷同治十年因舊址重建　倉大使署舊址在府治東馬路街圮今移復成倉右同治十一年建

江安督糧道署在藩司署東同治七年因舊址重建其初入城亦寓民舍各官所同　庫大使署舊址在府治東南貢院東圮同治九年移道署東

江寧鹽巡道署在府治東南淮清橋大街同治九年因舊址重建　庫使署在淮清橋西按舊無此署同治十年買民基新建　新設長江水師餉庫公所在道署東同治十年建

江甯府署在內橋西南同治四年因舊址重建　理事同知署舊址在府治東北中正街今圮移鹽道署東同治十一年建　江防同知署在府署西夾道內同治四年因舊址重建　督糧同知署舊址在府治東南淮清橋大街文思巷口圮今收買珠履巷民房同治十一年改建　南捕通判署本臬司治所後改在府治西錦繡坊大街同治十一年因舊址重建　北捕通判署在府治北蘆政大街同治十一年因舊址重建　經歷署　檢校署均在府署西夾道內同治四年因舊址重建　龍江關大使署在下關　聚寶官課大使署在南門外窰灣　江東司巡檢署在西新關外直江口　江淮司巡檢署在江浦縣浦口城內　秣陵鎮巡檢署在秣陵關　茶引所大使署在大中橋西南均圮未建　教授署訓導署詳學校內

上元縣署在府治東北昇平橋西同治八年因舊址重建外仍用木屏　縣丞署舊在縣署東乾隆中移邁皋橋再移觀音門今圮未建　教諭　訓導署均詳學校　湻化鎮巡檢署在上元縣治東三十五里今圮未建　典史署在縣署右金陵驛在典史署西因添儲倉舊屋改造均同治八年建

江甯縣署在府治南三坊巷同治八年因舊址重建　糧捕水利縣丞署在南門外兵馬司衙同治十二年因舊址重建　教諭訓導署均詳學校　江甯鎮巡檢署在江甯鎮圮未建　典史署在縣署右同治八年重建

句容縣署舊址已圮權借鮮魚巷口民房爲公廨別賃馬子巷口民房爲監獄　縣丞署舊址在葛莊廟圮權賃廟屋　教諭署未建

訓導署光緒中因舊基重建　巡檢署舊址在龍潭鎮圮權借

大士閣　典史署未建　城守把總署未建

溧水縣署舊址在城內已圮未建權寄典史署舊屋爲公廨　教諭署　訓導署　典史署於舊署西偏權寄爲公廨

江浦縣署在曠口山之陽咸豐中毀於賊舊址已圮今以察院西民基賃爲公廨　教諭　訓導署均詳學校　典史署舊在縣署內已圮今權寄公廨旁　城守千總署舊在縣治西門內今權寄民房　浦口都司署舊在浦口金湯門內今移金湯門外同治中都司梁玉農建

六合縣署在西門內公廨鋪同治六年知縣莫祥芝因舊址重建　教諭　訓導署均詳學校　典史署在縣署儀門外同治六年建　瓜埠司巡檢署　稅課大使署俱俟建

高淳縣署在城內同治十二年知縣秦曾熙捐造庫房住屋光緒

五年工程局建監獄今大二堂儀門皆新建　教諭　訓導署均詳學校　廣通鎮巡檢署　典史署在縣署西同治十二年建城守千總署舊址已圮今移崇仁街收買民屋爲署督標中軍副將署在府治北督署西蘆政大街同治十年因舊址重建　中營都司署舊址在蘆政大街圮今移大影壁同治十年建　督標左營游擊署舊址在科巷久圮未修今移督署南黨公巷同治十年建　左營守備署舊在科巷圮今移石板橋都司署舊址　城守副將署在督署東西華門大街同治十年因舊址重建　都司署舊在石板橋今移府治北北門橋唱經樓後同治十年建　右營守備署舊在大陽溝五老橋圮今移北捕廳旁右營守備署舊址同治十年建　右營守備署舊在北捕廳旁今移府治西旱西門永慶巷口同治十年建

興武衛守備署在府治北洪武街光緒五年因舊址重建　江淮衛守備署舊在北門橋堂子巷圮未建

長江水師金陵營參將署在府治北儀鳳門外上元門同治間奏設經制水師額設員缺十一年剏建

江南織造署在府治東淮清橋大街同治十年因舊址重建　司庫署舊址在西華門東廠圮　筆帖式署二舊址一在雙塘一在三條巷俱圮　庫使署二舊址一在船政廳一在土街口俱圮以上五署今移府治北紅紙廊同治間建　織局舊在西華門大街漢府內今移府治北珠寶廊同治間收買民基建屋二百十八間設機二百九十五張　神帛堂舊在駐防城內倭緞堂舊在壽星橋俱圮未建

安徽學院行署舊在府治西北小王府巷規制殊狹道光中皖省

士夫捐貲處之遭賊全圯同治三年十一月補行鄉試權於門東之邊營建之嗣因地形衺斜不整光緒初移建於中正街規模宏整超軼一時計房屋號舍　間置東提調公廨西避雨公所俱軒敞

江蘇學院行署在府治南武定橋旁道光初重建後毀於賊同治四年因舊址新建六年再修其房屋號舍百十七間

貢院在府治東南秦淮北原號舍萬一千間有奇道光間廣平江府姚家巷號舍共萬五千八百間有奇同治三年稍加修整六年收買迤西民基廣號二千八百十二間曰狀元新號署總督李公鴻章有碑　八年院外路南沿河岸迤東建屋三所為提調各官公廨迤西建屋五所為外供給公廨十二年署總督張公樹聲又飭收買東首民基廣號舍二千間有奇共新舊號舍二萬六百四十六間號衕凡二百九十五

字光緒五年增建辦公房屋五百一間同治三年董役者爲道員黃公潤昌此後工程淮揚道桂公嵩慶主之八年收買民基讓寬街道則今兩淮都轉洪公汝奎建議而總其成焉

巡撫察院在府治東淮清橋大街同治六年因舊址重建

大憲行臺在府治東奇望街同治十二年收買民基剏建

演武廳在城北小營初由李升司派委建造廳房一進五大間及廳前臺階同治六年丁卯科復於中闈廳後添造房屋五間九年庚午科又於東西兩闈各添造房屋六間並於中闈之旁另行添造房屋六間先後共計修造正廳官房二十八間光緒二年添造考試月課官廳五所共十五間披厦十八間槍靶木架五座又以武鄉試添造中東西三闈房屋十四間暖閣一座並修墻屏改換洋槍靶架三年又修其後進房屋

接官廳凡四一舊址在府治石城橋鹽倉嘉慶間圯改於旱西門

頭道城務內光緒四年重建一在旱西門外蚵蚾磯有勞勞亭爲官船馬頭光緒中移建一在府治鼓樓北無量庵爲北郊公所同治十二年因庵舊址重建一在水西門外同治七年捌建今爲城外保甲局公廨

善後局在巡道署東偏光緒元年建

洋務局在盧政大街中協署西同治十三年捌建又於下關虹濟橋建稽查洋務分局

機器製造總局在南門外掃帚巷東首收買民基建造同治四年興工五年七月告竣計新造機器正屋一所廳房九十三間過亭五架協屋六大間披廂十間門樓二所其年十二月又就報恩寺坡下茶地續造委員住房一所計十二間爲製造分局九年十月復添造鐵爐房五大間漈爐房一所並砌爐十二座十一年十月

又添造翻沙廠屋六間翻沙模炕屋一間改造洋樓一所上下二十四間添造房屋十間走廊十號十二年九月又添造洋匠屋樓房十二間平房六間上下走廊四十間又圍墻一周

製造火藥局在通濟門外九龍橋收買民基建造同治十一年十一月工竣計房屋五十四間披屋五間十二年六月又添造夫役住房十間碓房五間

製造火箭分局在通濟門外神木庵舊基建造同治九年六月工竣計洋屋十三間頭門客廳等屋八間披屋十二間過亭門披三廈

火藥局二所一在定淮門草場原名清江藥局同治九年因舊址重建一在府治北雞鳴山後光緒元年建道光中曾移羊皮巷同治初曾暫寄濟生庵

軍械所在旱西門大街同治間以舊屋改造光緒間增造庫房

木釐局同治十年於上新河龍江關因舊址建又於北河口建分卡一所
下關釐局二所一爲貨釐局光緒元年就龍江司舊址建一爲掣驗淮鹽局同時建
草鞋夾緝私鹽局二所光緒元二年建
大勝關釐局二所一爲貨釐局光緒五年建一爲鹽卡光緒三年建

倉廒

城內虎賁倉在府治西北旱西門內牌樓大街舊額虎賁右倉專儲糧道旂丁行月米石並織造機匠月糧亂後僅存數廒同治八年修之光緒三年增建十餘廒共新舊十八廒可儲穀十三萬餘石今爲采辦積穀官倉

豐備倉在皁西門大街道光十二年總督陶文毅公捐建同治光緒閒收買民房擴充之屢加修葺共新舊十九廒可儲穀二萬四千石今爲穀米局委紳經營

廣豐備倉在皁西門羅寺灣道光閒紳士公建計十六廒亂後廳屋已圮而倉廒尚存同治光緒閒三次修葺可儲穀二萬四千石今爲官紳積穀倉紳士經管

復成倉在府治東北復成橋旁爲藩司收儲江安各屬征解南屯兵米支放省城旂綠各營月糧共計五大廒同治光緒閒屢次修整倉右建司倉大使衙署管理

句容縣積穀倉城內一所四鄉凡二十所

溧水縣常平倉在南門外光緒四年知縣傅觀光因舊址捐建六年增造倉廒共二十二閒

江浦縣起運倉存留倉均在縣治東預備倉在縣署儀門内常平倉在豫備倉左舊址今俱圮

六合縣豐備倉在縣署西即舊常平倉光緒四年改建倉廒十四間進廳屋十間

高淳縣積穀倉光緒五年在舊常平倉基建屋二十間

書院

鍾山書院舊在府治北錢廠橋道光十二年布政使賀長齡增左右學舍各五重連潰別院院屋五楹共五十間有碑記咸豐三年燬同治四年權於城東漕坊院收買民基興建共計房屋　間

光緒五年於院東建享堂室五間神牌十七位

尊經書院舊在縣學尊經閣同治九年重建

惜陰書院在龍蟠里盋山園側道光十八年總督陶文毅公剏建

亂後存屋十餘閒同治光緒年閒增建四十八閒奉陶文毅公木主於景陶堂後軒以誌不忘也

鳳池書院舊在縣學忠義祠後道光閒移舊王府園繡春園池館水木冠於一時賊毀之今移武定橋東新廊同治三年收買民基改建房屋二十七閒

奎光書院舊在雞鳴寺側亦課文童者賊毀之未建

甘棠文舍在冶城山西北華藏庵內宋籛龍書院舊址光緒元年知江甯縣甘紹盤捐款及典息捌造五年於庵內建屋三楹爲月課文童之所有碑記

石城書院上元義學也二所均在羅寺灣大街銅銀巷口光緒閒藩司梅啟照發銀六百兩飭建爲義塾之所

杏林書社在羅寺灣大街光緒二年邑人石氏收買民基自行建

立書舍六楹社倉三楹以上因文敘並記之

句容縣華陽書院舊在縣治察院東已圮今移西門大街同治閒收買民房改建

茅山華陽書院光緒六年改茅山道士下宮爲華陽書院知縣袁照題今額尚未設課

溧水縣高平書院舊在縣治小東門外學宮旁已圮今課士之制已復書院未建

江浦縣珠江書院舊在縣學明倫堂右咸豐中毀今課額已復屋宇未建

同文書院舊在浦口東門外左所巷咸豐中毀今課額已復屋宇未建

江浦縣義學設立縣城內兩所其一所在浦子口東門外

六合縣六峯書院在縣治西門呂祖祠舊屋僅存尚待修整

六合縣集善堂義學同治閒知縣莫祥芝捐設詳義行

高淳縣學山書院原名高淳書院道光八年知縣許心源刱建同治十一年巡道凌煥營官李龍元知縣楊福鼎捐款課士屋宇新建

高淳縣七鄉文塾崇教鄉曰集賢立信鄉曰合美永豐鄉曰白鹿精舍永成鄉曰成德遊山鄉曰遊峯安興鄉曰桂香文塾唐昌鄉曰育才光緒六年知縣楊福鼎刱立惜屋宇未建

善堂

上元江甯兩縣養濟院在富民坊同治十三年因舊址重建

普育堂舊在南門外佟園今移剪子巷同治四年知府涂宗瀛改建有志甚詳

育嬰堂舊在佟園今移剪子巷曾育堂道北同治八年新建

清節堂在小油坊巷同治光緒間因舊址重建

救生總局及各善堂俱詳見義行

句容縣育嬰堂舊在縣治小南門已圮今以城中圓照寺爲公所詳義行

恤嫠局　施材局均詳義行

溧水縣養濟院在小西門同治四年因舊址重建

江浦縣敬節堂　繼善堂　救生局均在浦口東門外嘉慶閒邑人吳廷珍倡捐建咸豐中圮

牛痘局在浦口東門外光緒五年建

六合縣養濟院在縣治北同治閒知縣張振鐄因舊址捐建

集善堂在城內同治閒知縣莫祥芝因舊址重建

種德堂一在東門內一在東門外

借材局附設城內種德堂以上均詳義行

高淳縣育嬰堂在通賢街

救生局在迎薰門左

理仁局在縣西十里

橋梁道路隄圩河道

響水橋　馬家橋　白虎橋　小平橋　教場中路各橋均在駐防城內已圯光緒二年重造

上元江甯兩縣境內中和橋在通濟門外已圯光緒五年重建計橋身長二十二丈寬六丈高三丈六尺甕五並修橋旁貞節坊迤東堅固埂共用銀一萬七千五百餘兩監造者工程局委員知縣車運昇也

長干橋即南門外城河橋漸圯光緒二年重造計橋身長二十丈寬五丈高三丈五

尺五寸甕五共用銀一萬九千八百餘兩監造者工程局委員同知李春藻也有碑記

文德橋在縣學西其初木橋後易以石兵燹中毀同治六年仍造木橋

道濟橋　文津橋均在府學前同治六年建

利涉橋在貢院東舊係架木已圮同治十年重建

江東橋在江東門外舊制九甕已圮光緒四年淮揚鎮總兵朱淮森飭所部防軍重造計橋身長十九丈二尺寬三丈五尺六寸高四丈甕三

萬壽橋　所橋均在江東門外已圮同治五年易造木橋

御龍橋東鄉　鎮淮橋南門外　新橋　上浮橋　下浮橋　武定橋　四象橋　銀錠橋　張公橋　蓮花橋皆城內　覓渡橋水西門外　石埠橋

觀音門外新橋　上方門過兵橋均於同治光緒間歷次修建亦開有碑記

石城橋在旱西門外　圮光緒六年冬重建

周郎橋係上元句容兩縣分轄爲驛路通衢同治十二年修

句容縣南橋在南門外道光初重修

東橋在東門外同治閒修

映月橋在南鄉天王寺光緒中邑人趙燮堂等捐修

橋頭鎭橋在北鄉道光閒邑人蔡永清捐修

臨泉鄉橋道光閒邑人捐修

上葛郵西橋在縣治城外光緒六年知縣袁照重修

六合縣大南門浮橋光緒四年造　小北門城橋已圮邑人易石以木集捐成之　南門浮橋同治九年修

龍津橋在縣治南門外光緒五年邑人周錦堂倡捐重建有津稅焉

龍池石橋在縣南五里已圮今復建

竹鎭橋在縣西北三十三里　裕善橋在縣西三十里　楊都橋

在縣西北十五里均光緒中邑人徐翰園倡捐重修

善家橋在縣東南二十五里已圮邑人朱又石朱錦堂捐建

高橋在縣西二里已圮邑人周森和等捐建有碑記

垛石橋在縣南十里已圮光緒中邑人張淮斗倡捐重修

匯濟橋在東溝已圮儀徵張同興捐建

江浦縣橫橋在縣治東北二十里同治六年改木橋　茅塘橋在縣治北三十里後圩皆通驛路要道並同治五年知府涂宗瀛建十一年巡道孫衣言重修改建木橋凡三甃

老虎橋在縣西十里光緒元年邑人林森茂捐修

惠政橋在縣治南六十里與和州界咸豐間圮光緒二年邑人林成興倡捐復建

石磧橋在縣治南四十里同治五年邑人徐燾修復甎閘並橋甃

小石橋在石磧鎮南同治二年圮光緒二年邑人侯名揚甃石改建

駐防城小門口各處街道水溝光緒二年修浚

上元江甯兩縣境內秦淮河南北岸街道光緒二年修浚

復成倉街道水溝光緒元年修浚

吉祥街文昌巷小王家巷松濤巷戶部街各街道水溝光緒五年修浚

水西門外街道水溝光緒元年修浚

督署前至旱西門城口止街道水溝光緒元年修浚

士街口石上乘庵街道道光初邑人周春喦捐修並砌塘沿石岸

通濟門外中和橋北街道光緒六年修

太平門外街道光緒五年修並修橋梁五座

朝陽門外街道光緒五年修並修橋梁八座

南門外西街至安德門街道光緒四年總兵章合才飭營勇墁修

六合縣四顆柳五里墩雷家橋街道光緒五年修

上元江甯兩縣境內水西門外老北圩隄長二千三百六十七丈 濮家圩隄長四百餘丈 小廠圩越埂長四十餘丈 儀鳳門外河西濱江隄埂長八百餘丈 神策門外修字鋪圩隄 清涼門外圩隄 以上各隄埂上元知縣程鑾道江甯知縣吳元漢顧景濂於光緒五年先後稟准由總兵章合才朱淮森飭所部營勇挑築

堅固埂在高橋門外舊曰孤淒埂乃達句容大道咸豐元年邑人甘廷年捐修長二百五十三丈五尺 有碑記遭兵坍卸光緒六年就建中和橋工之役修之

三江營攔江新埂在江東門外同治九年江甯知縣莫祥芝借撥公款興築光緒五年知縣吳元漢稟請撥合字營勇修之

沙洲圩典牧所東隄埂光緒四年知縣吳元漢稟請撥合字營勇修築計長一千三百餘丈

江甯鎮北鄉大福烈山道士祁姚四圩埂西鄉上與烈山相並下至烏龜山計六里圩埂光緒五六年知縣吳元漢顧景濂先後稟請撥合字營勇修築

淸江廠張社圩埂　茅公渡隄埂長二百四十丈　蕭家渡圩埂長三百餘丈

馴象門外抽分廠圩埂　姜家圩埂長數十里均於光緒五年知縣吳元漢稟請撥合字營勇修築

六合縣通江集圩　犂園兩堡圩　仙人橋南北路十圩　郭家圩　王家圩　朱家圩各埂皆光緒五年修

高淳縣濱湖各圩埂同治八年圩民捐修

上元江甯兩縣城河自東水關起至西水關止並兩旁支渠小港

同治八年一律修治光緒五年總兵章合才飭所部營勇再濬之

城中河渠同治四年總督曾公飭營勇疏濬八年正月再濬之

外五龍橋河光緒二年撥營勇挑濬（計河身長八百餘丈並浚駐防城內小門一帶溝渠十二處計長二千丈）

金陵閘雙塘光緒二年修濬並砌駁岸

東水關閘光緒五年濬並易閘板閘夫住屋

通濟門外河光緒五年濬並修涵洞柵欄

水西門外河光緒五年知縣顧景濂請由總兵朱淮森飭營勇疏濬（東自萬壽橋至螺螄橋止西至江口止）

旱西門外水塲在勞勞亭前光緒六年派營勇挑濬

儀鳳門外河光緒五年派營勇挑濬

朝陽門外涵洞光緒五年濬並修銅管（前湖水入城至半山寺）

後湖隄在太平門外同治四年濬湖並建閘光緒三年募災民濬湖淤築湖心長隄一道南自太平隄北達湖灘中跨六橋旁植楊柳計長數里

上新河　北河口　三汊河皆同治八年疏濬

賽虹橋至北河口河道光緒元年再濬之

大勝關新河光緒六年洲民以牛首山水出江必由洪汪等莊圩田經過請於大勝關開河里許可徑直達江並加築土埂民田可免水患知縣顧景濂請撥合字營勇開濬

銅井河道光緒五年知縣吳元漢稟由合字營勇挑濬

沙洲圩河道洲民稟上新河長河爲宣洩山水入江之路沙洲圩處其間河身淤塞每逢山水下注圩田受災請將長河分爲三段共長四千六百四丈有奇同治九年知縣莫祥芝稟由府委員督飭圩民挑濬經費由官籌給光緒五年江甯知縣吳元漢稟請合字營勇再濬之

江浦縣玉帶河在浦口南門外光緒元年提督吳長慶以所部防

軍修濬今名四象河(按河源出卓錫珍珠二泉繞至東門與碧泉清水泉二水匯流入江故名四泉也)

浦口城東匯擔河同治五年挑濬(計上口三百九十七丈下口三百九十三丈)

內城河引城外山水入東門經育英橋西流過回龍宣化二橋南折過牛耳橋出南門水關匯直江河以達於江光緒二年春知縣萬青選捐廉疏濬(朱家山界六合石山也光緒中沈文肅使防軍吳鎮台開之三年訖無成)

六合縣上馬石東溝(溝水本直達師古凹流入天河歲久湮塞)光緒五年開濬(計長八百四十八丈)並建張錦塘斗門以資蓄洩

高湻縣固城丹陽石臼三湖入江水道(三湖之水俱由當塗花津河入江當塗之民每歲九十月間於大小花津龍山橋纏郵陳公渡九山孤山等處設筏插箔肆取淵魚致礙水道)同治九年總督馬公新貽允紳士之請給示禁立魚筏光緒四年刊碑

嘉道中海內無事商賈懋遷晉人以皮豫章以瓷器竹紙閩以菸汴人以藥材吳興以醬皆名一時各建會館(山西在明瓦廊江西在評事街福建在油)

市河南曰中州在糯米巷湖州在牛市其小邑館以十數新安在馬府街今圮涇在百花巷旌德在小黨家巷石埭在東牌樓潛山亦然貴池在石壩街新歙縣館在鈔庫街太邑在甘雨巷旌陽在油市道南蘇州洞庭在徐家巷或圮或修官不與也兵燹後湖南北安徽會館尤盛則簪款之所以盡非貨賄之棧也故附記之湖南在釣魚臺湖北在水西門外安徽在油市即江甯府所僦居也

續纂江甯府志卷之八

名蹟

上元田　曾分纂

金陵古帝王州也其山茅蔣其川淮涂跨江作鎮鎖鑰吳楚自孫吳以迄有明皆爲京都非他郡邑所能企故其城郭之恢廓宮闕壇墠祠廟之綺錯與夫薦紳先生羽人沙門游屐題襟之塵迹後世景而慕之者往往流連憑弔若長安洛陽而外縣不與焉其志名勝則權輿於唐許嵩建康實錄李吉甫元和志亦旁涉古迹追宋張敦頤六朝事蹟編類樂史太平寰宇記迺昌言之至周應合景定建康志曾極金陵百詠元張鉉至大金陵新志明顧璘金陵名園記陳沂金陵古今圖考顧起元建康宮闕都邑圖客座贅語盛時泰金陵紀勝周暉金陵瑣事三編曹學佺名勝志諸人益侈且備陳呂二志之所采掇也事歷八代閱千數百年遺文墜緒變更而湮沒者多矣茲纂舊聞繼前軌有所不容已於記者所以

壯山川之靈秀也作名蹟志然事屬游覽無關政體故多從簡畧識者諒之如何容茅山宮觀溧水烏山八景之類高岑四十景圖余賓碩金陵覽古　國朝書也然於嘉道間尚遠惟王友亮金陵雜詠陳文述秣陵集周寶偀金陵覽勝考金鰲待徵錄甘熙白下瑣言李鰲金陵名勝詩鈔皆以其時之人話當時杖履之登陟雖有舛誤才百之二三要之所得者居多故條舉大凡而分城內及四郊件繫之爲好游者洗馬焉

府署在元行御史臺西有東西錦繡坊署東街直北曰內橋南唐之天津橋也街北盧妃巷廣藝街上元縣西至跑馬巷爲南唐宮城南宋行宮地昇平橋其東虹橋羊市橋其西虹橋其街東行歷上江考棚火神八蜡二廟萬壽宮在道北張侯府國朝靖逆侯勇大中橋進小門明西長安門東北逶迤得半山寺宋王荆公舍宅爲報甯寺庭有雙檜云其手植又青溪所發源也道光中奎光葺之同治中八旗賢者又修之

由寺西南行出西華門門內明故宮也今八旗駐防居之今西華門南北一帶皆為賊毀門西長街至新街口而止街北為漢府明之王府道光中織造機戶所居為城守協署總督署明黔甯王沐英府也皆賊毀今重建由督署外垣東折而北行抵小教場俗曰小營閱武較射武鄉試歲試生童萃於此東西北三面際城晉之華林園宋之上林苑樂遊苑齊之芳樂苑梁之芳林苑咸在其地循草西行歷今武廟廟本在府署西同治中移今火神廟地又以升中祀乃即前府學舊址改建其崇閎與文廟等雞鳴寺有白衣觀音樓後枕臺城俯眺後湖前有施食壇石甃高聳級數十始登其東覆舟山有香林寺明曰興善聖祖改賜今額西欽天山有今祥忠勇公厚祁文節公宿藻劉武烈公同縵祠皆殉癸丑之難者也山形如覆盋故俗曰雞籠其東即雞鳴山兩山對峙由山峽北行有胥家大塘山後老圃蒔菊最善道光中郡人蔡太僕世松築晚香莊於此明觀象臺在其上聖祖題曠觀二字碑亦在其上舊有涵虛閣南唐建俗曰北極山皆石骨戴土甚薄道光中陶文毅公種樹萬株彌亙山下十廟一帶生者無幾今惟存山南九眼井

側小松一株爾山半有橫秀閣今俱燬十廟則癸丑前已多圮矣惟山上新葺屋二重遠遜前式矣其漢府以西西華門街北肇域志云大司馬門在今西華門街又吳晉六朝宮禁省寺也在今成賢街南今之九連八府諸塘昔之青塘以近青溪故也　自內橋北大街西行曰武學門樓明之武學羊市橋今織造機戶移於此又西則元之龍翔寺也今大香鑪以北下街口以東明之表忠祠舊上江考棚瑯邪氏園在其北又西則故朝天宮即吳冶城楊吳建紫極宮宋天慶觀明改此名為朝賀習儀之所嘉靖中羽流最盛有景陽閣今圮飛霞閣今書局及顧亭林祠飛雲閣亦圮曾文正公復建之光緒中改為倉聖祠水府行宮舊為鄉試時主司初至公館西山道院太乙泉諸勝江甯口岸鹽商所聚故富甲一城道光中重建三清殿高大無匹十五年商人祝釐建三間席殿於其院同治中移建府學府學向無名宦鄉賢諸祠今另建十三祠以昔之先賢表忠及南城外各祠版位附祀其中又西卞公祠墓在其後倪公祠皆附冶城山南麓又西黃泥巷古運巷也古城隍廟疑楊吳西面城由此折而北行跨運瀆而北為柵寨門未必通人行人行必由龍光門今三山門陸放翁入蜀記可證候駕橋之北南宋太廟橋下水所謂庚辛水康熙中猶曰辛水河

焉或謂洪武築城石城門仍宋元之舊恐微誤又西抵城墻緣城迤而北至石城門大街豐備倉道光中陶文毅公建今尚存在道南虎賁倉在道北其東有新倉街之北近城闕曰犁頭尖路兩歧者燕尾中隔清涼山也由南路屈而西而北抵掃葉樓今觀音閣清涼寺崇正書院明耿天臺建久圮地藏殿翠微亭南唐建俯視今莫愁湖其時地在城外也踞山之巔下山則一拂祠宋嘉定十四年總領商碩建國朝康熙中漳浦蔡公新之光緒中侯官沈公又新之并坿祀雷翠庭諸公俯城垣有江光一線閣今圮其未至掃葉樓也路又兩歧折而東曰龍蟠里道口上元節孝祠也道南烏龍潭放生池顏魯公祠同治中涂太守建沈文肅公祠光緒六年建旁有薛廬門下高材生爲全椒薛慰農山長築其地面山瞰湖全攬西城之勝其南蛇山涂太守植茶處上有靈應觀道北曾文正公祠本四松庵益山園餘霞閣諸勝今爲曾祠園亭陶桓公祠道光中陶宮保建爲惜陰書院馬端敏公祠并同治中建汪文毅公祠同治中重修又東道南隱仙庵有六朝梅并老桂庵後全貞堂亦以桂勝街曰虎踞關有

宮氏園今圮關外山徑紛歧逶山高下名境絡繹曰蓬萊境曰來茲庵曰陶谷道光中張湻所建有六朝松有三層樓以宏景舊居也有松風閣今俱毀曰古林庵北則定淮門內之馬鞍山矣其由犁頭尖東北坡陀升降曰地藏古道曰濟生庵曰百步坡曰叢霄道院在坡上又東北曰隨園袁簡齋園最有盛名今亦圮其南曰白塔寺永慶寺塔亦圮地樓不二庵一作般若以白蓮名謝公墩旗檀林元龍翔寺下院東嶽廟小桃源獅子窟董其昌題額而東止於妙相庵道光中庵僧延師課徒徒不受教投水死師援之亦溺僧聞之建屈子祠祀之包世臣爲書天問堂三草書汪正鋆爲分書集楚詞長聯湯貞愍董夫人爲書九歌祁文端陶文毅諸公皆有詩刊石衙壁經亂獨完郡人以供曾威毅伯長生祿位蓋自鼓樓以西石城大街以北山徑紆折游賞之地此其大略矣又北則由鼓樓坡西北行石頭山竟曰馬鞍山定淮門內地爲三牌樓和會街西北至儀鳳門有金陵寺有神騎白澤俗曰金剛騎水牛今存馬耳山傳城垣有歸雲堂桂花塢道光中桂求取於此桂千餘株今無盧龍山俗曰獅子在儀鳳門東鍾阜門北單椒孤立石磴盤旋

明祖擬建閱江樓於上宋濂作記而樓卒未建有甘露亭其東北則金川門今金川鍾阜定淮清涼四門皆閉亦以地皆荒圃行旅甚稀足以見明祖之侈心無度矣光緒二年沈制軍以城大難守欲仿楊吳舊式裁城西北甚盛舉也惜郡人以虞龍山在外適以資敵爲辭而止自內橋南行抵聚寶門外御道也其東明祖之吳王府今舊王府園元之御史臺有東錦繡坊額其西今府署元之大軍庫有西錦繡坊今無南行曰三山門街西抵三山門東歷承恩寺舊鄉試年同考官之奉聘初至所同廨今移他所舊王府城闕凡二道今督院行轅鹽巡道署康熙中按察司署洞神宮全眞敎淮青橋青溪合淮水處察院巡撫行轅織造署而至大中橋折而南出通濟門內橋街南行歷大功坊明徐達宅其東折爲藩司署糧道署皆徐氏宅藩署之瞻園其小圃也石洞杳窈今塞又折而北爲縣學文廟以淮爲泮池廟東爲貢院府學貢院之大皆甲於東南院東卽淮青橋橋之西尾內橋街又南十字街西曰三坊作顏料銅鐵作銀作巷江甯縣署也宋之東南佳麗樓東行歷明敎坊院又東

歷今鳳池鍾山兩書院而抵正覺寺鳳池書院在縣學內有承訓
樓地極狹隘俞陶泉太守移
於舊王府東北隅孫氏之五畝園遂擴樓閣池亭之勝經賊焚毀
同治中徐升府買民房修葺爲書院　鍾山書院舊在錢廠橋道
光中賀方伯重建東西齋房各五重　重各五間庭院極深其西即
福吳富農龍神廟大雩處也門外有大潭云有龍潛非所詳也書
院門外有大鐵錨俱爲賊毀同治三年曾文正公亟亟召徠秋曰
即買東園民房改建鍾山書院近年歷有修造然齋房未之及也
　正覺寺者本水月庵嘉慶十九年僧鏡澄佐百文
敏公禽逆匪方榮升功最故文敏爲奏建之今毀書院北故同
光寺有老人
堂今無皆明徐氏東花園也今仍曰
東花園南行圍閉至金陵驛今
馬
鄂蟒蛇倉有石觀
音庵古南岡六朝衣
冠宅第繁之三橋光宅寺也其南赤石
磯城跨其上宋有伏龜樓道光中有西蓮庵修竹高樓城內外皆
俯視之磯址石赤有管夫人畫大士像刻其西趾
有周孝侯臺鹿苑寺明供應庫水軍左所周三里地
有諸勝迹其北則長生
祠醫士所聚今移司署
今新修葺延慶祠後堂子巷因是庵苑家橋鷲峯寺道光中郡
人甘氏修
之極宏壯今
毀才建數椽以極東水關秦淮上地居聚寶門東故曰門
水門也通濟門東其明武宗之浴龍池
即國朝康熙間熊文端公之
小西湖也在小油坊巷久圮聚寶門西六朝及明之名園地若

鳳皇臺鳳遊寺瓦官寺杏花邨徐氏西園倉山大井護國庵北盡淮水南極矮城游者忘疲焉傷峴前地連城外此爲鳳臺山之北麓逶迤而北至倉山折而西至九層坡而止鳳皇臺城內山脊隆處也本瓦官寺後改鳳游寺其今瓦官寺明之積慶庵冒其名也甘實庵曰陶官本在水南晉興甯二年移於淮北遂以其地建寺曰瓦官梁曰瓦官閣南唐曰昇元閣宋曰崇勝戒壇寺後廢明曰叢桂庵焦太史名之曰鳳游嘉靖時禁私庵故積慶庵冒古瓦官名以免杏花邨近花盝岡綠鳳臺山也山之東北麓曰倉山號騎營倉也有大井下有四鐵金剛揹拄之其北荒圃瓦礫邊有祀宗師處曰護國庵有朱文公詩石刻在延靑閣下聽秋館前徐氏西園中山王之園也對東園而名水石極一時之勝　國初廢爲荒圃有大楸數人合抱道光中雷火焚之光緒三年郡人胡氏愛其水石市爲愚園爲今時觴詠之勝地唐時江流未北徙淮水出今西水關江東橋即入江故有白浪高於瓦官閣之語閣前有東西路曰小長干今城外之西街以達江滸江既迤北故其地建城城不高故曰矮城其後漸加之乃與諸堞等萬竹園郡人鄧制軍宅也有靑嶂堂白鷺千百以爲巢亦一異也在城隅右若干地城內名蹟十得五六矣其他非無曠如奧如者如盧妃巷疑有澄心堂百尺樓遺迹然不敢實指也其北口有春水園周湝寓

居焉城北石橋有集園汪正鋆所營九代巷蔚園汪鄭樓所居黃泥岡之西園郡人朱氏宅後歸史琴山明府近黃泥岡華藏庵宋之鐔龍書院今移甘棠文舍於中建屋三楹以課童子之孤貧者新升中祀之文昌宮在西華門之三條巷以或圮或無可遊觀故畧之而非車馬所游歷不敢言也

城內之山東北曰龍廣山同治三年六月穴地道轟城者有曾文正公修治闕口碑自是而西曰覆舟有香林寺又西有藥園壘雞鳴山欽天山有雞鳴埭儒學館舊地也又有士林館明初立帝王真武蔣忠烈都城隍祠山廣惠王關帝五顯卞忠貞劉忠肅王衛國忠肅王劉仁瞻及福壽也曹武惠王功臣十二廟餘帝王功臣曰十廟晉之四陵在焉其東同泰寺基久圮今雞鳴寺有其半焉今有昭忠祠內有也園道光中有賢良祠雍正十一年建祀陳鵬年張伯行迤北祇閣山神策門以山爲基有祇閣寺在椰巷久圮迤西南曰鼓樓坡有鼓樓同治四年合肥張紹棠重修舊有鼓二十四久無上有大碑今僧守之其西倒鐘廠大鐘臥地或以爲景陽舊物也今無考又有鐘樓鐘亦巨道光中圮又西馬鞍山有吉祥寺久圮又西南四望山倚清涼門久閉四望南接石頭北接盧

龍舊有盧龍觀或以爲兩山峽即始皇埋金處所未詳也在儀鳳門內石頭今清涼山其實一山而隨地異名爾在清涼北定淮門外之城曰鬼臉城據大石爲基也其稍南曰蚵蚾磯亦然其稍北石墩曰球山在城外皆頭石也城內虎踞關山石俱同故曰石頭虎踞其外大江於山東置倉屯兵守之東援臺城最近矣東北馬鞍東南五臺東近鼓樓西北之菩提場庵又東南至冶城山而止吳王鑄劍處同治中建劍池觀以處舊朝天宮羽士觀內有池云淬劍池今府學基其吉矣孫楚如冶城山館在其東其後乃築鐵功坊南口之五松園舊王府東北之五畝園也地於六朝爲冶亭有郭文舉讀書臺有總明觀北近謝公墩今圮以有東冶亭在半山寺城外久圮故又稱西冶云

城內之水以秦淮爲綱自通濟門西上水門入逕東水關水洞分三層每層十一洞惟下層通水道光中邑人以水患閉其六而闕口沙阻遂高大中橋古白下橋也在南唐東門外有白下寺寇準題額同治中重修將軍魁玉題額西至淮青橋青溪入焉淮東有小姑祠又有桃葉渡邀笛步諸勝南至利涉橋江文通宅在水西今洞神宮相近西逕貢院前黃夫人明史作翁氏南雍志作雍氏血影石在焉有黃侍中祠今貴池會館過文德橋小烏衣巷在南武定橋下江考

棚東水西有程明道祠同治四年重修焉祠北其後裔博夫茂才闢門衖難處南過長樂渡有長樂庵鐵老鸛觀救生局諸葛武侯祠幷救生局碑漸迤而弧形水東南有金氏滕閣又有同治三年之上江考棚今已改爲民居矣至鎮淮橋古朱雀大桁也其北御道至朱雀門宋以來猶極崇閎今曰南門內橋淮折而西北東逕縣會館旁有忠烈牛公祠公南宋人名富西湖南會館同治中建過新橋古飲虹橋靖毅祠在孝順里祀曾文正公季弟上浮橋明俞通海宅石門樓及西樓雖敝猶存又西下浮橋安徽會館在焉道光中姚氏園同治三年官署仝毀曾文正公駐節其明年公征捻北行至七年公歸移節今江甯府署涂升府乃自大福地公館移此今安徽爲省館以達雲台闢出西水關下水門運瀆首受淮於渡船口在上浮橋西南有常平倉北至斗門橋古禪靈渚有禪靈寺在今范家塘東南乾道今曰紅土北乾道橋今曰草橋抵笪橋古欽化橋宋曰太平鼎新橋水南有臥佛寺道光中年曾請北藏建樓庋焉本封崇寺也同治中僧德成募修一新又西道濟橋本名倉巷橋文津橋同治八年建望仙橋古西州橋西州城橋也宋曰武衛又西史橋史癡翁故里也有臥癡樓有史墩俗曰張公橋由鐵窗櫺出城古城下郎江故曰入江古柵塘也其支者自鼎新東別東由鴿子古曰閃駕又曰淸化米曰景定橋有陳氏樸園今歸周軍

門居焉橋內橋昇平橋合青溪　青溪自半山寺合鍾山水自城垣銅管入者西流出駐防城分二支其南流者由元津橋即西華門橋逕前萬壽宮同治有復以前成倉復成橋南流分支入駐防城有柏川橋又南由大中橋入淮其西流者由竹橋太平橋西又分二支其南流者由督署東五老壽星二橋水名大小溝逕常府街明開平王遇春宅南歷常府太平校尉史錢廠昇平等橋合運瀆同流歷四象橋至淮青橋入淮舊有張麗華祠在蔣小姑祠旁其西流者歷石板通賢二橋而合潮溝　潮溝自武廟旁以銅管穴北城外元武湖水入河南歷英靈坊納山水進香河南逕西倉北石紅板嚴家蓮花第五橋而合青溪蔚園有三層樓老虎刺集閣有保澄軒集台潮音庵皆在水東楊吳北城濠水源小倉諸山自見山亭不二庵歷武勝橋今日北門而東合於青溪焉　城南小運河乃赤石磯水歷孝侯臺長板橋至金陵閘而北入淮文德橋之東　辛水河乃城內西北諸山水自永慶

寺西迤邐由候駕易駕樣米諸橋分二支北支入北門橋水（有老米管家二橋）南支至大市橋入運瀆（有欣欣園老樹林立元龍翔寺故物粵東馮晉漁別業也）

同治十年以來嘉客之游宴城內之妙相庵城外之莫愁湖爲最著湖本晉之迎擔湖也（道光初曰華嚴庵勝碁樓在焉雖臨湖有閣猶未著稱邑人姚氏因而修之建六宜堂翼以長廊佩以曲榭遂爲一時之勝經賊焚毀同治中曾文正公詢其故迹姚氏呈其舊圖依式重修更加華整荷香嵐翠秀韻天成近皇華亭故上客亦停驂焉）或曰南塘地由人氏非所明矣

嘉道間南郊爲尋小祀處渡長干橋（南門外橋光緒初重修）古長干里也西有淨業堂古越台又卽越城（或云范蠡築或云東甌越王築存參）在今西街內（古小長干）又西躍馬澗（山水所會）有來賓橋（古皂莢橋）又西三里店天界寺（俗曰大佛頭有佛頭最巨）道南碧峯寺能仁寺（有覆水梅）其北入山有天龍寺（以善蓄雨水稱有明季某將軍眞身投戈學道甲冑猶存）由寺越山西南至勝因寺（近西善橋）古新亭矣（卽勞勞亭今無一存矣）自來賓橋西北行徑元帝祠（有大海棠樹）又西桃園（有白果庵）眼香廟（近芙

（蓉山）大路則西經舊廢疾老人諸堂抵水次倉馴象門賽工橋古揮扇渡地也長干里中路經報恩寺西（寺本古之長干寺宋曰天禧有天發神讖碑本在巖山後移於此有張南軒祠明永樂時改今名有九級琉璃塔最著名明末黃石齋寓此　國朝三藏殿某僧眞身在焉其門額莊嚴瀵界四正書字徑二尺明王鐸書書中大觀也寺僧以富名者天禧嵩祝二堂及塔院耳賊初至即踞此俯窺城內架礮轟城礮子有及中正街者或擊破民屋者記此以著城外近城不容有塔其後城陷賊自以礮轟去之其大報恩寺額朱孔暘書）成仁庵西（僧以善藝菊名）至土門岡楊忠襄公（邦乂）剖心處（在路東路西有二忠祠祀忠襄及文公天祥皆宋人也道光中掛以明李忠肅公邦華改名三忠祠）江甯縣丞及把總署在焉路東鐵匠巷東有止園（翁荃宅後歸陳秦占種梅百樹）過岡關帝廟有戲臺（道光中演戲公所）有巨井（皆桐城方氏建）由是登雨花臺瞻　御碑亭山上又有亭山西有徑通德恩寺（本普德寺道光中有僧重建改名有鐘樓最高）石牌樓越石子岡五里亭（郎望江居茶社）鳳臺門（郎鳳臺山）元御史大夫福壽殉節處也（今土人祀爲鳳臺門城隍）又南至花神廟（花匠所居）其雨花山南麓之東曰方正學祠景公祠江甯節孝

祠有總坊道光中立過此則木末亭茶畊八蜡廟關帝廟財神殿梅將軍廟有友雲堂徐子仁篆書額又有古梅又南則永甯泉所謂第二泉大吏日取給焉泉有二口甘冽稱最方公墓同治中李伯相修勃泥國王石槨俗曰馬回回墓三茅行宮有碑寶光寺山徑有詩人宣城沈崑銅小石碣墓而止正學祠路西永甯庵有樓安隱寺以次而南曰先賢于公海公倉聖雲錦有池高座有娑羅樹諸祠寺今惟存安隱寺雲錦高座亦重修餘俱經賊焚毀罕有存者今新建李忠勇公臣同治四年典祠建以報功山後有呂祖閣道光中極華美其長干街木至報恩寺而東轉者曰掃帚巷沿河東行有西天寺雷山義泉篆文井闌有德恩寺久圮有明俞通海墓碑存又東行至東嶽廟僣祀也自道光以來極繁盛地曰雙橋門又有張祠山王廟在夾岡門而南郊之羣小祀畢已　太平門外元武湖鍾山北麓水所瀦也東浸山趾西限武岡山趾莫府山東南支峯俗曰鐵石山南界臺城北帶大壯觀山亦鍾山西北支麓陳八築大壯觀於山上因名周四十里中有五洲明時以庋

黃冊久圮咸豐元年擬開河道之入江以免水患湖水無旁洩處惟灌城中故議者欲西由金川門道之入江未果同治中於蓮萼洲建湖神廟又於其庭浚井得銅鉤焉因名井曰銅鉤井鉤存巡道庫西漢甄邯墓在湖側此金陵墓之最古者昔人得威斗者也此金陵吉金之最古者沿湖東北行至蔣子文廟明諸功臣墓咸在焉有碑又北板倉有佛國寺久圮太平門西神策門外泰厲壇歲三祭清明七月望十月朔以城隍神主之通濟門外歲建土牛廠立春前一日地方官出通濟門席殿迎之自聚寶門入詣府署席殿止明神樂觀在其地久圮朝陽門外鍾山爲上元主山有明太祖陵官常修葺之靈谷寺有五里松今樵伐淨誌公塔已圮八功德水龍王堂同治中曾文正公禱雨屢驗建堂以祀之山有白雲寺一人泉霹靂澗彈琴石東曰九曲池山產南沙參玉竹明時產香楠木今無明祖欲立桐梭漆三園於山之陽者將伺其成以造船也今濯濯而已儀鳳門外靜海寺有三宿巖曰下關榷稅所入也對三山門外上新河爲上關名自救生總局登舟沿夾江

外爲七里洲東北爲八卦洲晉宋間曰新洲故曰夾江水狹波平最穩其通江口門曰草鞋夾北岸爲浦口城之九洑洲最爲要阨**歷幕府山西**六朝時江津也山有五峯北曰夾蘿有五馬渡折葦渡達摩洞南曰北固峽有天臺三台金鰲等十二洞中峯有虎跑泉東南峯曰武帳岡其石中煅民置窯其下因曰石灰山又東南曰白土山泰厲壇祀海寇之厲者也其中隙地即白石陂白石疊用武地**有嘉善寺慧定寺**有梅花泉最甘**其山東北接觀音山**觀音門之北**有宏濟寺**有懸巖撒手摩崖字**永濟寺觀音閣**舊橫江鐵鍊在焉**燕子磯又東烏龍山東曰周家山**南唐樂宮山道光二十二年有礮臺同治中重築之山多窯戶外臨大江接黃天蕩其大路在太平門外**直瀆山臨沂山**臨沂縣也**落星山**東北曰雉亭山衡陽山**東曰攝山**有明徵君碑碑陰有棲霞二字因名棲霞山　南巡時建立行宮有幽居寺千佛巖疊浪巖品外泉諸勝陳毅有志詳之自太平門外東北行徑花林黃城二郝開有梁安成始興二王碑並石闕凡五事同治中獨山莫友芝偏搨之**三山門城光緒四年修城樓宋之賞心亭也城內保甯寺在其下南唐曰龍光門門外有孫楚酒樓普惠寺**有井文曰蔣銓喜捨泰和元年三月**豫親王德政碑**今曰王家碑亭**其過覓渡橋**城之外橋**西行之莫愁湖路也**有陳善人石碑坊**南行爲上新河古白**

鷺洲也（今鷺入城棲城隅萬竹園矣唐時江渚也）外郭高橋門外有祈澤寺（有龍女池祈雨頗驗有古碑二）其東北祈澤山山東上方山張山有虎洞（有漢宮氏泉雲居寺與教寺）東曰青龍山（石中碑礎有蘼蕪澗）湻化鎮在其南祈澤寺東南土山（純土無石謝安以儗會稽之東山者也）其東南石埦山又南方山（即天印山）有定林寺石龍池古鐘象皮鼓昭明讀書臺葛洪丹井皆瀕淮其東解溪又東索墅土橋東抵句容城自方山渡淮而西爲秣陵關（故治邨也）又西曰牛首山江甯之主山也金陵言幽秀者茲爲首唐牛頭宗法融所開山（亦曰天闕山）有二峰相對若兩觀然其南曰祖堂山（有百鳥獻花巖）有幽棲寺（寺在山頂石磴百餘級乃上非健步不能也有觀音閣兜率崖文殊洞含虛閣桃花澗白雲梯飛雲樓舍利塔辟支塔山頂有九級塔又有宏覺寺芙蓉峯）山下南行有吉山（有吉翰墓）西有金牛洞（近谷裏邨）由朝陽門出其麒麟門經本業寺（久圮）入武岡雲穴二山南竹堂山北東之湯山（有湯泉插花廟或以爲山本產茶曰茶花廟古樹蔥鬱未經兵火雖日荒僻猶存古碑甚多云）界句容射烏山（有石佛寺）

明汪文毅公墓也　句容東南句曲山其主山也西抱赤山湖自南而北大峯三曰大茅中茅小茅漢茅盈兄弟修道處也晉許長史詢梁陶貞白宏景之所棲息仙人之窟宅矣有積金澗宋有崇禧觀設提舉諸職有元符宮茅陽洞

聖祖所賜第八洞天額在焉又有聖祐德祐仁祐白雲玉晨諸觀城內又有清元觀羽人所萃止也他如俞山在東北爲四十二福地方士之誕也今不載赤山即絳巖山在湖西北或言地名丹陽以此東廬山溧水主山也比迹匡山淵邃之美可知矣仙杏山有杏林丹井觀山有石屋芝山有李子洞燕洞有石燕遇雨則飛慼泉山泉流不竭橫山枕石臼湖江甯溧水界大游山高淳主山也而石臼丹陽固城三湖則爲高邑之最勝蠏鰤魚笋葭蒼菰碧隨處可以逃名矣周公瑾舊宅在邑西靈巖山六合東山也產瑪瑙石六合山邑所由名主山桃葉山或言桃葉渡在此然山爲隋晉王屯軍之所故曰晉王山桃葉由

此易名與（下爲塔根）寶定山江浦東山也有珠泉龍王閣（亦隱園俞氏園也又有魏氏半隱園皆在浦口）張文昌讀書臺萌因寺升中寺（皆在南）羅漢寺中定寺虞姬墓（陰陵山皆在西）湯泉奇老庵（又有惠濟寺眞相寺）玉樞宮（皆在北）曠口山邑之主山也邑西門外接待寺祝釐所也今俱圮　論者謂山川之靈秀皆同而得賢者游賞則特矯起而自見其異山以介子推名滄浪以孺子名永州諸小山以柳州名匡山以蓮社名如此者更僕不能盡其數在物亦有幸不幸也吾則謂名者速毁葆璞者長存爲山川計不改其紫翠而已名非所當知也

附水利

江南五邑東高西下北二邑西高東下省會西北高而東南下下者數患水嘉慶辛未以來民猶殷阜夾淮運起屋者眾河身日狹相近棄灰土瓦礫者率於河以是日淤墊幾成平陸巡道方體浚

城內支河（嘉慶二十二年）自斗門橋迤北乾道鴿子（卽景定）天津合青溪又由鼎新崇道西連武衞至柵寨門（鐵窗櫺）出城宋張孝祥云此支河爲分泄淮水之最要同治三年冬重浚之然起沙泥置河干非也曾文正公命營卒移於城外其浚支河至北門橋乾河沿者邑人沈琮董之至見山亭止西阻於小倉山也（道光十三年）道光時金陵屢患水門東人士主閉東關（上水門）阻淮之入城北者閉北關阻元武湖之入至二十八年大水二十九年尤大城中城北屋脊厪厪露城南如汊港非刺船不能行民露處城上惟銅作坊南抵新橋倉山鳳皇台（鳳皇山之脈）可陸行餘成大湖載籍來金陵所未聞也於是言者欲開元武湖引河道鍾山北諸山水西北迳金川門入江或以爲如是則寇來益便乃止同治八年水其明年浚西城外北河口江甯獨山莫祥芝浚上新河雙閘至大勝關出江上新河由是

無水患又明年以修文德利涉木橋桐城甘紹盤復浚東水關一帶河道光中人堅持閉東關之說故關口沙淤堅厚十二年桐城孫雲錦浚石埠橋便民河聞其言以山麓碎石旋挑旋卸頗自以未能深廣爲憾光緒四年上元續溪程遵道以水患宜豫防會句容人端木錦請闢赤山湖以蓄淮之異漲須帑六萬方伯孫公衣言以款絀而止五年江浦防軍吳公長慶以其邑人言開烏山朱家嘴河分滁水自浦口東入江便滁全來之舟楫且泄滁之異漲也今疏鑿已半是年桂觀察嵩慶復以軍入疏運瀆此皆可謂勤於民事矣夫水有由霪霖者積潦者海潮盛者蛟發洪者數者具則成奇災然率不能久久者才月餘若因地勢大爲水櫃以蓄之庶旱潦有備市廛無恐矣

上新河江沱也首受江於大勝關尾入江於北河口其支者由馴象門入城外之淮夏日水盛亦通板橋浦此在疏之而已道

光十五年有上言者欲深廣之以辟長江之險未行上元之元武湖有徑可達蓮蕚洲光緒中浚湖築隄翼以五橋蔭以楊柳近洲有坊曰初日芙蓉若溧水紅藍埠之胭脂河高邑人所欣聞呂志已著其不能矣故府屬無可興之水利

附秦淮源自溧水句容環經方山屈曲至中和橋由通濟門上水關入即東水關歷鎮淮橋縈迴至三山門下水關出口即西水關古道由此入江江流北遷迺不與江流合六朝宮城在淮水北五里今盧妃巷中兵馬司處即朱雀門之故地也丹陽郡城在淮水南二里今聚寶東南城內外據濠之地皆是楊溥築金陵城始貫淮於城中今武定鎮淮飲虹今名新橋上下浮橋皆跨其上通濟三山水關水之出入處也青溪九曲不可考自五代為城所斷今水自竹橋入元津者城外一曲自舊內今之舊王府旁經淮清橋出秦淮者城內一曲也其自斗門橋西北經乾道太平今笪橋諸橋東

連內橋西連武衛今鼎新橋橋者六朝運瀆達倉城之故道也自珍珠橋北連國學之渠則古潮溝而梁陳之內河也自昇平橋距於東大市橋今羊市橋距於西則南唐及南宋行宮外護龍河之故道也若夫東自白下今大中橋復成元津今之西華門橋以北而西至於北門又由三山橋以南而東至於長干又東而抵通濟門外與秦淮合者楊吳以後之城濠也自柏川而東至白虎橋入大內今之駐防城又東出青龍橋皆今之御溝也有明於通濟上水關造三甕甕皆十一水門所以廣其入也於三山下水關止造一水門所以防其泄也自康熙壬子年忽塞上水關止通一孔水道始壅遂失其性反從城濠旁駛而去揆厥所由不過因寇警防奸耳夫奸細何門不可入而必借水關乎舊有柵欄何不易以鐵石之固以關防內外乎今宜挑濬壅塞仍通十一水門全納淮

流以復舊制汪棟曰平時洞開十一水門至江水頂住下游時則將十一洞盡上閘板不使灌城此故制也今當問閘板之堅否不當議塞明甚按佟世燕江甯縣志此庠士金公濟濬所述也

乾隆中秦淮漸就淤塞嘉慶間方伯康公基田大加疏濬水道乃通旣而鹽道方公體又復開運瀆支河愈形疏暢道光之初上游雨水過多江潮泛漲金陵始有水患十一年水災遂有堵塞東關之議然城內盡成死水沿河居民不下萬家日傾污穢壅遏愈甚次年壬辰春夏之交河水變成綠色腥臭四聞時疫大作宮保陶公亟與里紳王竹嶼都轉妥籌良策命將關洞疏通舊設閘板重行修整並責令北捕通判專司其事協同紳士不時查勘如果山水陡發卽督令閘夫將水門一律下板以資堵禦俟水勢少涸或天時亢旱仍酌量啟放俾利汲取是東關旣堵而復通之大致也甘君煦六以康熙間江甯諸生金公濟

有金陵水利論因爲刊之夫古今異宜其情形非曩昔可比善爲計者固不可泥古而議開亦不可廢古而議永塞陶公以時啟閉眞良法也道光十四年桐城汪正鋆東關議

附高德泰同治甲戌重濬東南官溝記

城內東南隅地勢極下官溝亦極深自道光戊申己酉大水以來一雨即淹居民苦之癸丑之亂更形淤塞同治癸酉甲戌閒秦淮泛溢積潦不退自翦子巷至倉門口一街馬道街至小心橋一街皆在澤國石橋東花園更不可問閒有由屋內濬溝以出者而街頭之水仍倒浸而同以正身官溝不通耳僕待水稍殺親行周視察溝之源委水之起訖蓋東南地勢前高後低自南城腳至秦淮河相較高下不止一丈老屋門牆尚有道光己酉水迹此明證也然則水道自南而東自東而北統歸秦淮而

出西關無疑義矣夫東南官溝自三条營東五板橋起橋之南通中營中營以上引城根高阜之水而北趨歸五板橋出焉五板橋北曰觀音橋在張家衙後自觀音橋出街則藏金橋稍東則釆蘩橋再東北則星福橋星福橋以東則環繞街邊直達於小心橋繞陸姓宅後出麥子橋石橋向北經馬家橋蜿蜒以至東花園長塘由長塘而北而西轉注於金陵閘乃東方眾流之所歸殆即小運河之故道也至於左右旁流其東隅自南岡之西迤庵下注循城而北趨由大樹城正覺寺五塊磚屈曲以至鷲峯寺前之苑家橋仍匯歸於金陵閘達秦淮河此另一支又邊營極東曰仁厚里其上也南則周處臺北則虎頭巖兩邊東來之水下注於里門自街北出轉龍巷轉龍居歸雙塘而匯聚於星福橋下此又一支要皆非正身官溝也其藏金橋迤西則

出騶子巷歸河馬道街迤西則出堆金橋歸河而三条營迤西則引南首邊營之水由大井豆腐巷出大膺福歸河此皆支溝也積水有限溝亦易濬不待官辦而民自能爲力因進說於 李雨亭制帥制帥可其請遂於是冬發款興工由工程局 桂薌亭方伯 劉治卿觀察董治斯役而東南段保甲 謝大令王恩尤盡心探聽焉自五板橋起濬至金陵閘止閱兩月而工蕆因偏立 府太尊示勒石於溝橋旁自此西南之溝亦接踵照辦水患於是可息已

續纂江甯府志卷之九上

儀徵劉壽曾分纂

藝文上

政教洽而人文興官守存而典籍備乾隆中治定功成潤色鴻業開獻書之路置寫書之官江甯一郡自晉以來著述文字奏上祕府者爲部二百二十爲卷二千二百有奇其著錄若存目呂志具書篇第之次用彰盛事嘉道以來人才輩出遠則淹中稷下近則梁園鄴都重席凌雲之彥師承並興握珠懷璧之倫專業是尚今自呂志所錄外掇諸兵火散亾之餘諏諸耆老見聞之世錄七邑書目猶得三百家可謂彬彬矣後來承學之士其興起於斯作續藝文志

經部

易類　丁熹易纂說翁炳周易爻說辭文緗大易元樞李光昱易

本頁原殘闕，現據南京圖書館藏《光緒續纂江寧府志》（光緒六年刻本，光緒七年初印本）補字。

解八卷楊銓易學史證一貫吳楫周易偶箋一卷繫辭偶箋一卷
謝蓀易蘊發明汪汝式周易一貫吳紹堂易義異解徐鼒周易舊
注十二卷史宬易經補註

書類　丁埏尚書揭要四卷吳楫尚書辨誣吳球書經精義

詩類　丁燾詩纂說夏員詩經輯解胡本淵詩經輯解十卷陳授
毛詩補箋八卷李光昱詩解八卷吳楫毛詩砭愚楊大堉毛詩補
注蔣珍詩經精義張汝南詩臆說

禮類　周禮龔林周禮七字詩戴之泰周禮集解葛泰周禮半解唐
階周禮分類輯述　儀禮吳官德儀禮一得　禮記徐鼒禮記彙解月
令異同疏解壽昌夏小正補注駐防　三禮總義梅鉁三禮編陳宗彝讀
禮識疑楊大堉五廟考一卷三禮義疏辨證顧槐三三禮補註

春秋類　胡兆蘭春秋三傳會要錄金鰲讀左披微八卷楊銓春

秋集評吳楫春秋本義孔廣業春秋集成王謨春秋發凡二卷陳立春秋公羊義疏七十六卷金學濬左傳新得十二卷

五經總義類　周鏞說經考辨一卷焦若鈐五經精義汪本五經考異史位三五經考異三卷梅冲然後知齋經義答問胡鎬羣經說內周易一種已刊行管同七經紀聞金鰲五經辨異十六卷孫虯六經解義李國器五經易訓後錄吳球傳經堂經解陳宗彝重次臧氏經義雜記陳立白虎通義疏證十二卷陳朝誥十三經經解徐鼒說文引經考

四書類　周鏞四書尊朱求是錄四卷補錄一卷考辨一卷焦若鈐四書集解談羽豐四書彙解十卷方爲楫四書精義八卷汪本四書集異戴衍善語孟徵史位三四書考異三卷周蔚起學庸釋義臧志仁學庸解徐祿孫學庸集腋吳官德四書注疏參議陳繼

昌中庸闡義徐石麟四書廣義吳楫論語補說邢圻四書彙解李澄四書融貫十二卷僅存學庸二卷李毓楨四書參旨趙漣學庸注解金鰲四書辨異六卷管同四書述聞大學淺說孫虬四書解義端木瑚四書典釋楊大堉論語正義王鳳藻四書貫旨朱緒曾論語義證史宬四書補注

小學類

訓詁朱緒曾爾雅集釋陳立爾雅舊注二卷字書周鏞書字總義一卷十三經檢字秦承業字學啟蒙四卷陳宗彝六書偏旁析疑續古篆楊大堉說文重文考六卷夏朝坐字學拾遺八卷韻書鄧廷楨詩雙聲疊韻譜一卷說文雙聲疊韻譜一卷凌霄音韻異同陳暘等韻畧一卷陳立說文諧聲孳生述三卷張汝南鄉音正譌

史部

正史類　張行言校正史記顧槐三補後漢書藝文志補五代史志徐鼒明史藝文志補

編年類　陳宗彝胡刊通鑑識誤一卷通鑑補正彙鈔

別史類　龔丙孫陳汝翼晉略補表

雜史類　徐鼒小腆紀年二十卷小腆紀傳延平春秋

奏議類　方俊諫垣奏稿一卷

傳記類　管同孟子年譜聖賢　車持謙顧亭林年譜名人　吳楫莊定山年譜董教增郭雲川庸行圖記記孝子郭鴻事迹　陳暘屈子生卒年月考一卷管同文中子考徐鼒敝帚齋年譜二卷田志蓮隱香子年譜總錄　戴衍善先進人文畧衍善別有芻蕘編載金陵耆舊甚悉疑即此書初名　金鰲上元江甯忠義祠祀輯補三卷胡沛江甯祠祀鄉賢彙傳一卷甘熙金陵忠義孝悌祠傳贊一卷陳寶田大魁考孝史彤史王鑠桂方明

峻續金陵節孝備考涂煊漢魏經師表傳尚世賢江揚錄孔昭秉孝鑑翁閎幽光錄 雜錄 王鳳生河北采風錄朱紹曾滇行日記威遠紀畧

譜牒類　朱濬朱氏家譜羅震亨羅氏家譜一卷

史鈔類　李光昱閱史輯要十卷車持謙紀元錄李瀣史鑑約編焦光俊讀史撮要陳敬典綱鑑會纂

時令類　胡本淵歲時紀事二十卷

地理類　總志 梅鈐方輿編嚴觀元和郡縣志補二卷陳懋齡六朝地里考曾同戰國地理考一卷潘鐸方輿紀要簡覽 都會郡縣 周斯才馬邊廳志 河渠 江文熙水經注疏證王鳳生浙西水利考江漢宣防錄江淮運道今圖一卷金濬金陵水利論 山水 馬士圖莫愁湖志四卷石泉赤山湖志四卷 古迹 程嗣章金陵識古錄蘇亭叔

金陵考古畧焦桂芳金陵圖詠一卷金鼇表忠祠錄嚴觀三峯圖經六十詠朱緒曾昌國典詠十卷金鼇重脩祈澤寺志四卷甘熙重脩靈谷禪林志十四卷周寶偀金陵覽勝考承恩寺僧定志承恩寺緣起碑版錄一卷附詩存一卷雨花山僧海湛雨花臺志

雜記 劉思敬芻謀錄王官德續金陵瑣事王嘉言緘庵憶說陳懋齡鍾山憶金鼇金陵待徵錄十卷湖熟小志朱緒曾金陵舊聞甘熙白下瑣言八卷成煜六合兵事瑣言

游記 周葆元皖游便覽柴沂滇游小紀王鳳生漢江紀程戴文燦石城游記

職官類

官箴 朱瀾歷官紀要一卷程嗣章犛敦說牧民瑣言王鳳生宋州從政錄學治體行錄二卷鄧爾育黎垣紀畧甘炳親民一得一卷

政書類

儀制 羅震亨羅氏家禮一卷

邦計 葛祖亮鑑法議胡兆蘭

漕務救時要略四卷端木心實救荒說徐鼒度支輯略一卷汪渤普育條規

軍政 潘鐸評輯戰功考陳暘礟規圖說一卷

目錄類

經籍 甘福津逮樓書目十六卷陳宗彝廉石居藏書記朱緒曾開有益齋讀書志六卷續志一卷羅震亨奧學堂藏書目一卷

金石 王燧金陵古碑鈔嚴觀江甯金石記五卷待訪目二卷湖北金石詩一卷陳宗彝重編金石文跋重編訪碑錄鐘鼎古器錄古磚文錄漢石經殘字蜀石經殘字甘熙金石題詠彙編四十六卷車持謙金石叢話陳暘鐘鼎考一卷張寶德鐵硯齋雙鈎石刻文字朱緒曾開有益齋金石文字跋尾一卷葉覲揚求放心齋金石跋二十卷甘炳古泉文錄陳嘉珽古鏡編三卷

史評類 周亮臣史鑑闡微梅鈐大事論沈佩蘭讀史管見四卷尚徵儼讀史劄記二十卷翁炳讀史閒筆梁增脩讀史釋疑六十

四卷焦光俊讀史管見王荃史準發凡

子部

儒家類　葉世倬惜陰錄秉燭錄端本心寅楷聖錄十卷汪濤福慧錄胞與精言畏天精語天理勸懲錄以俟編生生說三畏詁畧勵行大文章陳繼昌訓家要言薛文緗聖道宗畧奈朝選餘蔭錄陳授小學廣義四卷汪均落坪語錄楊銓日記善言三十二卷端木從恆小學便俗一卷汪傳繙養和齋語錄潘鐸謝上蔡語錄闡義朱緒曾中論注秦嵩年女教四德箴一卷施書林訓蒙提要二卷王肇元槐堂遺書甘炘更生類稿十卷秦湄熙最樂編陳煜治家求是錄甘熹萃古名言一卷羅震亨續經正錄四卷服膺錄四卷正蒙課例錄一卷贊進錄一卷其則錄一卷五子要例一卷日新記一卷閨門必讀一卷壼雅一卷蔣師軾治學求近錄一卷詹

枚妻王貞儀女蒙拾誦一卷枚宣城人

法家類　朱緒曾續棠陰比事

農家類　金鰲野菜譜

醫家類　王錫琛醫方驗鈔謝烇外科或問胡大猷約退齋醫說辨證錄舌苔說程家珏醫林適用田淑江靈素集解田椿靈素校注辥寅醫家萃精錄隨霖溫證羊毛論章廷芳治痘秘要諶永恕幼幼心法粹纂周魁溫證指南四卷耿某痘無死法說一卷林端醫談十卷錢遴沈氏遺書注解司馬鈞病機備參四卷張鏡溪難經解王鳳藻讀來蘇集傷寒論注箋記二卷臨證辨難朱植楨醫學心鏡俞茂鯤痧痘集解田肇墉驗方雜志葉觀揚醫學通神錄十卷夏朝生本草核真楊雨霖保產摘要王履中醫述四卷

天文算法類　推步 陳烶齡經書算學天文考二卷甘熙訂補渾蓋

本頁原殘闕，現據南京圖書館藏《光緒續纂江寧府志》（光緒六年刻本，光緒七年初印本）補字。

通銓二卷本全椒江氏臨泰書詹枚妻王貞儀星象圖釋二卷象數窺餘二卷算書梅冲勾股淺述一卷淩霄測算指掌陳暘算學啟蒙十二卷算學重差十二卷尺書一卷西算新法直解八卷與吳縣馮桂棻合輯詹枚妻王貞儀籌算易知一卷重訂策算證訛一卷西洋籌算增刪一卷術算簡存五卷

術數類

相墓甘福鍾秀錄翁朝象地輿匯說陳朝誥地理要解二卷甘煦水法宗旨二卷命書陶淑宇命度盤說三卷陰陽五行甘煦納音訂正一卷

藝術類

書畫陳宗彝廉石居鑒書畫記琴譜馬士圖雷琴館秘譜雜技張瑸集古齋印譜甘暘集古印譜五卷印章集說一卷印正附說一卷戴文燦竹齋印譜蔣師軾漁石樓印譜

譜錄類

器物車持謙錢譜一卷陳暘古錢考一卷朱緒曾筆譜

草木鳥獸陳暘相貓經一卷相犬經一卷金鰲秋花譜

雜家類

雜學徐鼒淮南子校勘記雜考胡本淵物始考三十卷吳官德槐雲古今錄槐雲閱書記陳宗彝耆古編徐鼒讀書雜釋十四卷田志蓮讀書條辨雜說汪兆虹澹森日記梁增脩筆記談粹瓣香齋筆錄陳懋齡翱葊編四十卷甘福保彝齋日記四卷吳楫桐窗讀書記秋艇雜俎巢觀揚求放心齋隨筆三十卷唐嘉德緒言錄十卷周恆祺編次詹枚妻王貞儀繡紩餘箋十卷雜纂王裕孟莊軼事柴沂殘綴編徐煒旅窗積玉四卷李登瀛補拾唾餘雜編胡本淵子史輯要八卷甘福津逮樓地書九種晉郭璞葬經唐楊筠松龍經留文迪尋龍記南唐何令通論氣正訣宋司馬頭陀寓形論宋卜則巍雪心賦明謝廷柱堪輿管見無名氏地理犀精金陵諸山形勢考金陵水利論戴文燦子史韻編

類書類

焦若鉁精金粹玉梅沖增訂事類賦

小說類 雜事 岳夢淵依紅自惕錄朱灝待潮雜識二卷甘熙日下雜識十四卷桐陰隨筆十卷王芾庚辰雜記焦光俊客窗隨錄蔣師軾漁石樓劄記 瑣言 魏應昇東陽閒筆秦朝選閒中錄焦若鈐咫尺見聞錄孫肇奎壺中蠡說胡兆蘭味根軒瑣言夏維北窗瑣言李杜嶧陽桐贅筆一卷詹枚妻王貞儀沈彴嚶語二卷尙祚涑妻裴氏歷溪瑣語

釋家類 王鳳藻金剛經注解普德寺僧智一法華科拾集鷲峯寺僧性海華嚴經解返約集語錄

道家類 梅冲莊子本義陰符經解吳楫老子易知陰符經解徐鼒老子校勘記

集部

楚辭類 梅冲離騷經解梅曾亮離騷解端木埰離騷補注徐鼒

楚辭校注

別集類　趙天馥南北集黃暉浙游詩草粵游詩草汪沁右山草
堂集轉蓬詩草談羽豐晚翠軒文集八卷海桐書屋詩稿六卷陳
文樞西山文稿梅鈔新晴閣詩草秦大士蓬萊山樵集抹雲樓詩
汪濤近山樓稿丁鰲培風書屋文集戴山堂詩稿秦承業瑞芝軒
古文四卷館閣詩賦二卷和　養正書屋詩四卷葉世倬退思堂
文集胡鐘香續堂稿董教增董文恪公詩集蔡之銘惜餘軒集張
逢年多黍堂集紅藤山館集張之銘惜臏草文稿滇南詩草朱瀾
待潮書屋存稿四卷詩三卷朱漣居敬集一卷朱濤楹書集一卷
車研綠松花石山房集陳際春水北山莊集朱紹曾華峯集二卷
朱績曾璞疑集一卷朱丞曾毅堂集一卷伍掄非非齋近稿芮賓
王淩雲堂附集傅維德舊雲山樓詩草吳禹洛北樵詩集劉敦集

蓼吟朱紫春暉堂集夏統山南集畢桂春水畫船詩草陳瑚取斯集竇桂芳桂聲堂集孫韶春雨樓詩署朱縪種松堂詩劉從渠紫玻亭集萬國玢白下草李大紳紅蕎軒集蟲吟集且存草涂曉竹香堂近詩孫毓瑾愚淮詩鈔偶然吟汪愷雲樵詩集劉夢芳秋水堂集黃以旂憶書軒稿張基種竹山房集王壽恭崆峒近草吳思忠青溪草堂詩集談承基據梧集石禪精舍藁鄧宗洵無夢樓詩草王嘉言緘庵詩鈔陳如豐石簫集從軍集張溎卿環書屋集句淩霄芝泉集概七卷凡巢鳳雲鶴溟鷗雪鴻剡蕉瀨薇振檀七集金鐘倚雲山房詩存單達雲窩詩草李葵瘦人詩詞集陳鼎井天集楊椿榮禧堂詩鈔王鼎襄還讀軒詩胡培冷綠軒集青谿草堂集徐世昌伯子詩草俞瀚居易集朱溶江干茅屋集劉曾習靜山房集陸錦源雪鴻堂稿韓炎怡秋館集許錦古液山房詩林湄安我齋稿曹含暉且想

齋稿陳國治性初堂稿甘京軸園不焚詩甘灼靜心齋稿顧士傑
留月讀書樓詩張漢昭金陵四十景詩方惟寅浣思齋詩文集談
粹瓣香齋文稿陳崐香月樓文汪本清宇山房詩賦稿俞融秋水
鈐言詩龔勱在田詩集伍光瑜補園詩鈔陳授松崖文集十卷李
紘蛾術齋詩文集葉光奕願學齋駢體文五卷紅雨軒延碧山房
詩三十卷何士顒南園詩選二卷黃家炳攄懷集五卷黃鼎秋園
吟草八卷談晉北游詩草二卷端木心寅知非集問非集黃怡祖
詩稿汪漣古文古今體詩王鳳藻詩古文詞胡本淵愚溪詩集四
卷文集四卷賦一卷余民羣玉山房集臧志仁楚游草金悳榮桐
軒詩鈔一卷翁恩元栟邨詩鈔侯雲錦曇花書屋詩草侯雲松薄
游草一卷青甫詩集朱桂楨莊恪集一卷朱桂森澹持集一卷梅
冲然後知齋詩文集鄧廷楨青嶼堂文集秦燿曾澹然居駢體文

銅皷齋詩鳳梨書屋詩鈔汪挺元龍都山人集鄭光焯願學齋詩集林端偶然居士遺稿龍谿草吳繼昌進奉文楊若僧環溪詩鈔李際春帆影草堂集陳際昌醒翁老人遺書陶渙悅自怡軒小稿張翼筆餘集嚴觀閒音齋集哈份可棲草堂集王岑荔帷書屋集張永清謐齋遺稿張永溥耐庵詩畧陶桂林桫欏館集張琴璧園詩鈔顧鑒遺音集于役集楊勳悟眞廬集二十卷周山芙蓉山館詩徐煒寒香閣詩存劉逸松鶴山房詩鈔張寶遠游詩草高大章退一步齋詩草汪炯桃花邨人詩曹奎星堂詩鈔馬湧潮檢媿詩鈔劉滄木雁吟饒文鐸山中吟俞文憲雲亭遺草易孝敏深栖書屋集劉敏學耐庵詩存吳官德古芳樓詩陸脩齡鳴雁樓集劉卿芳影梅山房詩集楊鑾自樂編陳大容寶邨詩鈔周池傲兀樓草房登瀛作嫁集朱嵩籌挹翠軒詩集翠竹江邨集粱增脩詩詞鈔

周芳紅蘅碧杜山房詩稿蘇紹祖山秀堂近稿岳夢淵海桐書屋詩鈔八卷葉怡耳山遺稿一卷王元建初詩稿一卷林鈞雉膏詩集个邨家言伍宏醇詩文集攝山游草張商玉恬溪詩草端木瑚種碧山房詩草胡鎬心齋文集周鴻罝嘘靈書屋文鈔葛光雙杏堂詩鈔伍正阿列岫軒詩集楚使吟馬功儀停雲亭詩一卷高雲雲笈山房合刻并其妻王蓮光詩甘煦貞冬詩前錄四卷後錄四卷梅曾亮柏梘山房文集十六卷文續一卷詩集十卷詩續二卷駢體文二卷易長楨冶城山館詩稿駢體文存朱緒曾北山詩集三卷開有益齋文集羅鳳儀尺蠖集楚游草汴粱草管同因寄軒文初集十卷二集六卷補遺一卷詩集二卷夏塽篆枚堂詩集二卷夏塏信天閣集柴沂咨中詠懷詩草曹士蛟燼餘詩鈔燼餘古文鈔金鰲桐琴生文集二十卷鷺籐花館詩鈔龔賜書垂蔭堂文鈔姚天

麟瑞亭詩草甘熙壽石軒詩文集四卷張葆和來鶯軒古近體詩一卷賦稿一卷姚錫華怡柯草堂詩鈔六卷適菴賦鈔張濼青溪書屋詩草顧槐三然松閣集郝蓮說餅齋吟草王鳳生江聲帆影閣集王麟生補梅書屋詩邢崑存不存詩集嚴駿生粲花吟館詩鈔汪汝式信芳閣詩存一卷程鍾靈瑞崧仙館吟草寇麟趾秋水軒詩草王元雲離集孫齡紫筠館詩鈔鍾山游草劉恩綸韻罍軒吟草周介福篁居集劉澄季蕚詩鈔陸景福二鶴軒詩鈔楊輔仁白雲軒詩鈔二卷陳璋桐華庵集馬士圖豆花莊詩詞鈔鞠邨寫梅三百詠黃堂雙橋草張儒球雕蟲小集袁廷璜初月樓詩稿汪鈞心筠堂詩鈔徐雲韶吟紅豆館詩草徐蘭生栽花吟館詩詞集聶銈種玉山房集楊大坊梧影山房集何詠思古堂詩集鍾華榮補梅書屋草凌志鈺快園詠物詩鈔車持謙薇西小舫近稿車持

謹草草草堂詩趙模玉液流香集馬士杲小蓮吟館詩范承恩小蘅詩草張保謙拜龍鬚館詩草韓劍溪百春集羅鳳藻梨雲山館集朱欒梅香雪齋詩草黃墉拾餘草董進棲霞紀游一卷阮扂竹賢堂詩集壽山集（駐防集名佚）錦春叔繡遺稿（駐防）馬沅駐颿閣文鈔陳宗彝耆古稿漢經齋稿倉山文存倉山詩存陳大鋐晉游草二卷蝨我廔詩古文集二卷吳湘帆影樓詩鈔楊得春師山詩集栖門遺集王熗玉壺山人詩稿王炳春潭詩文集童嘉梅巢書草堂集何根仙居小藁一卷凌志珪惜分陰館詩二十卷題畫詩二卷識綺軒外集六卷王章靜盧堂文一卷詩二卷方俊燮春書屋雜著一卷詩刪一卷許宗衡玉井山房詩文集葉覲揚求放心齋文集十卷詩集廿四卷壽昌惜陰齋雜著詩賦蔡琳夷白齋詩集荻華堂詩存張繼庚舉義文存王金洛蔗餘軒詩集三卷駢文一卷黃

光裕候蟲吟菜花臘語焦光俊耐庵古文淮上啼鵑集焦子洵少泉詩稿周葆濂且巢小草張汝南甃餘賦草夜江集周艮大樅館詩稿王汝梅雪香遺詩陳恭釗綠杉青屋詩鈔甘炳小津逮樓詩鈔四卷陳傳彥晚香閣詩集蔣師軾三徑草堂詩鈔四卷散體文一卷羅震亨有不爲齋文集二卷詩集一卷以上上元江寧吳祖新信口吟芮瀬北匏瓜集十四卷魏子嵩盧車集裴鑕活水軒稿尚天錫蚓岩集寄園集孫守勳霞山集陳立句溪雜著五卷續一卷孫世泰映雪堂稿駱崇愷愛吾廬集東春瑞桐陰軒詩集唐沂魯泉先生集紀叢疏香齋遺稿二卷駱崇禧雨香館詩草四卷田志蓮綠滿室詩鈔隱香子遺稿以上句容朱道新續學齋稿楊崇德集唐百秋吟陶惺雲汀集嚴肇萬花萼樓詩集胡立昂師竹山房詩文稿姚文英西巖詩草姚必成吳市詩存袁江小草葉欣雲汀集蔣鼎仁

詩堂詩文集以上溧水夏員種心堂文稿孫延昌漱石軒文集陳作珍雲鶴詩鈔孫貽謀嶽嵐詩集唐湘采芝山房文稿四卷厲柏樂天齋賸詩憶錄默菴詩存冶浦集常鈖橅下吟杜崇以我鳴秋集霞山集浣花集東道集樂安集杜崑晚香樓集杜巖若洲詩稿杜欽飫經堂集夏致懿石帆山人稿姜本禮表海堂心存文集姜士冠靈巖山房詩集朱實發尺雲軒詩文集六卷朱實粟竹門詩鈔二卷西湖秋唱一卷汪傳綸瘦峰詩草秦澎淮東詩鈔徐石麟軼陵詩文鈔朱方自適其所適齋集文選集句稿葉鼎玉韞齋詩集張鵬程又蓮詩鈔葉煌木齋詩稿款秋軒近存稿徐鑑遠郵詩鈔戴文燦鉏月種梅花館賦鈔種梅書屋詩草朱鵬翥惜陰堂文集四卷漱雲山房詩鈔六卷秦維楫江亭詩鈔淮東詩鈔朱避昌拙脩吟館詩四卷秦濱熙木天濤課徐鼎未灰齋文集八卷外集一卷

詩鈔四卷沈科盈川詩稿徐世清夜吟軒集杜璜浣花軒詩陳朝誥味書軒詩鈔汪經球白雲軒稿李志鵬崇正堂文集慶餘堂詩賦稿以上六合陳觀光館閣存眞趙溶遜志齋詩集玉川文集陳謨傳經書屋詩草王燧棲霞游草薛文緗二酉詩稿韓廷秀雙牖堂集許開泰蓮峯文集于淩斗詠史詩翁朝彙寄閒齋稿吳訒蕪衫詩草李應廬臥綠園居小稿許廷吉燼餘小草蔣貸求純集翠羽山樵外集顧芳蓮邀月軒詩集吳楫秋艇集金學濬餘慶堂詩文稿十卷馬堯年藤花館遺集李登瀛芋庵詩草饒世勳春光集夏朝坐晴山堂稿夏朝柱雲峯遺稿俞汝諧珠浦詩存友樵遺稿吳家楨漢槎堂文集袁光孝臥雪軒賦稿張永清選青書屋詩文稿夏平成也諺詩鈔金步鑾濠游草以上江浦陳淇鏡漪軒詩楊純伯調閒齋詩集陳舉聚星堂詩草魏近思斯濯堂詩文集孔廣堃一畝園

詩鈔楊殿偶存詩集劉復瑜丹湖詩文集夏維湖上集夏年紉蘭
文稿秦鶴古香堂文集孫芹楚葵賦草集孟詩邢芝臼湖漁唱集
濮陽藍玉溪稿夏晉園居漫興稿邢復生寶綸堂集陳悅義懷珍
集夏弼竹溪詩稿李國器待軒詩稿葛鼒鋤經堂草邢鳳陽花岡
詩稿一卷田萬青來青草堂詩稿孔憲昂懷泗堂詩稿孔憲鼎半
舫齋詩集陳敬典一髮集史經忠爐集以上高湻詹枚妻王貞儀德風
亭初集十三卷文九卷詩三卷詞一卷二集六卷貞儀妹靜儀亦工詩集名無考周斯才妻
胡鑄海棠居集竪雲軒集陳秀生竪雲樓集章孝貞靜儀樓小稿
徐大年妻陸易綠窗吟草鄧宗洛妻陳淑蘭化鳳軒稿金堤妻翁
瑛朝霞閣草海曙軒草馬芝母戴氏徹道人詩詞存朱桂梁妻陶
韻梅香雪軒吟車持謙妻袁青照歸來軒詩草尚祚涑妻裴氏青
玕集西邨晚霞集汪某妻吳氏秋鴻集龔某妻駱綺蘭聽秋軒詩

集李某妻張約蘋詩詞纂管同妻朱芳浣芳軒詩童嘉梅妻張湘筠冬蘤軒詩稿一卷許懋芝妻陳黛梅花室詩集馬堯年妻張瑤豆花館詩集端木錦妻張慧冷香閣詩草朱桂模妻熊嘉穎憶萱詩草以上閨秀鷺洲觀音寺僧昌法木石軒稿承恩寺僧鷹巢詩鈔祈澤寺僧玉潔山居稿朱文公祠道士朱福田嶽雲詩鈔十卷續十卷以上方外

總集類

孫乘蒼南州詩畧胡本淵唐詩近體近刊本署張錫麟名汪杰汪氏詩畧龔琛白門風雅集楊銓古詩雅正續選李鰲金陵名勝詩鈔魏近思他山同門集葉煌異苔同岑集朱緒曾續宋文鑑金陵詩匯二十六册未分卷朱氏家集四十卷梅里詩輯四十卷訂補秀水許燦沈愛蓮之書董進何瑞芝雨生合稿四卷車持謙遂園雅集詩鈔顧槐三古今風謠補郝蓮　國朝詩鈔周芳　國朝古體詩選劉沅十

二雅友聲彙存王鳳生沱江感舊集葉覲揚蓮因居士所見集四卷陳暘選古詩三百首一卷續一卷選　國朝詩三百首一卷蔡爲雄蔡氏五世詩存蔣賁碧蘿郵唱和集羅震亨古文觚一卷張師濂金陵文徵五卷張曾金陵文徵續集十卷楊銓續幽光集載道集史位三涓溪文獻錄右五書皆時藝總集也志例凡時藝概不甄錄以其義主徵文考獻用千頃堂書目例附存之

詞曲類

詞集朱紫紅雪齋詩餘樂府汪度玉山堂詞黃家炳峽雲詞淩霄瀹薇集振檀集徐煒倦游詞鈔一卷蔣賁瀟湘館詞葉煌碧梧軒詞馬功儀停雲詞一卷王廷言自娛小草詞秦燿曾治城簫譜詞鈔孫若霖雙紅豆閣詞韓炎冶秋館詩餘王煊玉壺詞淩志珪惜分陰館詞一卷王章靜虛堂詞一卷管同皖水詞存歐陽長海小畫舫齋詞藁金鰲墨石詞四卷嚴駿生桑花館詞袁廷璜

初月樓詞焦光俊長中調詞程傳彥晚香閣詞選詞秦耀曾白門詞畧話詞秦耀曾雪園詞話

詩文評類

吳官德春靄堂詩話董𣆶韓文定淩霄快園詩話吳楫古文發源談藝錄周芳駮正紀批瀛奎律髓詹枚妻王貞儀文選詩賦參評十卷

續纂江甯府志卷之九終

續纂江甯府志卷九之下

儀徵劉壽曾
江甯甘元煥　同纂

藝文下

吉金樂石考古所資也志乘甄采屢最其凡或傳錄文字非由目驗前後相襲繆不勝糾業謝專門無責焉耳先正嚴氏觀雅材好博師承歐趙嘉慶修志身領官局卽錄私書別白存佚號稱精審癸酉以來山厓屋壁時有搬獲前志待訪者或泯失復顯竝世失收者或著錄可按搜討非易懼再湮隊稍革前例具錄全文附以考證起吳迄元得五十四通補前志之畧爲藝文之副吳二　晉三　梁九　陳一　六朝四　唐八　楊吳一　南唐一　宋十九　元六

吳天發神讖刻石篆書跋尾行書在上江兩縣學尊經閣下今佚

上天帝言天

丁□□日□

帝曰大吳一萬方宇宙丙日出

休於中乎多出九元示于山川丁

天發神讖文

天璽元年七月己酉朔十四日丁

吳中郎將丹□□□□山

然發說廣堂乃是天讖廣多也未解解

皆十二字言吉年月廿三日建卅文字

令史建忠中郎將會稽陳治解十

三字治復多未解言以月一日

銘緒中書郎於將軍魏將軍關內侯九江

費宇於視之得廿二字合五十年字宇與

國邑教以養之而紹興教皇儀備機傳

章成字楷賀□吴顧建業監部　殷蕃郎

等十二人步從並觀視瀕甄麻　什彦歸

示吴上天宣命昭告天下和文字炳煥天　𠂇杜譜

石上故紀　刻銘敷垂億　十

蘭臺東觀令　吴郡

巧工九江費宇　工東

功東海夏侯□

予因游府南天禧寺寺門之外有石三段半埋于土竊疑以爲天璽元年嚴山紀吳功德段石罔之碣因觀之果耳人多傳是皇象書稽之實八百十有五年字雖損缺而尤有完者寺僧不善護持歲月之久風雨所暴必至泯滅因輦置漕臺後圃籌思亭時辛未

元祐六年三月二十六日轉運副使左朝請郎胡宗師題

余奉命計臺侍親遊此得天璽斷碑親之筆力高而雨文辭殘簇不可讀也悲夫崇甯元年中秋日轉運判官石豫安正題

人見上古殘碑隻字輙珍重以爲希有古人之心千載如見獨不當一仰思耶明嘉靖甲子督學御史天都山人耿定向識　是日南畿舉人修序齒會始也

孫氏星衍云吳天發神讖碑刻於天璽元年華覈撰文皇象書石始徙於天禧寺門外宋元祐時移置漕臺後圃是今府治元至治時又移廟學卽今縣學嘉慶十年尊經閣燬石亦銷亡惟留搨本今郡守余慰農先生下車以來綢繆荒政民旣安和修建府學因念東南古刻惟校官國山與此而三不可使漢魏名蹟不傳於世乃據佳拓本鉤摹上石幷附宋跋以識遷徙本末

樹之明倫堂右以惠來學太守名霈元江西德化人己未進士官比部郎由樞廷出守鎮江調任首郡

又云是碑三段而其文連接山謙之丹陽記謂其高一丈據齊代未折時言之今改爲碑仍以三石刻之連屬其辭砌置堂右移跋於後呂學博偉標與修廟學因覩排石穽附記之學博旌德進士

朱氏緒曾云天發神讖碑嘉慶間尊經閣燬此碑遭燹今重刻者神氣索然無足觀此搨紙尾有山飛泉立草堂印乃王安節槩所搨周雪客在浚作天發神讖碑考安節爲補考雪客得一百九十六字安節與弟宓草及鄭谷口又補三十一字康熙辛酉以段石三接累之中貫以巨鐵仍立爲碑雖非宋元人舊搨然經雪客安節洗刷一番搨手加工陳承祚志但云臨平湖石

凾中有小石刻上作皇帝字太平御覽巖山山謙之丹陽記言巖山西有石室山東大道左有方石長一丈勒名題贊吳功德孫皓所建也建康志紫巖山引同又段石岡引丹陽記巖山東有大碣石長二丈折爲三段因以名岡是紀功德碑三段石判然兩處許嵩建康實錄云立石刻於巖山紀功德實錄注按吳錄其文東觀華覈作其字大篆未知誰書或傳是皇象恐非其石折爲三段建康志石刻後主紀功三段石碑合而爲一後人多指三段石爲紀功碑不復區分董逌廣川書跋訛爲皇象書吳大帝碑梅聖俞又呼爲丫頭山石上吳大帝字吳琚慶元志沿其說蓋因有上天帝帝曰大吳等字遂不暇審諦指爲吳大帝此碑前列神讖令羣臣解之某未解某解十無紀贊功德東觀令下無名金陵新志戚光云是必華覈考禪國山碑東觀令

史邱信中郎將臣蘇健是東觀令非必華覈周吉甫瑣事又謂蘇建書尤無據葛洪云吳之善書者有皇象劉纂岑伯然朱季平皆一代之絕手以皇休明名更著故以歸之竹垞謂華覈免官在天冊元年覈時犯顏數諫既免官必不藉符瑞取媚誠有識之言也皇象書旣恐非華覈文更不足信至天發神讖與紀贊功德爲二爲一丹陽記書已佚莫能定也侯官高兆有周雪客天發神讖碑考跋自云僑居建業童時數至學宮兪氏蕤云天發神讖碑趙明誠林來齋目爲妖妄持論甚正若因古篆之僅存乃羣焉而考證則張勃言在龍山葉弈苞言在絳巖不如許嵩之核今牛首段石岡以三段石得名宜在巖山也華覈素犯顏直諫免官在天冊元年應非華覈撰文王安節朱竹垞姚惜抱皆据本傳而王昶猶欲存疑太愼矣吳錄云未

知誰書或稱皇象是則當存疑耳周吉甫斷爲蘇建則誠如周雪客語國山碑乃蘇健書因而訛健爲建者然雪客以爲此卽天璽碑又誤故安節辨之質形似鐘初有紐與天紀碑形制似鼓者實相配安節言是也石質似鐵則與就山鑿石皆臆斷王與姚胥失矣文之可辨三百餘字見事跡編類其後戚光周在浚王槩樊明徵梅鏐皆爲聯文而鄧石如有縮臨本然翁覃溪方綱兩漢金石考頗議安節之誤且謂滋陽牛氏所圖尺寸王虛舟所計字數皆不足据至原刻有胡石兩轉運跋明耿天臺跋而吉甫謂石上襄陽米芾四字亦爲天臺所刋則未知元至正志已載之也此外黃伯思董逌王世貞嚴觀惲敬皆論其書法趙紹祖孫馮翼則因王梅所考而申之無關辨證矣今碑石已燬摹刻本只存其名張寶德乃彙考之而先列鄧氏縮本誠

好古之士哉

孫氏文川云吳天發神讖刻石首載讖文後記解字勒石之事凡二十二行行十六字挑行拚寫者二一爲十七字一爲十八字第十八行後空一行玩其文義似尚有四言一句空行中當有二字特剝落耳古人刻石記事石皆上小下大或圓或楕禹陵窆石周宣獵碣秦始皇泰山琅琊諸刻皆然均不得謂之爲碑此石與陽羨禪國山刻石猶見古人遺制廣八名王氏金石萃編謂爲天讖廣多殊失句讀吳中郎將校尉其官名上各冠二字名目甚多如張昭潘濬皆輔軍中郎將孫靜顧承皆昭義中郎將程普淩統皆盪寇中郎將張温輔義劉基建忠呂岱昭信陸抗立節周瑜建威太史慈折衝陳聲司市步隲立武又征南士燮綏南孫桓安東蔣欽討越呂範征虜呂據安軍徐琨督

軍黃蓋武鋒賀齊武威孫奐揚武奐子承昭武芮元奮武胡綜建武孫峻定武皆見吳志此文口武建忠兩中郎將亦此類也至國山刻石又有立信中郎將蘇健則吳志所無矣校尉則如鄭胄宣信劉基輔義孫瑜恭義周魴昭義是儀忠義孫靜奮武孫輔揚武陸凱陸抗建武魯肅贊軍孫皎護軍吾粲參軍朱治呂岱督軍陸遜定威全琮奮威吾粲屯騎鍾離牧呂據越騎陸元安南藁襲威越諸葛建步兵朱桓盪寇朱然折衝潘璋武猛韓當先登凌統破賊孫韶承烈孫松射聲張布陸叡諸葛悚孫闓長水亦各有名目惟無西部之稱攷吳志都尉亦有輔義立信建武督軍承烈破賊諸名而稱部者亦多如張紘虞翻全柔皆會稽東部都尉陸宏會稽南部都尉張承長沙西部都尉顧承吳郡西部都尉賀齊候官南部都尉周魴丹陽西部都尉知

一郡或有數都尉分部而治如蔣欽西部都尉則未載何郡全柔丹陽都尉朱治吳郡都尉則未載何部並有僅稱中郎將校尉都尉者史文亦恆疎落然吳志某郡某部都尉從無稱校尉者此西部校尉當是丹陽之西部校尉尊於都尉周魴遣人齎牋誘曹休乞請將軍侯印五十紐郎將印一百紐校尉都尉印二百紐以假借各魁帥陸元由督軍都尉爲交州刺史安南校尉陸凱由建武都尉遷建武校尉此皆校尉尊於都尉之證吳殆因京畿赤縣而於各部都尉之上復設校尉歟皐備番皆姓典校亦官名吳有中書典校秦博呂壹步騭傳諸典校擿抉細微是也若以典校爲姓名則合費字爲十三人與所言十二人不合蘭臺東觀令下當是史字吳禪國山刻石載中書東觀令史立信中郎將蘇健所書此文亦應類此張勃謂華覈文皇象

書此行有吳郡二字疑卽華覈郡望然刻石時覈已爲東觀令領右國史非令史矣吳朱育周處亦爲東觀令皆尊官也勃或別有所據耳巧工亦官名江表傳孫皓使巧工刻木爲美人形象葢刻木刻石同隸巧工漢印有巧工司馬亦官號也篆書轉折皆圜隸則折處必方此文結體如篆使筆如隸而垂筆末銳又類鐘鼎之文雄勁奇險古所未有

案此碑燬於嘉慶十年呂志列於佚目二十一年摹刻今據摹刻本錄之其考證之詞見於金石家者甚繁取出自摹刻後者錄之

吳天冊泉塼篆書今存

〔塼文〕

㐅

塼長一尺五分博五寸二分直列泉形三泉之四周皆蕉葉文江甯李濱得於龍蟠里塼文六最明顯篆冊隸作冊此更刪省作冊左右㐅是五字天冊爲吳孫皓年號古今錢畧收雙五錢凡二品未著時代以此塼證之則雙五爲吳錢也

晉甘敬侯劒篆書陰文江甯甘氏藏

泰興三年　甘卓

甘氏煕云右始祖晉于湖敬侯遺劒質堅色澤鋒鍔無損㠯晉尺度之身長三尺六寸四分又一分之一莖長五寸九分又一分之一字體在篆隸之間甘上隱有字形泐不可辨按泰興晉元帝年號三年是爲庚辰越二年壬午改元永昌是年夏侯爲

王敦所害則是劒信爲侯生平之佩物矣

晉甘敬侯印篆書陰文江甯甘氏藏

甘卓之印

銅質高九分廣如之龜紐側有銀錯文

晉元康塼篆書今存

六氰二亓

塼方形長廣皆四寸五分題字在左側餘邊作界畫交午江甯李濱得於東善橋元康爲晉惠帝三次改元之號塼文天亦作六或疑爲陳文帝時物然天康無二年也元康建號莫先於漢宣帝塼形式非漢制

梁安成康王蕭秀西碑陰正書在上元清風鄉甘家巷今存

口使口口口口口口口徐兗二州諸軍事口口口口軍

史宗 西曹脩行徐口口 西曹吏陳公口

口王希口 口口口夏令孫 西曹吏曹世口

口口口 口口口口景㊄ 西曹吏潘道口

口口口 口口口口口口 西曹吏朱口之

口口口 口口口張長之 西曹吏鍾離文會

口口口 口口口口口口 西曹吏蔡允達

口口口口 水口口口口之 口口吏口口口

口口口 建宗 口口吏口口口

口口口 口口口口口口 曹吏黃口口

口口 西曹吏陳口口

口 西曹吏口口

□□□□□□　□□　□□吏□□□
□□□□□□師　□□□□□□　吏
□□□□□□蔚　西曹□□□□　西曹吏□□
□□□□□□　西曹□□□□　西曹吏□□□
西曹□□□□　西曹吏□□□　西曹吏□□□
□□□□□　西曹吏秦□念　西曹吏□□□
□□□□□　西曹吏朱義興　西曹吏□□明
□□□□□　西曹吏□□□　西曹吏劉道□
□□□□□□　西曹吏徐□世　西曹吏桑逵之
□□□□□臧朱甄　西曹吏朱世　西曹吏荀靈副
□□□□□□摽　西曹吏周道□　西曹吏朱僧表
西曹書佐□思儀　西曹吏相□誀　西曹吏朱僧覇

西曹從事宏□
西曹從事　□□
西曹從事□□茂昌
□□僉
□
吏□□□
吏□□□
□吏□□□

西曹吏露文龍
西曹吏蔡欣□
西曹吏湯靈□
西曹吏畢□
西曹吏王騊虞
西曹吏□□□
西曹吏□□□
西曹吏陳天合
西曹吏邵□□
西曹吏吳留
西曹吏孟脩世
西曹吏□全夫

西曹吏張桃皮
西曹吏劉榮祖
西曹吏楊文起
西曹吏悄景仙
西曹吏王慶
西曹吏唐文雅
西曹吏□法茂
西曹吏朱昭明
西曹吏桒□
西曹吏□□□
西曹吏高□
西曹吏□令□

吏□□□　西曹吏　□□　西曹吏張茂

西曹吏　□□　西曹吏□川

西曹吏□□門　西曹吏□□

西曹吏□粱　西曹吏□□□

西曹吏祁出□　西曹吏□□之

西曹吏　西曹吏　西曹吏□□□

曹功　西曹吏□偶　西曹吏方□之

曹功□□　西曹吏葛承宗　西曹吏

曹功　西曹吏鄧□　西曹吏

西曹吏陳□□　西曹吏綦景

西曹吏□□功　西曹吏　天宏

西曹吏辛□祖　西曹吏□□□

西曹吏陳令□　西曹吏□□□

西曹吏□□　西曹吏

西曹吏□

□□□

□□　□□□

□□□　西曹吏

□　□　西曹吏

□□□任□□　西曹吏□□□　西曹吏王

□□掾□□□　西曹吏吳□□　西曹吏　文

□□掾高□□　西曹吏徐□□　西曹吏鄧志公

□□掾齊□　西曹吏　西曹吏朱

中□□□　西曹吏

西曹吏

西曹吏

西曹吏

西曹吏

以上第一第二第三列

吏任　吏

西曹　□□雲　吏□　吏□

西曹吏呂□門　吏蔡□□　吏巺　□　吏□

西曹吏劉□　吏劉□□　吏□□□　吏

西曹吏丁□　吏史延□　吏　吏□□

西曹吏　吏董昺□　吏□□

西曹吏□公除　吏□□□　吏秦□□　吏□□

西曹吏羅忍孫　□　吏□道合　吏　□□
西曹吏梅□先　吏□□公　吏□　吏
西曹吏□□道　吏陳□興　吏□　吏
西曹吏王□□　吏□□　吏　□　吏
西曹吏陳□　吏董□　吏□□□
□　吏吳靈春　吏□□□
西曹吏　□　吏□孫□　吏□
西曹吏朱　□□　吏余□□　吏徐□
西曹吏□□合　吏朱興之　吏　公修　吏張□
西曹吏錢思公　吏夏文合　吏□□風
西曹吏□□龍　吏　□之　吏周□
西曹吏曹景原　吏　承宗　吏王□

西曹吏劉曇　吏　之　吏劉□
西曹吏周彥先　吏　吏
西曹吏祁儀連　吏陳□□
西曹吏張靈□　吏張□□　吏潘公□　吏□
西曹吏鄭文□　吏黃　吏董道虬　吏陳榮□
西曹吏□　吏□　何道鎮　吏儲桃□
西曹吏□　陳懷珎　吏盛胄
西曹吏□　吏劉僧達　吏李超之
西曹吏□　吏虞玫緒　吏黃　成　吏金惡奴
西曹吏□　吏孔寵□　吏吳龍起　吏夏侯猛
西曹吏　喚之　吏張道　吏左靈□　吏何靈
西曹吏　承伯　吏魚沙　吏　譽　吏茅陸之

吏　吏僧靖　吏郭敏
吏　吏天生　吏郴令之
宗　吏　法真　吏劉□盛
公　吏　文　吏陳□
西曹吏馬法□　吏　吏夏文□　吏□
小史潘洗之　吏陳元超　吏陳□□□　□
小史俞崇先　吏陸文榮　吏周□□□　□
小史徐僧時　吏鄭□宗　吏□□□　吏□
小史丁智明　吏□榮　吏□□□　吏□□□
小史儲□□　吏余　吏□□寅　吏□法龍
小史余□□　吏□　吏□□珎　吏□□□
小史陳榮宗　吏朱□之　吏□□之　吏步□之

小史□□□　吏朱□□　吏張　吏劉延□
小史　□文□　吏□　吏□□□
小史宋慧□　吏□□□　吏□□□　吏□□福
小史□述□　吏□□　吏□□□　吏□
小史□□兒　吏□□□　吏□□□　吏唐□之
小史□昱　吏　吏　□□□度
小史　吏白□环　吏劉□□　□
吏□僧　吏□□　吏
吏□□□　吏□令祖
吏□□□　吏
吏□□□　吏□　吏
吏　吏□　吏

吏 □ 吏
吏 吏
□ 吏
□□□明 吏□□
吏楊緒 吏陳僧詠 吏 □□ 吏闕道德
吏□□□ 吏□□□ 吏□□臻 吏阝曇□
吏冂 吏□ 吏□□□ 吏□公□
吏張□□ 吏□□□ 吏胡□□ 吏□□□
吏□□□ □ 吏 吏□□□
吏□□ □ □
以上第四第五第六第七列
□ 吏□□□

		吏	吏□□□
吏　化		吏	□□明
吏□□□		吏	吏□文□
吏□□	吏		吏□□□
吏□□	吏杜□		吏孔□道
吏丁□	吏查道□		吏□
吏□□	吏		吏
吏	吏		□
吏			

以下闕七行

□□碁□

以下闕五行

吏之以下闕入行

吏□　吏趙

吏張　吏恤　吏陳天乞

吏承　吏劉脩□　吏□慶孫

吏夏侯□　吏陳初

□　吏曾

伯　吏　吏胡　吏□□

□□　吏□□　吏□陵　吏公孫□

□□□僧　吏　吏□□

吏文會　□　吏周□

□　吏陳　吏夏□天

吏　□□　□□　吏吳遵緒
吏　□□□　□□□　吏□□□
□□□□　□　吏周□□
□　□□　□□　吏□□□
□□□　吏王雲
□□
□　□　吏□□□
□　吏余文達　吏□□　吏徐潤□
吏□　吏朱□□　吏□□□　吏
吏□道明　吏□□□　吏　□□
吏黃　吏□□□　周景□
吏易　吏兒惠□　吏鄧及

吏　吏　吏□□智　吏朱僧仲

□　吏□□　吏陳靈□　吏吳天念

□　吏陳文展　吏殷靈度　吏王鑾

□□□州　吏陳文　吏皇伯存　吏盛觀

□　吏　吏朱超之　吏錢粲之

吏□□之　吏兒靈智　吏陳道榮　吏孫寶□

吏□靈祚　吏胡□榮　吏杜靈讀　吏楊□□

吏□□念　吏蔡曇季　吏□□濟　吏丁文□

吏□　吏　吏　吏范道□

吏□　吏　吏　吏□□□

以上第八第九第十第十一列

吏　吏　□度

吏　□度
吏　□
吏　吏周師　吏
吏　吏　吏
吏　吏
孫□□　吏
□□　吏□□□　吏□文
吏陳道□　吏前　吏王道□
吏胡玹□　吏光　丁道方
吏劉飛龍　吏孫□　吏陳耀
吏劉伯宣　吏　吏王天恩
吏炅法李　吏　吏桓師祐

吏王口祖　吏　吏　念

吏張引之　口　道永

吏魏法琴　吏口口

吏程靈荷　吏悄國龍

吏楊文偨　吏從係世

吏胡世　吏陸雲之　吏魏狄　吏

吏　文口　吏王僧口　吏莊公(允)　吏夏侯釋

吏　吏夏口口　吏　公尚　吏　偨眞

吏口景之　吏徐僧持　吏王護宗

吏口承世　吏韓榮眞　吏潘僧敞

吏口道盛　吏雜紹先　吏許偨之

吏　煩之　吏王景肅　吏陳法兕

吏□文覞　吏周道授　吏蔡文建
吏陳□增　吏蔡寵之　吏錢文豪
吏　□　吏錢平子　吏虞公分　吏晏景興
吏　公　吏邰景宣　吏袁道宗　吏王道孚
吏□□□　吏　係□　道濟
吏□文便　祖　吏孫
吏呂道□　吏□希□　吏　□　吏陳　進
吏　僧耀　吏費□善　吏龔道（宏）　吏高暹
吏郭道　吏何道覞　吏黃公強　吏華當伯
吏巨侑　吏臧當　□　吏絆道助　吏杜□
吏　法生　吏朱□　□　吏　孝孫　吏陳□
吏　求道　吏　□才　吏盛持之　吏韓□鎮

口　吏口口立　吏周元察　吏口口先

吏　吏宋曾口

吏

吏口口口

吏任文口　吏口僧明　吏劉口

吏口口俅　吏口安都　吏蔣曇

吏口道　吏陳靈宰　吏口公口

吏口僧勇　吏宋申　吏口口口

吏　吏唐口口　吏嚴口口

吏口　吏　口惠口　吏口法眞

吏黃口民　吏口口　吏宋天全　吏口道頵

吏吴口口　吏口口口　吏鞠祖口　吏口口口

吏王道□　吏□□明　吏余□□　吏□□□　吏□
吏袁□智　吏傅仁慧　吏陳佟　吏華　吏
吏劉雙兒　吏傅道馴　吏張□□　吏邵□□
吏劉伯期　吏李曇耀　吏虞道降　吏朱愔之
吏王□福　吏僕玟苑　吏羅孝祖　吏疰(允)民　吏
吏　靈產　吏李晚興　吏黃文成　吏來門端　吏朱□□
吏疰光　吏黃緒之　吏茅道韻　吏杜國平　吏王道舉
吏陳景平　吏王興□　吏石文預　吏錢僧珎　吏章捷祖
吏悄景□　吏張榮□　吏余文□　吏嚴天思　吏楊舷之
吏胡通化　吏虞道□　吏穀□□　吏蔣道矜　吏張靈期
吏陳□□　吏　吏　之　吏□□明　吏邵樹兒
吏□國興　吏□□兒　吏□僧□　吏唐循祖　吏尤僧展

吏□道孫　吏□□兒　吏□公□　吏柳道邕　吏王僧陽

吏□□民　吏徐□　吏□承□　吏朱法□　吏司徒方㊪

吏□　吏□□佑　吏謝希之　吏梁門龍

以上第十二第十三第十四第十五第十六列

吏劉□之　吏□　吏□

□　吏騶□囧　吏姚□□　吏□系

□　吏曹景增　吏黃□生　吏陳道□

□僧□　吏鞠梁山　吏周韻之　吏錢文顯

吏陳尚之　吏夏尚之　吏江承勇　吏

吏□僧榮　吏劉天授　吏羅奉之

吏黃□泰　吏高曇勇　吏徐景□

吏□公遠　吏紀公憲　吏朱公□

吏□文□　吏丁靈仙　吏□□宋　□產

之　吏□公雲　景寅

吏朱世可　吏袁法爲

吏孫令宗　吏高文起

吏黃石虎　吏劉菻

吏盧玫建　吏韓珎之

吏戚文休　吏翟文休

吏曹和之　吏梅師寶

吏王□　□　吏　吏黃敬先　吏吳顯公

吏朱僧□　成憑　吏劉□□　吏郭後之　吏陳牧之

吏榮承宗　吏王靈袖　吏張□流　吏范延之　吏華天敘

吏吳景先　吏錢文超　吏□僧度　吏胡長　吏陶□盛

吏須難彫　吏趙世成　吏莊僧智　吏　吏代來
吏周　生　吏莊悅之　張龍眞　吏　□陳係世
吏袁　□　吏郭陵烌　張文智　吏高　唐□之
吏馬□□　吏滎溫　吏范道慧　吏淩元豫　王承田
吏搖明　吏鞠靈智　吏戚□□　吏周宗之　□□
吏褚道　吏錢歡之　吏湯道先　吏紀烌成　吏□□□
吏皐觀之　猛肅　吏華□騁　吏邵道宣　吏
吏朱國□　□□　吏堵　吏㕛子將　吏□
吏劉公憲　□□　吏司□榮　吏陳烌仁　吏　□□
吏殷景儼　□□寶　吏周天與　吏
吏龔天啟　公　吏儲係世　吏□□之
吏范文□　師祐　吏　吏高靈智　粲之

吏周孝　景眞　吏曹靈霞　文卷

吏□　陳天重　吏周淵之　吏　吏區祚□

吏　吏夏季□　吏劉曇鎭　吏華法　吏

吏魏門棱　吏唐承伯　吏邴明□

□豪　吏李道興　吏宏道□　畢文和

吏楊普林　吏疰靈寅　吏譚道冒　景荷

吏蔣羽烋　吏　僧慧　吏黃□兒　□合

吏夏龍　□　□道

吏□宏□　文　吏□□烋

吏朱元□　吏□□珎　吏周道亮　吏楊珎□

吏徐□　吏陳文進　吏楊道　吏許□之

吏□□　吏竇捷祖　吏邵虬　吏丘東□

吏□紹□ 吏黃龍□
吏□ 吏武起之
□□ 吏□
吏 吏徐
吏劉□念 吏粱和
吏□ 吏曹令□ 吏
吏□ 吏□□□ 吏
吏周 □慶祖
吏□ 凵光
吏殷
吏禹
吏□

吏□雋□ 吏 □粲 吏
吏朱景□ 吏徐 吏□景明
吏區金□ 吏唐曇慧 吏陳伯林 吏 □
吏馬伯龍 吏□□□ 吏于仲豪 吏 □公
吏張□之 吏□□之 吏吳 吏 □俅
吏夏□先 吏□□之 吏楊文粲 吏 □□
吏蔡俅祖 吏 吏韓□焃 吏
吏□保□ 吏 吏任奉伯 吏

以上第十七第十八第十九第二十第二十一列

莫氏友芝云距東碑七八丈許東西相鄉六朝事迹謂其一字畫猶可讀乃彭城劉孝綽文又云是貝義淵書在清風鄉甘家巷卽是碑也今巷仍舊名在江南會城太平門東北二十七里

碑文已剝漫無一字唯額略可識其陰刻人名約千有三百餘人存剝相半猶可尋南朝小楷法度勝抱宋以來集帖虛慕晉人也中最奇者縺蓋姓姓苑字書所未見史稱秀薨佐吏夏侯亶等表請立墓碑詔許之當世高才游王門者王僧孺陸倕劉孝綽裴子野各製其文欲擇而用之咸稱實錄遂四碑竝建今二碑南側立二石柱一亡一剝二柱之南二龜趺亦東西向又南二石獸四碑之迹猶可彷彿而二宋前已毀二碑僅存空石四文竟無一存可慨也秀武帝異母弟建碑必待請報可者隋書禮儀志天監六年明葬志凡墓不得造石人獸碑唯聽作石柱記名位而已秀以天監十七年薨在明葬志後故耳

案宮志收此碑云碑字剝落已盡碑陰正書分六列同治初莫氏訪拓其文乃得二十一列每列六十四行皆曹掾吏佐人名

幾千四百八姓名完具者三百四十餘人半泐者五百七十餘人全闕蓋居三分之一王氏昶金石萃編誤收爲始興王碑陰所錄只二十列末一列八姓名全脫又以第三第四列後西曹吏王以下九行誤入第五第六列之前第九第十第十一第十二列前十二行誤入第五第六第七第八列之末今增釋出四百餘字正王氏誤釋二十五字第一列王希王誤正第二列蔡欣蔡誤奈葛承宗葛誤萬第三列朱照明昭誤聰方口之方誤刁第四列曾景原曾誤管徐僧時僧誤偕第六列董道虬虬誤純周口口周誤同第十三列炅法李炅誤火費口善善誤羊第十四列從係世係誤孫陸曇之曇誤雲余文口余誤金第十五列王天恩天誤大周道授周誤同授誤振㽵(允)民㽵誤在第十六列王羨宗王誤汪第十七列周生周誤同龔天啓啓誤合楊

靈桀靈誤雲第十八列黃口泰泰誤尒吏口雋雋誤携第十九列口紹口紹誤韶嚴氏金石記謂止三十九人姓氏可辨未觀全碑也其所釋亦多誤字議曹從口茂昌議碑作西苟靈副苟碑作苟釗公憙釗碑作劉周開之開碑作淵悉依拓本正之莫氏謂蘿蓋姓姓苑字書所未見按此外仍有露綷僕悄旲駟須羣搖代郙闕榮從皆希姓也碑中字體莊作荘休作体珍作珎保作倸倸脩作脩皆六朝俗字

梁許長史舊館壇碑正書在句容茅山玉晨觀今佚

上淸眞人許長史舊館壇碑

弟子華陽隱居丹陽陶(宏)景謹造　此一行隱居手自書

悠哉曠矣宇宙之靈也固非言象所傳文跡可記嘿然則後之人奚聞乎含吐萬有化育羣生本其所由義歸虞昧至於形域區兮

性用殊品事限觀聽理窮數識者儻或可論山之高海之廣天何故以其有容焉大天之內復有小天卅六所並祏寓地空亘涂水脉闢闔風岫通氣雲巘此山本号句曲其下是第八洞宮名曰金壇華陽之天周迴一百五十里分置三府前漢元帝世有咸陽三茅君得道來掌此任故稱茅山具詳傳記至晉海西太和元年句容許長史在斯營宅厥迹猶存宋初長沙景王就其地之東起道士精舍梁天監十三年勑貿此精舍立爲朱陽館將遠符先徵之祥火歷於館西更築隱居住止十四年別創欝崗齋室追元州之蹤十五年建菩提白塔以均明法敎十七年乃繕勒碑壇仰述眞軌・・眞人姓許諱穆世名謐字思元本汝南平輿人後漢靈帝中平二年六世祖光字少張避許相訣俠乃來過江居丹揚句容都鄉之吉陽里後仕吳爲光祿勳識字亮扳奕葉才明祖尙字元

甫有文章機見吳中書郎父副字仲先器度淹通風格淸蔚晉剡令(闕)玥將軍下邳太守西城侯長史副第五子也正生少知名蔚文在蕃爲世表之交起家太學博士朝綱禮肆儒論所宗出爲餘姚令勲恤民隱憓祓鄰邑徵入凱闡納言帝側升平末除護軍長史本郡中正外嘗戎章內銓茂序遐邦肅律鄉釆碩行太和中遷給事中散騎常侍蟬冕輝華事歸尚德蔚文踐極方優國老徵值晏鶡於焉告退專靜山廬以脩上道君雖搢紱朝斑諷誦庠塾而心摽象外志結霞門第四兄遠遊永和四年嘉遁不反君尚想幽奇歲月彌軫恆與楊君深神明之契興(闕)中眾真降楊備令宣喻龍書雲篆僉然遍詠靈謨奧旨于茲必先年泌懸車遵行愈篤太元元季解鶡違世春秋七十有二子姪禮窆之虛柩於縣西大墓京陵之蹤未遠飛劍之塼在焉謹案真誥君挺命所基緣業已久乃

周武王世九宮上相長里薛公之弟也兼許肇遺功復應垂祀後㊄故乘運託生回資成道玉札所授爲上清真人爵登侯伯位編卿司理仙撫治··佐聖牧民矣真傳未顯於世莫得具述楊君諱羲真誥具有事迹長史第三子諱玉斧世名翽字道翔正生母陶威女先亡已得在洞府易遷宮中君清穎瑩潔特絕世倫郡舉上計掾不起糠粃塵務研精上業郎㊅景玄中真師也恆居此宅繕脩經法楊君數相從就亟通真感太和五年於茲告逝時年廿真誥云後十六年當度東華爲上相青童君之侍帝晨受書爲上清仙公與谷希子僱職帝晨之位比世侍中君長兄揆世名毗次兄虎牙世名聯並亦得道揆今有㊆孫靈眞在山勑立嗣真館以崇遠祖之德皇上乘㊅擔本力來君此土熏育蒼祇範鑄羣品導法裁俗隨緣闡教以隱居積蘊三真經誥久栖華陽宜還舊宅供養脩理乃勑工近建茲

堂峙既仰桓●帝則乘闡大猷東位青壇西表素塔壇塔之間通
是基趾埋飢揜瓦投插便値紫煙白霧纏伺陰蓋宅南一井卽長
史所穿井南大塘乃郭朝遺製源出田公之泉路通姜巳之軌傍
枕雷平前瞰下泊東際連崗北横長隴柳汧陽谷倶會西垂四域
之内皆謂金陵地肺者也長史所居尤爲摽勝方將駟雲亂而高
騁駐奔鷁以追風望洪濤之浩汗睠故都以浸遠古人有言匪作
奚傳敢刊石頌永屬來賢●渾樞毓氣方祇吐靈依性分境傳識
賦形化通八寓功浹四溟巡跡電滅測體淵停旋匯岳立亘海雲
舒搏風泳水蹠實憑虛亦有幽近開石架廬情高身麗天府地居
縈巒已曲畫壤肺浮五闡面啓九涂環周長隰芳嶺交汧比流洒
稱龍伏寔謂金邱昔在西漢三茅來賓爰暨東晉二許懷眞栽基
浚井棲道接神允膺輔聖錫玆侍晨叅差年代絪緼名氏書誥具

宣精暉未弭歎藝將淪沉皆已毀拱樹霜摧脩庭草委壁館華陽歲踵二紀永觀前猷聿遵鴻軌帝曰楙哉爾爲斯匠經之營之輪乎奐矣勝殿密響瀉瓶揚芬瑤宮碧脩絢采垂文瓊函玉撿綺幕繡巾蘭釭迥耀金鑪颺薰桐柏雙教方諸兼學並證心淸具漏身濁離有離元且華且朴結号虛皇筌法正覺幾微質瑩禪感慧通行飛欻恍捫景帶虹振苦排鄣還明反聰物言是力我見無功紛紜今古汗漫兩儀三相兮戢丹鑿自移緣來則應不慮不爲式題驅口八天鑒知

此碑梁普通三年太歲壬寅金石刊至唐大歷十三年太歲戊午凡二百六十有六年文字將湮中山劉明素字暎微重加洗刻右碑陰

顧氏炎武云碑首云弟子華陽隱居丹楊陶宏景造隱居手自

書前此未有列書人之名者此其始也其書金陵地胏字作腓楊氏守敬云碑在句容茅山顧亭林金石文字尙著錄不知何時亾佚余所得長洲顧湘舟沅鉤本聞係從鄞縣范氏天一閣拓本出湘舟曾刻之于石辛酉兵燹石亦毀又金陵蔡氏墨緣堂亦刻之署唐孫文藏書不知何據案碑首一行下題云此一行隱居手自書然則其全碑當爲隱居之徒所作尋厥筆迹與碑首一行不甚遠隱居筆法烜赫當代此碑雖非隱居眞迹具體而微實有合於書品骨體甚峭迷書賦緊密自然之論山陰矩矱其在斯乎

案此碑呂志在佚目據諸道石刻錄也石刻錄謂陶㊣景撰孫文韜書楊氏作文藏未知何據寶刻類編作陶㊣景撰幷書輿地紀勝同石刻錄稱天監七年立則原碑宋代尙存　國朝金

石家自顧氏外惟孫氏訪碑錄收之亦據天一閣拓本而署天監十五年據碑稱天監十七年繕勒碑壇仰述眞軌碑當立於是年然碑陰稱普通三年金石刊實刻類編則云普通二年正月記皆與碑文不相應莫能明也碑陰又稱唐大歷十三年劉明素重加洗刻故文字完好可讀異於他六朝碑識字亮拔字當作字乃櫶刻之誤天一閣拓本今未見蔡氏墨緣堂彙帖行次又多移換今據丹徒趙先生彥脩所藏舊拓已翦本并取尚兆山雙鉤未翦本推校趙本翦裱之迹知原碑廿六行行五十六字其碑陰則據茅山志錄之款識無可考矣茅山志宋碑陰有陶貞明事迹其文不完亦未署年月今不錄

梁永陽王母敬太妃墓志銘正書墓在江甯長干里宋時石出今佚

故永陽敬太妃墓志銘

尚書右僕射太子詹事臣勉奉勅撰

永陽大太妃王氏瑯邪臨沂人也其先周靈王之後自秦漢逮於晉宋世載光口羽儀相屬既以備于前志故可得而略焉祖粹給事黄門侍郎父僾左將軍司馬尋陽內史並見稱時輩太妃體中和之氣稟華宗之烈蹈此温恭表兹淑慎孝敬資於冥發仁愛口於自然至乎四敎六訓之閑工言貞婉之德無待敎成罔不該備故景行著于中口淑問顯乎言歸作嬪盛德實光輔佐親縫幕之用躬服澣之勤及早世釐居遺孤載藐提攜撫育逮乎成備斷織之訓既明闔門之禮斯洽劬勞必盡曾不移志用能緝睦于中外亦以宏濟乎艱難雖魯姜之勤節曹妃之敬讓方之蔑如也皇業有造殷憂啓聖追維魯衞建國永陽恭王纂嗣蕃號式顯廼拜爲太妃策曰維天監二年六月甲午朔十日癸卯皇帝遣宗室員外

散騎侍郎持節兼散騎常侍蕭敬寶策命永陽王母王氏爲國太妃曰於戲惟爾茂德内湛米範外昭國序凝芬蕃庭仰訓是用式遵舊典載章褕服往欽哉肅茲休烈可不慎歟備褕瑱之華而降心彌約居千乘之貴而處物愈厚既而恭王不永禮從口口訓導嗣孫載光榮祉年高事重志義方隆宜永綏福履而奄奪鴻慶以普通元年十月廿三日遘疾十一月九日乙卯薨於第春秋五十有九詔曰永陽大太妃奄至薨逝哀摧切割不能自勝便出敘哀可給東園秘器喪事所須隨由口辦祖行有辰式㊝茂典又詔曰故永陽大太妃德歎有殊德行惟光訓範蕃嗣式盛母儀即遠戒期悲懷抽割可許典故以隆嘉謚禮也粵其月廿八日戊戌祔葬于瑯琊臨沂縣長干里黄鵠山用宣風烈以昭弗朽迺爲銘曰

清瀾悠邈其儀伺矣龍光疊照風流世祀猗歟冈匱於昭不已誕

貲仁淑作嬪君子幽閑表操明德自躬推厚處薄秉默居沖參差採芼揄暎言工翳昭彤管識懋休風凝芬載浥芳猷允塞徙舍爲訓止閫成則曹號母儀豈伊婦德穆兹閨闈形于邦國龍飛集運禮數攸鍾懿章盛典車服有容泰而愈約貴則彌恭蕃祉方茂纂嗣克重巾帚差池朝夕咸事雖曰任傅永詰斯備是惟仁姑厥德可庇恂恂濟濟蘭芬瓊祕光陰易晚祺福難留閨儀罷映褕華奄收貿遷朱邸駕指行楸芳口是勒大口方攸

顧氏廣圻云誌銘十一月九日乙卯上文云以普通元年下文云粵其月廿八日戊戌考通鑑目錄是年十月辛丑朔十二月庚子朔是十一月爲辛未朔九日當是己卯故廿八日戊戌也

案呂志據復齋碑錄列此碑於佚目考張敦頤六朝事迹編類云梁永陽昭王墓志銘徐勉造在清風鄉居民井側今在上元

縣梁永陽敬太妃墓志銘徐勉造在清風鄉路旁張氏爲南宋紹興朝入兩志銘未知以何時出土元入陶宗儀古刻叢鈔止載敬太妃墓志其永陽昭王墓志則未著錄近宜都楊氏守敬望堂金石文字未刻目有永陽昭王及敬太妃兩志云據吳縣潘氏本則兩志舊拓猶在人間也今據叢鈔采敬太妃志於右孫氏星衍續古文苑亦載此志卽據叢鈔內米範外昭句米作粹注云今補意孫氏曾見拓本耶據梁書永陽昭王敷傳文帝第二子其王爵乃武帝世追封與碑稱追維魯衞建國永陽合志稱恭王纂嗣蕃號謂昭王子伯游也

梁臨川王蕭宏神道石柱正書在上元北城鄉張庫村今存

梁故假黃鉞

侍中大將軍

楊州牧臨川
靖惠王之神
道

道
靖惠王之神
楊州牧臨川
侍中大將軍
梁故假黃鉞

莫氏友芝云去安戚碑南可十里自六朝事迹著錄後元明迄今金石家皆未之及同治戊辰八月訪吳平石柱花林一邨叟漫言張庫兩石柱正與此相似尤高大亦梁武帝墳也邨人指秀憺景

諸碑柱皆謂梁武帝墳因冒雨亟尋獲之其東柱順讀始石西柱逆讀始左又與安成吳平兩反刻不同字畫精美絕似瘞鶴銘疑上皇山樵一手書也兩楊州牧楊字並从木王懷祖氏讀書雜志歷引史漢碑版以證楊州字隋以前從木唐人誤從手得此二石又增一確證

案此二石柱最完整據南史宏傳宏以天監元年封臨川郡王凡三為楊州刺史普通七年四月薨其假黃鉞侍中大將軍楊州牧皆贈官與本傳合

梁南康王蕭績神道石柱正書在句容石獅圩今存

梁故侍中中軍將

軍開府儀同三司

南康簡王之神道

南康蕳王之神道
軍開府儀同三司
梁故侍中中軍將

莫氏友芝云梁書南康簡王績高祖第四子也普通五年加護軍將軍大通三年薨於任贈侍中中軍開府儀同三司金陵新志南康簡王墓在句容西北二十五里同治己巳甘泉張肇岑訪獲

案石柱二亦左右順逆讀簡作蕳者當時省體據梁書績以安右將軍領石頭戍事尋加護軍薨于任梁代墓闕多書贈官而不書所終之官蓋當時通例如此

梁建安侯蕭正立神道石柱正書在上元湻化鎮石柱塘今存

梁故侍中
左衞將軍
建安敏侯
之神道

之神道
建安敏侯
左衞將軍
梁故侍中

莫氏友芝云六朝事迹謂墓在淳化鎮西宋墅石柱塘去城三十五里又謂神道在鳳城鄉者也

案石柱凡二左右交同順逆讀南史梁宗室傳臨川靜惠王宏

子正立初封羅平侯改封賞土建安縣侯後位丹陽尹薨謚曰敏封謚與碑合其侍中左衛將軍薨後贈官也

梁新渝侯蕭暎神道西石柱宋正書在上元墅今存

神道

寛侯

口將軍新淦

梁故侍中仁

案石柱當有二此正書逆讀其西柱也凡四行行五字今可識者十四字神道跳行與他石柱例異南史宗室傳始興忠武王憺子暎普通二年封廣信縣侯改封新淦縣侯歷廣州刺史卒官謚曰寛侯封階與碑合軍號乃其贈階故傳不詳五代史志

述梁軍號云智威仁威勇威信威嚴威爲十六班則仁下所缺係威字

梁朱异石造象分書陰文江寧甘氏藏

梁太淸紀元善男子朱興敬造獲福

石黝而有光高四寸二分頂圓稍狹底平侈面作大小佛二尊分上下層趺坐下層左右列侍者二其下有二獸獸之左有人作張弓注矢狀字在象背丁卯係太淸元年南史武帝紀太淸元年三月庚子幸同泰寺設無遮大會乙巳帝捨身夏四月庚午羣臣以錢一億萬奉贖皇帝據梁書朱异傳太淸元年异官左衛將軍領步兵此造象疑卽武帝幸同泰寺時所鑄也

梁墓闕殘字正書在上元宋墅今存

聲

軍國

十三

高

此墓闕歆陳鑑訪得之正書六行右第一行首一字隱約是梁

字十三下疑是州字

陳臨春閣塼 正書錢塘陳氏藏

至德

嘉慶中錢唐陳文述得於臺城唐亦有至德年號或係唐塼也

六朝倉塼 隸書陽文今存

修倉陶　修倉蔣　倉陶　倉陳　倉淩塼左有天一二字　倉譚　龔

記　淩　談

右塼九長約五寸博半之懷甯方朔得於神策門外定為吳石頭倉塼按石頭倉城六朝相承不改無由定為吳塼也陶蔣等是倉官之姓天一倉之號次

六朝當五百泉塼篆書陽文陽湖孫氏藏

大泉

五

百

金氏鼇云孫伯淵夫子於臺城得古塼有圜文曰大錢五百按三國志吳嘉禾三年鑄錢文或施於塼上

案塼長五寸厚寸餘不署年月臺城吳後苑地晉以後宮城在

此無以定爲吳塼也

六朝當千泉塼篆書陽文上元孫氏藏

千

大 當

泉

孫氏文川云此塼長尺八寸博五寸五分面背皆蕉葉紋中有大泉當千四枚首及左側蕉紋中各有錢[illegible]一枚吳嘉禾五年鑄大泉五百赤烏五年鑄大泉當千其文見洪氏泉志予藏大泉當千兩種大者徑今工部營造尺一寸强小者徑八分此塼泉形較大蓋以意爲之泉字在右千字在左反文亦如半兩五銖之傳形吳大泉沿及東晉猶用之大者謂之比輪小者謂之四文此塼當爲孫吳或東晉時物

案此塼不署年月歙人陳鑑得於瓦工之手云掘自北門橋溝者懷甯方朔據吳志赤烏十年改作太初宮又據六朝事迹太初宮在臺城西南直今雙龍橋北門橋一帶以爲吳赤烏十年改作太初宮塼不若孫說之愼同治十一年長江水師提督黃公於湖北興國州江濱魯肅營掘得窖粟色朽黑矣并得營塼長尺博五寸側面作車輪及半錢幕形無文字黃公云聞土人言初掘得之塼面有赤烏字不知護惜棄擲之前杭州知府全椒薛先生得一塼鐫題赤烏塼三字嵌於清涼山薛廬仰山樓壁

六朝宮貴塼篆書陽文今存

富宜貴　至萬歲　富貴

塼出於神策門外幕府山之陽道光初土人掘地於古隧得之遂傳於世塼長尺二寸六分博六寸二分懷甯方朔據南史何承天傳漢甄邯墓在後湖定爲漢墓塼其說別無佐證按晉穆帝宋明帝齊明帝宣帝及明帝母沈太后諸陵皆在幕府山東

晉衣冠之族如王導山簡溫嶠顏含塋亦在此山此文非造陵
卽顯官墓隧始可施用疑是晉塼也

唐王法師神道闕正書在句容茅山今存

神道
法主師之
太平觀王
唐故國師
文逆讀此西闕也句容尙兆山訪得之集古錄目有太平觀主
王遠知碑又有王知遠後碑知遠乃遠知之誤據茅山志遠知
化於貞觀九年八月志云時稱王法主與闕文合呂志仙釋有
遠知傳輿地紀勝有王法主碑唐劉禕之撰齊懷壽書碑曰昇眞以文明元年立在茅山

唐彌勒造象正書上元李彭祿藏

咸亨元年
十二月廿二日
佛弟子李
義豐爲
皇帝陛下
法界衆生
合家大小先
祖墳靈亾
父母叔見存母
敬造彌勒
像一區

佛弟子
李義豐妻
樂男伏讃
黑闥女提兒
弟君瓚妻
王男伏奴女
承妃
弟處節妻

趙女山妃　承業妻樂含眞
弟承業妻　爲見存父母供
樂男典馬　養佛時
女娘子　李瓚妻王杲
妹難兒　兒爲見存父
佛弟子謝　母供養佛
有相爲亾　時
父母供養
處節妻趙
蒲提爲見
存父母供
養佛時

此造象石柱凡四面姓名四列環而刻之咸亨爲高宗第六次改元年號其文無刓缺第二列弟處節妻卽接第三列趙女山妃讀之妻稱姓者四李義豐妻樂弟君瓚妻王弟處節妻趙弟承業妻樂也稱名者一李瓚妻王杲兒也趙蒲提卽處節妻樂含眞卽承業妻以別爲母家祈福而稱名也以妃爲女命名古人無嫌諱

唐宣州刺史陶大舉德政碑 碑額篆書橫刻碑正書在江甯小丹陽東嶽廟今存

宣州刺史陶府君德政之碑

前四行碑文漫漶其下可識者 口州刺史武陵郡開國口食邑九百戶祖諱昱梁衡山郡太守口口州刺史口口卿大將軍口口開府口口上儀同三司口汞口三州刺史 闕 口口口口口口初之明月了然獨口湛叔度之澂波口雲千里摶風九萬龍銜珠之偉器口口口口崇班

闕仁□方□厚□□縱□武異代同榮父諱瓚粱著作隨西川司
功●●皇朝□州清池縣令介州司馬上柱國丹陽縣開國公月
宇千□□□□山□□□□□□□□□□兩儀之□□
黃中玉潤□九德之溫和森森月武庫之鈐灼灼□翰林之□曩
者伏滔宏瞻方梯著作之榮□□清高言從展驥之職而闕含八
□州刺史安西郡□上柱國□容縣開國公局度端凝幹能彊濟
量包江海氣蘊風雲孕彼八英襲茲天爵委質從政踐丹地而光
緝●帝猷露冕頒條□□□而□□□攝君房之故事則寵冠
當時嗣伯舉之高蹤迺榮超望表馮野王之兄弟璧合珠聯潘安
仁之孔懷花明錦纘豈與夫八龍騰譪照灼前書兩飛飛英鏘洋
後葉而已公積慶藍田□長□□□□分於□□□□日之遙降
□□發於天姿韶亮儼乎風骨□川三冂　洞曉神機洛陽萬卷暗

符靈府言泉瀉態接翰海以疏瀾藪圃含葩擁詞條而振縟玉帳
金壇之妙迴鸞反鵲之奇□□□月□闕懷抱囊括古今揔萬善
於心臺聞羣言於王吻晉司空之博物纔數辯劒之言魯司寇之
多聞猶迷對日之說含章擢穎豈曰同年旣而漸陸遷鶯卽撫翔
鵷之化□□結組□踐□□之□至總章元年轉授使持節鄜州
諸軍事守鄜州刺史散官如故總章二年授使持節渭州諸軍事
渭州刺史散官如故至咸亨元年授使持節都督十五州諸軍事
守洮州刺史□□□□□□□風識朗融廉能克劭□□兼優歷
職□□□才挺仁明之譽攝官方鎭載彰撫馭之材卽試爲眞允
光朝命其年轉授使持節都督七州諸軍事守鄯州刺史散官如
故●詔云體質□嚴□□□方□克播威名□□允符□□其
年轉授使持節許州諸軍事守許州刺史散官如故至咸亨五年

授中散大夫使持節都督四州諸軍事守秦州都督・詔云器識沈敏□□□□□闕仁明之政宜崇朝獎爰秩奧藩至上元二年授使持節始州諸軍事守始州刺史散官如故既而綬結蟠虬□□桃花之院印迴龜紐光浮蓮綦之津□□□□闕春風□教則□賢是寄公之謂乎儀鳳四年授中大夫使持節都督四州諸軍事梁州刺史散官如故至調露元年授使持節恆州諸軍事守恆州刺史散官如故・詔云□□□□闕用强闕行□闕審官求材實資僉議至宏道元年轉授使持節宣州諸軍事守宣州刺史□□勳□如故公迺□□馳傳應八命而遥臨建節飛驂綜七□而□□闕私書□發每杏花春縟勉黛耜於龍鱗堦蟀秋吟整鵷紋於□室鱣庭闢訓□□擅□犀之業圜土□□恠氣息長平之坂三辰既朗咲祖遜之□□□□□□左雄之廉儉六條備舉化

軼兩歧百城仰德恩隆五袴倉廩□實學校興行四□□□□之懽千里浹神明之訓家般俗阜□公力闕之□賈勇千羣□馬擁横天之陣□沙萬計霜戈□照日之鋒自謂□□九州□□□□□□兩□雄據一方品彙暾然側足無地公以□□闕仁□□□風從草偃闕羽字遥飛悠悠迴塗指日遂屆遂乃躬率子弟架御町黎示以禍福之門□以短長之□□□一□人思挾纊之恩美喩纔濡士□投□之□布飛灰之□□氣闕四嶌公乃運不測之深智縱無窮之遠圖或左掎而搤其喉或右角以燃其腹提□擐甲闕一□騰威九㝷俄戮斯實●天波廣運●廟略□闕得□銘勳之功既寘歆至之歌方永若乃忠為人德孝實天經非忠無以奉●帝圖非孝何以□幽顯豈與王□淚柏弘演納肝總而為言公實□□□□□櫛沐雲□□□□□挹清瀾而結戀雙桐輔景曳履之

響由存五柳伍陰納駟之聲尙在而懷章舊邸遐踐道德之門□□□鄉還履貴遊之路往者相如入蜀珂喧濯錦之溪買臣歸□營駭䕶符之□□□□山羽客振手長辭桂陽仙鶴留歌永逝至垂拱四年轉授使持節相州諸軍事相州刺史勳封如故・詔云襟情敏裕器局恬如早分符瑞之□歷授方隅之任其年十月□□懷州刺史加銀青光祿大夫封丹陽縣開國侯・詔云志識沈敏格器端和早昇榮祿頻綮重寄論功比德何其謬歟適有野遝雅□江阜□□□□□子□□王孫相與抗聲各揚言曰□□□□□□寄於 闕 慕義豈使歸輧儀蓋攀轅無可遠之悲去鷁騰漪挽軸有傷心之痛道士陶□僧道元僧曇紹僧惠□僧宏□僧智矩僧元濟僧惠幹周元允陶紹眞□□□□□紹宗陶□邢元素□仁□□□□及州縣吏人等六萬餘戶惜棠陰之易遠徒留

勿翦之詩□□難羈空切銷魂之賦若不□□紺楚無以絢彼□□庶使寰海揚塵而德聲無絕銘曰

□□□□伊祁命族派衍瑣波枝分若木迹膺星象靈摛嶽瀆左貂右蟬丹輪朱轂其一龍生渥水玉産藍田誕兹八傑孕此英賢匡周翼漢裂壤開壥蛇蟠結組龜鈕乘蓮其二天縱挺生黃中□□□九轉功□四履珥筆・龍扃含香・帝扆基仁踐孝泉渟嶽峙其三藝殫玄圃學富蓬臺花牋□□□□開碧雞雄辯雕虬逸才吞鷰納謝含鄒孕枚其四建節班條褰襜問俗恩歸五袴□□□□□□□捐金似粟青梧鳳丹黃沙草緑其五愛洽惸嫠信浯童馬懷忠據德矜孤卹寡蝗移獸去錦開□下雊麥分歧吟蟬破野其六馳驂故里懷量舊館喧廬靜夜鳴雞警旦榮慶兩歸簪紱□□□□□□□嗟列岸其七來暮棲歌去思纏想勒銘彝鼎恩留草杖日

新月故風歸雲往俾令範與嘉聲永鏤勳於穹壤其八●●●●唐
永昌元年歲次己丑二月甲申朔十三日景申立
錢氏大昕云右碑前數行漫漶不能讀以寶刻叢編證之知府
君名大舉撰文者僧靈廓書之者陶德甄也大舉以玄德元年
刺宣州垂拱四年改刺相州明年始立此碑其時猶未改唐爲
周碑中詔字亦未回避也王象之云碑在當塗縣東六十里丹
陽鎮南之禪那院今石故無恙而地僻左知之者尟頃歲朱竹
君視學安徽始訪得之
案碑額下有穿如漢碑式碑文三十四行行七十六字撰書姓
名及陶府君之名字皆當斷缺處與錢氏所見同碑今在小丹
陽考唐書地理志宣州當塗乾元元年隸昇州上元二年復來
屬唐高宗肅宗皆以上元建元志於乾元後書上元則當塗回

隸宣州在肅宗時也建康志小丹陽路在今江甯縣横山鄉今小丹陽地屬江甯與當塗接壤故碑在界上大舉之先世祖昱父瓚文末刓缺其祖以上猶存刺史開國等字則上及曾祖矣大舉蓋以任子得京朝官出典外郡其外官可考者鄜渭洮鄯許始梁恆宣相懷十一州刺史始州刺史之前曾守秦州都督其刺宣州凡五年碑述宣州之政多言兵事考光宅元年徐敬業等起兵揚州用薛仲璋之策先取金陵時大舉方守宣州蓋以兵防遏州境也碑書永昌元年甲申朔與長(歷)合丙申作景申避元皇帝嫌名

唐薛穊石刻殘字 隸書上元孫氏藏

宋克有功予了之

鐫勒

大周長安四秊歲次甲辰六酉九

朝議郎行太州參軍事河東薛縑

三分曰揚德系器之文　吏亡忌手

德其次立言會之以神明本之以㊁極則是聖王之道歷千

樂未泯潛龍異崇德之和韶夏猶傳嗚上　之知言之缶是

翔語至然後丹青儒墨運不窜於持　録之一

二多家邑宅折令土之

此碑僅存一角字在兩面其側有青蓮鸞鳥繪刻極細上元孫文川所藏云其戚李刺史湞得於河南推測碑意似道觀之文也武后長安年號僅有四年其次年卽改神龍月作匜聖作壍正作击皆武后自製之字新唐書百官志文散階從七品上曰

朝散郎上州刺史參軍事四人從八品下此云朝散郎行太州參軍事者舊唐書職官志職事官卑一品爲行也地理志無太州惟關內道同州縣八下注云有府二十八第四爲太州此府謂府兵也據兵志凡天下十道置府六百三十四皆有名號而關內二百六十有一故同州得有府二十八兵志府兵都尉屬官惟有長史而無參軍事疑武后時曾置太州史失書也同州今爲府隸陝西省河東薛氏郡望其本貫無可考矣撰碑之人姓趙猶存其半左側空行有行官中部等字義不可解葢後人所刻今不錄

唐湧金泉闕題字正書在江甯雨花山麓道西三忠祠南今存

湧

金

井

至德元年

闕五方湧金井三字占其三方字徑五寸德上存至之半定爲

唐刻

唐潤宣二州界牌（正書在江寧慈湖今存）

界　北潤州上元界

牌　南宣州當塗界

唐書地理志昇州上元本江寧隸潤州武德三年改曰歸化八年改曰金陵九年更名白下隸潤州貞觀九年更曰江寧肅宗上元二年更名則上元之名改於肅宗時已回隸昇州矣呂志福興寺碑下謂武德九年上元改屬潤州於武德時徑稱上元非也輿地志謂寶應元年廢昇州上元復隸昇州通鑑明宗大

順元年置昇州於上元此界牌立於寶應以後大順以前

唐壘玉峰摩厓 正書在句容茅山續麻房東崖上今存

壘

玉

唐大歷三載吳

開國公嘗道此

建中三

道士吳　築

瑯琊顏頵題

光緒六年句容尙兆山訪得之壘玉字徑尺小字亦徑寸許唐肅宗乾元改元卽稱年代宗朝不復稱載此書大歷三載私家題署不必與官文書合吳開國公不知何人顏魯公先世南瑯

琊入遷北後亦居瑯琊顔爲魯公長子見新唐書魯公傳據通鑑建中三年魯公仍官京師其明年即宣慰李希烈矣顔以貞元六年授五品正員官在魯公授命之後亦見新唐書魯公傳顔書金石家未著錄此摩厓字甚偉麗又出忠義之門洵可寶也壘玉右空行刻口口庚口春李承芳刷洗承芳疑是明人

唐普惠寺井闌題字正書在三山門外今存

大唐

泰和元年

蔣銓

喜捨

三月吉日

陳氏宗彝云嘉慶二十四年三山門外普惠寺災僧掘地得此

井按曹叡晉廢帝魏高祖後趙石勒漢李勢皆號太和唐文宗
吳楊溥皆號大和大太泰通用此不知何代物
金氏鰲云後趙漢李勢唐文宗金章宗皆以泰和紀年此楊吳
也
按此井闌刓缺已甚大唐二字舊拓本遺之今精拓乃顯定爲
唐文宗時物史作太和陳氏謂太泰通用是也

唐來鳳泉闌題字在上元孫氏今存

來[illegible]泉

安穩大吉側面正書

陳氏宗彝云此井居鳳皇泉鳳臺之間闌五方一面刻三篆字
存上下來泉二字中鑿穿尚存末數筆細審類鳳字篆法頗似
陽冰

案此井闌兵燹後已裂爲二棄擲道旁孫氏文川訪得之置其宅中審視款識非近代物從陳氏說列此俟考

楊吳義井闌題字 正書在上元北門橋道旁今存

下元壬午十一月

陳氏宗彝云月以下不可辨按錢氏潛研堂金石跋尾載崇仁寺西塔基記爲唐下元戊午七月此豈同其例耶然此并不書國號時無定君故耶

金氏鰲云唐下元壬午吳順義二年也

按楊吳立國稱天祐者十五年仍唐號也己卯改武義辛巳楊溥代立乃改順義錢氏所錄崇仁寺塔記稱下元戊午乃周世宗顯德五年也此刻先於戊午三十年唐亡未久遺民以吳不稱天祐不敢書唐故稱下元壬午耳錢氏又云遯甲三元術以

唐興元元年甲子爲上元會昌四年甲子爲中元天祐元年甲子爲下元此爲下元甲子之第十九年也

南唐義井闌題字正書在石頭城後今存

大唐保大三載歲在乙巳僧□月十有五日

廣慧大師於

女　之右石

廿口四隅植闌美

以憩來者 阝

李公捨　以助殊

口費金三　冬十月下

約直　永久

幼堅

呂志在佚目又云蓋卽建康志所云在清涼寺莊七里鋪有僧廣慧刻字之井井闌高不及二尺周圍刻字十行行十字已裂爲三清涼寺僧心巖修整之以他石補缺處題字稱廿口蓋當時施捨義井之數

宋監江甯府都酒務印篆書陽文側面行書陰文江甯甘氏藏

天禧二年八月少府監鑄

右印以宋三司布帛尺度之厚五分徑廣一寸八分紐長一寸

五分厚四分徑廣一寸核今尺當益一寸二分道光癸未江甯甘氏煦得於神策門外張家岡農家紐上及邊隅有劉創痕鄉愚掘土得之誤疑爲金也按天禧二年改昇州爲江甯府宋制各州縣置酒務以榷稅此當改府時所鑄少府監南宋後併工部凡符印之制亦與同焉景定建康志總領所在行宮西南都酒務北則都酒務治當總領所之南方志皆不載今莫詳其處矣

宋靑元觀記 額篆書記正書在句容縣治靑元觀今存

深靑碑文

江甯府句容縣靑元觀重修記

文林郎守祕書省著作佐郎知江甯府句容縣事袁轂撰文

將仕郎守祕書省著作佐郎充三班院主簿張炎民書丹

承奉郎祕書承監饒州都作院陳晞題額

聖人之教三惟儒釋盛行於中國而道家相盛衰於其間天下之宮廟名雖有而實廢者十常七八其徒皆凋弊而不甚顯嗟乎老子之道不行於當世固已爲不幸復不行於後世雖然於道固無損然而行不行皆數也三茅於句容爲名山古之所謂神仙瑰環之士相望而作宜其爲道家之洙泗縣有青元觀者乃葛仙公之第今其煉丹井猶存予一日訪之俯視其廊廡蒼苔蔓草若無人蹤仰覷宇棟顛梁欹委若將弗支伏拜而興巍然聖容將爲風雨之所飄其從且日無以衣食又何以介福於人以壯其居室哉今夫人之情莫不趨所同而棄所獨有膏者沃之暖者口口之且寒不肯手坐簀之土寸薪之火以救之噫其亦左見之甚矣既而邑人聞令之賢者慨然思被膏無益甯沃其瘠被暖自完甯燠其寒

於是僉相率而即老子之宮殖工者以金畊者以粟織者以帛工者獻其巧窶者輸其力不數月而棟宇一新厥成之初有父老相與焚香而祝曰我明明后億萬斯年皇休以全拜而祝曰風雨以時物由其儀桑茂於原稼宜于田卒拜而祝曰惟我父母吏政毋苛子子孫孫目不干戈予聞而嘉其能言有足以自戒者與予又因其祝而申之曰容山故道往來憧憧俾安其行不欹不傾如砥之平一事舉而兼利於是乎在自旦而暮訟者在庭簿書在堂心思自營將不自給惡暇其余至有百事之可寄也然一寄以往一寄以來是卒無一舉之事人能充無寄之心於爲吏乎何有使後人知令宜於民幸而惟令言之聽將日悛惡而又樂成其善事汝民無它眞能充是寄爾若曰不可教予不敢誣吾民熙甯十年夏四月望記

文林郎守縣尉陸元常□文林郎試祕書省校書郎守主簿鄭安平□左班殿直監茶鹽酒稅劉鑒立石

□觀主張大翼□□上座李順威□□監書韓文錫□□杖仙陳永敖書并篆

碑額題梁時碑文碑則立於宋熙寧與額不相應其題額結銜祕書承承乃丞之譌碑文瑰環背手皆疑誤書丹篆額旣題張炎民陳晞而碑末又云陳永敖書并篆皆不可解疑經摹刻而誤也輿地紀勝有唐保大十五年青元觀殿碑在句容縣治而無梁碑

宋少保威定公王德神道碑正書在鍾山清珍寺側下廟今存

宋故贈檢校少保王公神道碑碑額字徑二寸半

宋故清遠軍節度使侍衞親軍馬軍都虞候充荆湖北路馬步軍副都總管荆南駐劄隴西郡開國公食邑四千一百戶食實封一

千二百戶致仕贈檢校少保謚威定王公神道碑

左朝請大夫前知韶州軍州事主管學事賜紫金魚袋傅雱撰

左中大夫直祕閣添差江南西路安撫司參議官賜紫金魚袋

楊曒書幷題額

自古帝王中興戡定禍亂必有心腹爪牙之臣感會風雲應時而起故光武電埽昆陽二十八將功烈如日星焜曜亘古不泯逮及肅宗龍鳥河朔而汾陽臨淮輩出翊戴有口佐命之勳史册班班可考●●宋興一百九十餘載●●上卽位紹興二□四年十月淸遠軍節度使充侍衞親軍馬軍都虞候充荆湖北路馬步軍副都總管荆南駐劄隴西郡開國公食邑四千一百戶食實封一千二百戶王公寢疾終於荆南官舍訃聞於上●●天子震悼累日●●詔贈檢校少保謚曰威定賞延於後者七八示崇德報功之

義也以明年九月庚申葬公於建康府上元縣鍾山之原公諱德字子華代爲熙河著姓占籍鞏州曾祖永贈太傅妣郭氏贈荆國夫人祖忠立贈太師妣□氏贈揚國夫人父達贈太師惠國公妣李氏贈潭國夫人皆以公恩褒顯公體貌雄偉少有大志慷慨喜任俠不拘細節世保賜田習騎射射必命中居西陲距虜不遠故虜畏之莫敢犯塞燕雲之役　詔天下武勇公求用於熙帥姚公古時古提軍與宣撫折公彥質遇懷澤開患諜者多詐遂遣公往盡得虜情斬虜酋一人持其首還以功補初等官古復命公俘生口將親詰之公引十六騎疾馳入上黨手擒僞守姚太師以歸古大驚異謂公曰昔傅義陽班定遠之果敢何足擬倫□日功名當不減二子爾其勉旃古罷力薦之於折折亦以公勇諠可任命充前軍將官往解圍太原公擊亂敵之支軍斬三級襲榆次入之

會北鄰請盟班師公西還充熙河經略司右軍將官時靖康元年
冬也熙帥遣公率軍勤●●王詔入援京城所受承興帥范公致
虛節度與席忠合軍而東襄漢閒劇賊張筥倚虎公克平之閒●
●上踐祚公慨然謂所部曰今幸●●王室再造而軍旅方興實
吾屬死難之秋也遂引軍倍道趨南都建炎元年夏●●詔以隸
制置使武僖劉公充右軍將官羣盜李昱據濟南叛●●詔武僖
進討武僖命公行公臨陳親梟昱首於萬衆之中餘黨悉降是冬
擊張遇於池陽走之明年武僖以公破敵每先登陷陳改充先鋒
將往討李成公率百騎敗之上蔡驛以搗成奔新息□散卒再戰
時武僖儒服臨軍賊遥見白袍青蓋必大將併兵圍之公潰圍拔
武僖以出武僖曰微公吾幾殆□□存降附咸思自効因遣擊成
成大敗俘馘不可勝紀成僅以身免三年春遷前軍統領休軍天

長惟揚震擾西軍或率衆還陝公謂所親曰今●●國步方囏而各歸保家室非臣節也乃招緝叛亡獎率吏士將如東吳屬羣盜張昱張彥圖歷陽郡口張績乞援公悉甲赴之昱親搏戰公與弟靑擒而殺之收精卒三萬馬三千餘疋自是軍益振閔明受之變公憤疾之亟勒衆胥濟採石時武僖守京口聞公盛兵南渡遂馳詣建業迎公謂公曰惟揚不守諸軍散歸吾獨以身從●●鑾濟江●●上口口控阨江險迄今師徒不集公誠恥之唯公仗義夜涉長江來徇●●國家一日之急其精忠可謂能貫金石矣公舉所部屬焉或請公自護其軍公曰吾本期淸難豈乘時邀己欲者乎聞者多之力口武僖爲勤●●王之舉武僖命公充前軍統制公口口曰今苗劉狂悖以危●●宗社且救亂之師當百舍一息請先率輕兵由桐川趨餘杭出其不意幷擒二逆易若反掌武僖

不果用議者惜之于時諸帥雖舉勤●●王之師各以兵少遲留姑蘇公軍大集鼓行而前苗劉出奔益避公之鋭也尋●●口公受制置使通義韓公節度及公大破苗劉于三衢追至建之浦城親斬傅弟瑀獲其參佐馬柔吉等悉縶送韓韓雖歆豔公之勇略而内實忌之陳彥章者韓之心膂健將也陰遣圖公欲公以衆歸之陳會公於廣信公倨見之陳怒拔刃刺公不中公奪刃殺彥章于州治就太守請按以●●聞公詣●●闕聽●●旨獄具徙公郴州次長沙●●詔趣公還適武僖屯九江奏留公復統故部曲冬十一月金人自武昌南渡公邀擊敗之興國之西多所殺略轉鬭筠袁岳鄂之閒虜勢益蹙北走岳陽公安集江西諸郡四年夏將迎●●隆祐皇太后于贛次吉水會妖寇王念經嘯聚信之貴溪命公討之師涉彭蠡羣盜胡江散掠出沒湖中公擒戮之道出

本頁原殘闕，現據南京圖書館藏《光緒續纂江寧府志》（光緒六年刻本，光緒七年初印本）補字。

鄱陽郡守進南夫爲叛賊劉文舜攻城垂陷馳蠟書求救公引軍冒重圍壓壘而陳賊氣奪悉舍兵請命卒斬文舜已而抵貴溪乘大雨一鼓擒念經親獻俘于　朝蒙　恩悉還舊秩是年秋公軍京口議者請保丹陽公曰天塹之險棄而不守脫或逆胡侵軼如二淛何願終死守江上乃分軍阨要害公率偏師耀武淮海屢挫強敵殲其渠酋由是戎馬不復寇江上裨將劉震王阿喜皆武僖之姻戚也沮撓軍事公立斬以徇軍中股慄紹興元年夏揚州鎮撫使郭仲威跋扈尤甚　密詔生致之武僖遣公往公宣言游徼淮上至惟揚仲威來謁公手擒之於摘星臺于時數萬之衆會不血刃而取玆皆希世之功也夫何水賊邵淸懾公之威已輸降款會張花項等亂淛右公敗之昌化而淸闞公未還率衆數萬順流東下掎江負海復圖假息武僖遣公書曰邵淸狡虜非公

不能制公即率軍至秀之通惠鎮椎牛饗士士氣十倍賊屯崇明沙舳艫蔽江立木爲柵公執旗麾衆拔柵而入賊潰敗獲戰艦三千餘艘擒馘萬計翌日清集散兵再戰賊復大敗清面縛詣公盡收其衆親獻俘　闕下　上慰勞錫予優渥二年春遷熙河蘭鄯路兵馬鈐轄統軍如故官自進武校尉遷至中亮大夫貼職自閤門祗候歷宣贊舍人遙領刺史至同州觀察使三年夏武僖宣撫江淮將移軍建業韓通義恐衆奄至京口城中震恐公謂其下曰通義亟來無他獨與吾有隙耳當身先迎之用安衆心左右曰今投不測請以騎從公不聽獨馳而往其下白通義言公且至初不之信公入謁帳中通義憮然爲駭曰公誠烈丈夫曩者小嫌各勿介懷因置酒高會結歡而別十二月　詔公知鞏州部舊漢兵佩二千石印綬而剖符故里人以爲榮尋徙屯池陽北軍渡

淮聞公擁衆江上引退攻陷滁州公擊走之明年春改廬州兼沿邊安撫使移屯當塗五年春張琦裨將陳琳勇冠三軍劫琦以衆奔僞齊公追至濡須俘琳以歸四月改環慶路馬步軍副總管六年冬逆豫遣子麟率衆寇淝水有雄吞江淮志議者欲弃合肥守巢邑山寨公怒曰逆雛犯順將送死于我今仗　國威靈破之必矣於是督軍由安豐歷謝步走崔臯于霍邱潰賈澤于正陽大敗王遇于羊前獲其衆茲皆敵之驍將麟以諸將戰不利益軍大入連營抵合肥武僖出營七里岡公還援之　上親灑宸翰囑公令悉力捍賊其詞曰卿宜竭力協濟事功副朕平日眷待之意公拜　命嗚咽流涕顧二子曰　上付託若此吾父子願以肝腦塗地遂背城力戰公先犯其鋒二子馳突之所嚮無前賊崩潰麟引數騎亡去追至壽春橫尸屬道赴淝水死者過半降數萬

入獲馬數千疋第功歷正侍通侍大夫領武康軍承宣使以公戰
多遂貢拜相州觀察使制曰茲屬逆雛之猖獗首提銳旅以蕩攘
凡蜂屯而蟻聚咸電掃以風驅列于●從班七年改熙河蘭廓
路馬步軍副總管充●行營左護軍都統制屯營合肥武信龍
宣撫●詔公悉護諸將其詞曰卿宜整乃甲冑礪乃戈矛一歸
統御之權無憚馳驅之力酈瓊副爲公知瓊包藏叛心畏公威略
不敢發有●詔召公入●覲對●便殿具陳姦狀繼命公
所部詣●闕未幾瓊果叛八年春●移蹕臨安●詔以公軍
隸江淮宣撫張循王循王以公所統皆椎鋒百戰之餘其猛鷙爲
諸軍之冠請名其軍爲銳勝特旌寵之十年夏金人圍劉公錡于
順昌●詔公應援公卽日引道虜聞之徹圍而去公每請循王
經略淮服至是就檄公復宿州公自壽春馳入蘄邑潛師趨宿夜

牛襲破賊營詰旦高統軍師衆援徧阻汴而陳公瞋目馳叱之賊不敢動公冒矢石抵城隅呼僞守馬秦語之曰今王師四集八面並攻爾何爲而束手就俎醢耶因曉以逆順秦徹備徐引組級公升壘公叱子順先登發關內師公督衆踰城上下令曰士輒干歷民居者斬由是秋毫無犯秦率耶律溫迎拜請降賫遣詣　闕既而與循王會城父時酈瓊軍亳聞公至謂三路都統曰夜叉公來其鋒叵當請避之遂率衆宵遁乃下亳社奏功居最遷典衛軍承宣使充龍神衛四廂都指揮使制曰知勇自見屢收不戰之功果毅敢前若蹈無人之境猶以賞未副功再遷侍衛親軍馬軍都虞候十一年春金人率步騎大入淮淝江東震動咸請分兵守江公曰敵遠來趨戰強弩末勢當其未定濟師急擊以折其氣若弃淮守江則脣亡齒寒矣遂率所部涉採石循王督軍踵之至中流

眾聞賊盛莫敢前公首登岸約循王明旦會食歷陽循王宿江中公夜襲歷陽拔之晨迎循王憝如公料又敗北軍於萬歲嶺乘勝克昭關追至柘皋酋帥兀术率鐵騎十餘萬分兩隅夾道而陳公謂諸帥曰賊右隅皆勁騎吾先爲破之過其奔衝然後諸軍奮擊之公麾軍渡橋賈勇先登薄其右隅賊陳動一酋被鎧躍馬指畫部隊公引弓一發酋應弦墮馬叱左右斬其首還公大呼馳擊貫賊陳諸軍鼓譟乘之賊大敗輜械被野俘斬萬數遂復合肥公振旅還策勳制授清遠節詞曰屬狂口之匪茹哀醜類以深侵初豕突于淮壖寖鴟張於江滸賴爾先登之勇過其方銳之鋒仍兼騎將之任循王既拜樞府十二年除公建康都帥遂撫全師公號令協中恩威浹下雖遠人修好不復用兵其於軍政未嘗少弛十五年秋　詔公入覲　上以公元勳宿將久暴露於外聽解都

統印紱歸奉朝請公頓首··殿陛曰臣狗馬齒衰筋力不勝願處一散地庶安愚分··上不欲重違公意乃以清遠節總帥淛東甫滿公上章丐宮祠以養恬··上不允··優詔勉之詞曰何遽披於需奏求均逸於真祠況膂力之未愆且謀猷之益壯當居輔郡密拱行朝俾再任凡四年易福建又三年易荊南覲公重望欲其臥鎮上游抑知··聖慮有在而··倚毗之未替也公自柘皐之戰威武赫然敵軍埽跡不復闚淮甸始有乞盟議和之意生靈休息至于今日公力居多公以蓋世之雄用兵非特取勝一時而權略有大過人者其擒耶律溫即歸功別將廉讓不伐有馮異之風焉濠梁之役王師入據其城公曰敵情多詐濠梁之西地皆茂林必有奇伏宜謹察之衆不之信已而伏發諸軍覆沒唯公以全軍還鎮公之治軍如理家事薄於自奉而不愛□□□養

戰士前後俘獲女眞契丹渤海等軍別創赤心一部咸得其死力柘皐之戰劉荆州錡時爲宣撫判官謂公曰昔聞公威略如神今果見之再拜以兄禮事公其爲當世名帥推重如此公每臨機應變至與孫吳暗合者不可概舉制勝之□□□中非學而能然瘵酈瓊之必叛若衞公知君集之爲姦不榮合肥之逆邀循王以必戰如公瑾决孫江東迎敵之策卒收柘皐之功戰必勝攻必取國士無雙誠類乎韓淮陰求其忠勁特立抗志不回過信遠甚其始入潞擒姚太師械送●●京師●●淵聖皇帝臨軒問姚被擒狀言亡臣爲夜义所獲故●●今天子每以夜义稱之公薨之夕易衣危坐曰逆兵至矣晏然而逝信夫生爲邦家柱石沒而爲明神擒虎之說豈欺我哉嗚呼自古爲將能以功名全節者十亡一二惟人主操駕御之術何如耳究觀歷代之君能保全功臣者莫

如光武能功名貴富全終始者惟郭汾陽而已何君臣相遇之難如此耶唯公爲將威名震動鄰國隱然如長城樹□申□於君臣之際終始如一人無閒言其豐功偉績致・・主中興與夫子孫蕃衍盛大抑亦汾陽之亞歟公享年六十有八初娶尹氏江陵郡夫人先公卒繼室李氏和義郡夫人子十四人珙右武大夫忠州團練使兼閤門宣贊舍人充□□司中□□□州軍馬順武功大夫□□□殿前司選鋒軍馬軍司副將珙武翼郎建康府駐劄・御前策□鋒軍准備將瓉成忠郎瑛忠訓郎璞保義郎璋忠訓郎王果節郎瓚王皆忠訓郎琠珍瓆未命玫早卒女六人長適武翼大夫兼閤門宣□舍人帶・・御□□添差淛西路兵馬鈐轄張彥攸次適忠翊郎閤門祗候潘師尹次適承節郎孟公輔餘在室孫七人震承節郎蚤卒靈承節郎霽保義郎□需□□未命女孫

五人皆幼穉與公同僚知其出處諸孤以門人劉巖狀乞銘銘曰

赫赫炎宋　中興丕基　蕩攘蛇豕　以及鯨鯢　公自熙河
提戈崛起　感會風雲　鷹揚萬里　靖康之初　手擒黠口
大振天聲　名聞聖主　管虎跳梁　震驚漢沔　戎略一施
二逆就臠　昱亦擁衆　盜據濟上　親梟其首　風威遠暢
成挾強援　鴟張淮蔡　公談笑閒　星奔獸駭　遇寇江夏
鋒如蝟芒　轉戰千里　敗之池陽　淮海震擾　大駕南巡
招懷降附　獨成一軍　亟趨東吳　覬清國難　賊壓和壘
民墜塗炭　求援於公　乃援偏將　昱彥授首　軍容益壯
傅等造變　以逞異圖　公奮袂起　期於誅鉏　逆臣既擒
天子復辟　乾維再張　公與有力　繼聞口馬　南渡武昌
卷甲而趨　直阨其吭　口進無所　其退惟艱　勢益窮蹙

斂軍北還　公奏凱旋　將迎隆祐　未達贛上　命誅妖寇
嘯聚貴谿　曰王念經　僭竊大號　恃險憑陵　師涉彭蠡
江等遊魂　嬰公之鋒　如火燎原　尋歷鄱陽　鄱陽危急
交舜猖狂　矢石四集　公冒重圍　敵人褫魄　指顧之頃
凶渠盡獲　爰乘雨勢　擣念經壘　枹鼓一鳴　巢傾卵毀
控扼天塹　屛蔽京口　羣議退保　公請死守　仲威恃衆
翺翔揚土　公手擒之　不煩一旅　淸蹂江壖　公乃拔劍
破之崇朝　遏其虐燄　琳劫其衆　歸身逆徒　不容旋踵
磔死當塗　逆雛惟麟　恐衆肥水　公往驅之　曾不折箠
應援西潁　公方整旆　羣醜諜知　望風奔潰　就襲蘄邑
虎視徆城　耶律面縛　一塵不精　兀朮精甲　踰十萬衆
長驅江滸　利與我共　于時分兵　將保江東　公請先登

以折其衝　獨麾虎旅　夜涉探石　父子捐軀　誓死於敵
賊陳柘臯　旌麾搴空　公親合圍　首挫其鋒　繄公之勝
衆方堵進　名王貴酋　殲夷殆盡　由茲一戰　敵勢大摧
不敢南鄉　飲馬長淮　獷鷙可汗　其來桀驁　視公凜然
乞盟請好　躋時承平　疆場肅靖　舍爵策勳　節旄是命
當宁憫公　久膺繁劇　聽解軍務　俾就安適　聖恩隆厚
其誰公如　總符江陵　雍容甚都　臥鎮上游　控制荆楚
忽焉淪亡　失茲召虎　訃聞西來　上心震悼　昭示眷懷
錫之溪號　蘭砌芬芳　勳庸益著　高大其門　紹隆厥緒
有宋功臣　翊戴皇極　用詔後昆　刻諸金石　潘壽隆刻

朱氏緒曾云此碑嚴氏金石記在待訪目中余始尋得搨之碑在鍾山淸珍寺側俗名下廟去神策門十一里題知韶州軍州

事傅雱撰江南西路安撫司參議官楊疇書并題額正書極秀整

案此碑呂志據建康志收入佚目建康志僅錄銘詞自朱氏著錄後拓本流播尚希甘元煥今訪拓其文編此碑凡五十五行行一百九十六字威定宋史有傳碑稱威定以紹興二□四年終於荆南官舍二下所缺係十字史作紹興二十五年卒碑稱籍鞏州史云通遠軍熟羊砦人通遠軍之改鞏州據宋史志在崇甯三年皆當據碑正傳之誤傳敘威定戰功次第皆與碑合惟碑稱紹興三年十二月知鞏州屯池陽復滁州傳繫屯池陽於四年春知蘭州之後移屯當塗之先測碑意雖有鞏蘭二州之除其實未行三年冬屯池陽四年春移屯當塗情事爲合傳移易其次非也碑之可補傳缺者如靖康元年解太原之圍討

襄漢賊張篙倘虎建炎三年勸劉光世由淛西進討苗劉碑稱明受之變者苗劉之亂迫改建炎三年爲明受元年也興國之捷安集江西諸郡四年討彭蠡盜胡江斬劉光世裨將劉震王阿喜紹興元年擒叛將郭仲威於揚州擒晁臺討淛西賊張花項於昌化四年俘張琦裨將陳琳於濡須其事皆卓犖大者於例不當刊除然傳所據不止碑文如傳稱建炎四年過江之役云諸將恃以自彊分軍扼險渡江襲金人收眞揚數郡既又遇敵于揚州北有被重鎧突陳者德馳叱之重鎧者直前刺德德揮刀迎之卽墮馬衆褫駭因揮騎乘之所殺萬計又稱紹興元年平邵清之役云他日餘黨復索戰諜言將用火牛德笑曰是古法也可一不可再今不知變此成擒耳先命合軍持滿始交萬矢齊發牛皆返奔賊衆殲焉皆視碑敘述爲詳可互相補證據傳威定以紹興十一年封

隴西郡侯碑失書侯封其身後贈階傳稱由檢校少保再贈少傅碑止題檢校少保者其進贈少傅或在紹興二十四年以後碑止據見贈之階耳

宋劉季高題名　正書在江甯鳴羊街愚園今存

劉季高父

徘徊其旁

紹興丁丑

七月乙未

孫氏文川云光緒丁丑江甯胡君恩燮構園於鳳皇臺之麓買石疊小山匠方舉石綆斷三舉三斷訝焉諦視得此石因嵌於山隈予攷鳳皇臺北花盝岡之東南有勝國徐錦衣西園再易主爲吳中丞用光之園　見路鴻休帝里人文畧及金氏鰲金陵待徵錄　據王文簡公六

朝松石記知吳園有六朝石劉季高題據周吉甫金陵瑣事知季高題名即張乖厓醉石瑣事云宋張乖厓醉石在徐府西園中石上文字磨滅幾盡僅存徘徊其旁紹興丁丑十數字而已周氏云十數字與今存字數同顧文莊金陵古金石考載有醉石題名即指此石文莊遯園與西園相鄰其說更可信今胡君之園爲吳園舊址此石爲吳園之石隱而復見去而復來非偶然也季高名岑本吳興人後遷溧陽登第累官戶部侍郎歷知太平州池州鎮江府及信泰揚溫等州御營隨軍都轉運使告老除徽猷閣直學士乾道三年卒年八十一景定建康志儒雅傳載其事蹟甚詳楊誠齋曰季高居建康張安國爲帥具衣冠造季高欲北面書法安國書爲宋南渡第一乃欲效法季高則季高可知矣季高有蔣山太平興國寺大佛殿記高座寺碑王忠節廟碑蓋工書而能文之士也季高文字僅此三首興國寺佛殿記高座寺碑景定志尚載其畧王忠節廟記則僅存其目耳嚴氏觀江甯金石記采季高碑記多至六首朱氏緒

齋讀書志又謂有劉忠肅廟記皆誤

案呂志佚目據獻徵餘錄采醉石題名云上有紹興十七等字在江甯城內吳園即此石也丁丑爲紹興二十七年餘錄作十七年誤且題名用支幹非紀年數據景定志李高以乾道三年卒年八十一上溯紹興二十七年李高題字時已七十一矣楊誠齋集又謂李高大意令安國學李邕書此題字雅近北海可證誠齋之說

宋龔村石柱題名 正書在江甯龔村亦稱菫村今存

乾　光宅鄉
道　龔村
八　東西社
年　都疏首

正　裴口口
月　夏文亮
日　高邦彥
晉　盛子道
孔　劉德威
五　梅口
公
口
文
口

此柱上元孫文川偕郭樹勛訪得之四面環刻字分二列上列横書十四字下列九行每行二三字不等建康志云江甯二十

二鄉光宅鄉隸縣西南柱題都疏首當是營造之事文有刓缺

宋趙希堅李謂道題名在鍾山今存

淳熙己酉趙希堅李謂道同游正書

飲八功德水晚至定林乃還在側行書

朱氏緒曾云此題名在鍾山龍泉庵徑半道下石壁又有正書大字徑尺許云洗兵馬及忠執字可識餘爲石脈橫生苔蘚斑剝不可盡讀淳熙己酉十六年也

金氏鰲云鍾山題名石壁在龍泉庵後左側又有陸放翁題名二石皆行書始見先著詩集近人迹訪得之

按武岡山有龍泉庵朱氏金氏皆云鍾山龍泉庵金氏引作趙壁又與朱氏所見異俟考陸放翁題名今亦未見拓本

宋荀氏義井闌題字正書在上元螺絲轉灣今佚

荀氏捨義鄉泉正書在治城山北今佚

寶慶歲丁亥夏庚申日

陳氏宗彝云井闌破裂可辨者六大字九小字寶字賴全末筆丁亥蓋三年也井在螺絲灣與嘉泰井東西並峙嘉泰見於舊錄此則鮮有知者

按呂志有荀氏義井題景定口年在江寧小倉山此別一井

宋溥泉闌正書在江甯油坊巷今存

溥泉

咸湻乙丑秋淵王口立

咸湻元年也金氏鰲訪得之元人王惲著有秋澗集或卽其人

宋咸湻井闌題字正書在江甯報恩寺華嚴樓下今存

咸湻二年四月

建石橋置此井

監莊比邱福基立石

陳氏宗彝云此題字在長干報恩寺乙酉從寺僧訪得據以入訪碑錄補編首行未疑創字次行疑井字

按據今拓本二年下爲四月陳氏偶未審井字今猶可識監莊僧之職事也

宋龔相項王亭賦武正書在江浦貝項王廟今佚

余令烏江之明年職閒訟稀得以文史自娛於是詢考境內遺迹將欲驗古事察風俗恨其兵火之餘故老灰滅無復在者而前人遺迹往往化爲榛莽狐狸之區矣獨項王亭去古寖遠於邑爲近余每登眺焉一日攜客至其上讀唐李德裕所爲賦敘謂楚漢興亡基乎應天順人也然歟否歟余嘗謂三代以後蓋有不仁而得

天下者若夫魏晉之興皆假唐虞稱禪代大率懷奸飾詐篡竊取之其實逼奪下至劉裕蕭道成之流如蹈一律覆宗滅祀延及無辜可爲流涕若楊堅朱溫直盜賊耳固不足道也豈非所謂不仁而得天下者哉夫項王之起年二十四不階尺土自奮邱壠二年而平秦霸天下廢立王侯政由一己雖所爲有異於高祖然以曹操司馬懿而視王眞畏人也余又覽觀山川想追騎雲集王以短兵接戰英勇不衰謝亭長顧呂馬童之時其視死生爲何如雄烈之氣懍懍而在邑人廟祀至於今不忘者豈以王之亡秦興漢之功大而得失自我不爲姦詐篡竊眞磊落大丈夫也哉故余作賦以辨之大抵君子論人或責以備或推以恕非苟然者余豈敢與衛公異也其賦曰

括蒼龔相暇日與客登項王之亭顧覽遺迹喟然歎曰嗚乎盛哉

二世之末天下思叛勝廣一夫雲起從亂當是時也燕齊趙魏莫不立王梁起會稽亦從民望得孫心於民閒爲人牧羊立而奉之鼓行咸陽雖再破秦軍而秦軍尚强梁既死於定陶王怒秦而必亾章邯引而渡河趙旦暮以乞降彼陳餘之擁兵迹逡巡而莫敢當王乃震怒背裂力排宋義晨朝誅之莫不讋慴毁金釜以沈船示三軍之死志果破秦軍而殺蘇角絶甬道而虜王離呼聲震天而動地山陵日月爲之蔽虧諸侯人人惴恐膝行轅門而莫敢仰窺章邯舉軍以降焉諸侯將以兵而從之入關不留衣錦東歸裂地主約而王將相天下利柄惟我所持何其盛也哉及齊趙先叛漢以兵東轉戰滎陽陷死摧鋒漢雖屢北謀無不同追垓下之圍方急始信楚人之多從於是慷慨悲歌潰圍南出臨江不渡留騅報德又何懟也客曰子知楚漢之得失乎不在於兵而在於得人

不在於强弱而在於民心之淺深當其屠咸陽殺子嬰火宮室疏秦兵弑義帝於郴陽更主約之不平漢皆反是約三章而去苛法拒牛酒而恐費民封府庫諭郡邑而不私其財期在於變秦況蕭張佐其謀韓彭將其軍無素書之弗用推赤心而示人此楚漢之得失也曾何盛德之足言哉龔子曰予知其一未知其二古今成敗得失是非其間紛紛蓋不容喙略請較之其敗者未必皆非其成者未必無可議也嗟夫項王卓偉之才英烈之氣使膺天命而有成乃蹉跌而至此若曹操與司馬懿以鬼蜮之雄貪盗賊之智尚負且乘而竊神器皆數傳而後已或百年而始斃方戕伏后而尸曹爽抑可見其無君之意其爲得失又安足計以石勒之遐雛猶逐鹿於當世不忍效夫數子奪孤寡之非誼嗚呼噫嘻得則爲王失則爲虜由魏晉以觀之王雖亾今何負此顧呂馬童而謝亭

長死生固亦不懼矣彼分香而飲粥又何王之可伍也客遂緘默相視動魄一客在旁莞然獨笑曰二子辨則辨矣然未達夫理也楚漢魏晉茫茫千載是非得失今安在哉徒存史牒莫考真僞自古及今如我與子登斯亭而悵然弔往昔以流涕漁夫樵婦之所經行野老祠官之所祭酹亦已多矣莫得而記也今夫二子踟躕睇視不忍舍此亦何異臨川而歎逝也予獨不見青山白雲長江明月耿耿長存滔滔不絶初無今古之異治亂之別是亦理之所在也於是歛而酌酌而醉醉而能歌曰山蒼蒼兮江湯湯月盈虧兮雲飛揚是非得失兮兩俱忘頽然而臥兮適乎無何有之鄉

呂志佚目項王亭賦在烏江地屬江浦即指此碑也朱氏彝尊烏江謁項王廟題名云順治十五年夏泊舟烏江口項王祠殿已被焚徒神像棄主于廡下拜訖過亭基瞻王石刻遺像圜袍

短幘廣頰豐頤宋人所摹勒也據元不蘭奚西楚霸王廟記賦即刻於像碑之陰竹垞未見或碑字陷入壁耶江浦侯宗海云此碑與元碑在古項亭舊基正殿之後咸豐三年燬於粵寇今據歷陽典錄采之未見拓本其欵式不可知矣龔相令烏江之年舊志未詳俟考

宋潘并丁公山題名 正書在溧水丁公山頂石上今佚

乙亥之年潘并過旺竹巖看山望馬

右見乾隆溧水志丁公山注謂是宋人刻姑附此俟考

宋江寗府鐵塔寺施捨姓名塼 江寗甘氏藏

將仕郎余緒捨塼貳千伍百口 陰文

侯忠並妻許氏女夫劉文衍捨塼壹萬口 陰文

興塔比邱尼守暹與發心施主記 陽文

王仲升妻陸氏口保捨塼伍百口　陰文

右四塼尺寸與建康府塼同前二塼江甯甘熙得於貢院與得建康府塼同時後二塼光緒元年江甯甘增壽得於冶城山後岡民舍壞垣中其地即鐵塔寺故址也

宋史職官志文散官二十九將仕郎從九居末元豐寄祿格以階易官自開府儀同三司至將仕郎爲二十四階崇甯大觀政和相繼增損紹興以後官階亦將仕郎居末益軍巡判官司理司法司戶主簿辟之屬其爲宋塼無疑景定建康志鐵塔寺創自宋明帝泰始中初名延祚至唐廣明中有僧靈智號羅睺和尚爲建塔寺內又佛殿前舊有鐵塔二座鑄云乾興元年造據此則塔始於唐之廣明而鐵塔鑄自宋眞宗之初元矣

宋建康都統司塼　正書陽文江甯甘氏藏

建康都統司忠作頭文貴

塼長五寸六分博二寸司名橫列其陰署匠作之名直列案宋史職官志建炎初置御營司擢王淵爲都統制名官自此始其後興元江陵建康鎭江府皆除都統制兵志建康都統司靖安水軍孝宗紀乾道三年以永豐圩田賜建康都統司今靖安古道在府治北神策門外二里許

宋建康府塼（正書陽文江甯甘氏藏）

建康府　宋二

呂志列建康塼定爲建炎三年以後造據封崇寺甓所見即鐵塔寺故物也無陶者姓名道光十年江甯甘熙得此塼於冶山後岡徑尺二寸三分橫五寸九分

宋移忠觀塔塼正書陽文江甯甘氏藏

大宋紹興二十五年

四月八日窑戶練通造

移忠觀在江甯縣治西南木牛亭有塔久圮今壞垣中往往得之

宋馬軍司塼正書陽文上元孫氏藏

馬

軍

司

陳氏宗彝云道光乙未九月得此塼於磊功巷孝子坊八家壁上馬軍司見建康志蓋南宋時設官也

按輿地紀勝卷十七建康府侍御馬軍行司下云按職源中興以後置主管侍衛馬軍司一員常出戍建康不載年月而續建康志以爲乾道七年始移屯建康朝野雜記乾道七年命主管馬軍司李顯忠盡將所部移屯建康今置司在建康號馬軍行司則此塼爲乾道七年由臨安移司至建康時所造矣

宋建康教授西廳塼正書上元朱氏藏今佚

淳

熙

丁

未

諸生洪玠裴叔度　匠邵義戴立側面

朱氏緒曾得於縣學丁未湻熙十四年也

宋鐵塔寺塼隸書巴州廖氏藏

紹定辛卯

孫氏文川云同治四年廖養泉明府綸得於倉巷其地近封崇寺寺中牆垣多南宋塼皆乾隆中從鐵塔寺移來者塼長九寸博五寸厚二寸弱辛卯紹定四年也

宋崇禧觀塼正書在句容茅山下宮今存

崇禧

塼長三寸五分博二寸句容尚兆山訪得之據茅山志崇禧萬壽宮即唐太平觀宋勑改崇禧觀元延祐六年賜宮名則塼爲

宋代建觀時所造

元崇禧萬壽宮道士陳志新謝表 正書在句容茅山下宮門今存

臣志新言伏以六龍時御尊臨大明殿之居丹鳳詔來新賜崇禧宮之號天錫萬壽聖祀一人睠惟少室之仙實嗣曲林之教師事陶宏景不言宏道之功君遇唐太宗遂建太平之觀中更近代始易前名至復振於元風未有盛於今日臣志新誠惶誠懼頓首頓首欽惟□帝陛下妙參三極高蹈百王淸靜化民夙慕崆峒之問道齋沐事帝夜虛宣□□受釐譬如北辰端居而星拱乃睠□顧流觀於山圖崇神明而渙汗於十行之中著高尚而昇眞於千載之遇光被草木渥照乾坤臣志新俯伏林巒聽觀綸綍茅峰第一福地敬用揚休虎拜歌萬斯年益虔稽首臣志新下情瞻天荷聖激切屏營之至謹奉表稱謝以聞臣志新誠惶誠懼頓首頓首謹

言延祐七年二月　日宏道明眞沖靖眞人同主領三茅山諸宮觀菴院住持崇禧萬壽宮事臣陳志新上表另行郡人鄭梓材摹刻

呂志采三茅山崇禧萬壽記下宮門左碑也其右碑刻敕賜崇禧萬壽宮詔呂志亦采之下列有謝表失收句容尚兆山拓得其文補錄於此錢氏大昕游茅山記云茅山宮觀十有二而崇禧實總之卽據此表結銜也

元靈谷寺鐘正書在上元鍾山靈谷寺今佚

泰定四年丁卯仲冬初吉

蔣山住持守忠鑄

光祿大夫中書右丞趙世延銘

眞土脈中火水運工鼓之蜚風冶金在鎔假合成工象其穹窿大明未東孰啟羣蒙鯨音渢渢警憒開聾八天其通五福攸同斯乃

鍾山之鐘振宗風於無窮

按鍾本太平興國寺故物見虞集碑記明洪武間移寘靈谷寺吕志據馬益寺志收入佚目甘氏熙靈谷志始著錄焉

元天王寺記 行書在句容天王寺今存

江南諸道行御史益齋張 下闕

天王寺額自唐中和始寺初名豐樂在茅山之陽後遷浮山伽藍神顯大神通環 闕 水旱疾沴如響聲靈聞于朝咸以爲伽藍神卽毘沙門天王乃賜今額天祐二年 闕 皆毀近如承仙道德敬仁三鄉凡九寺毀其八惟天王以額存宋至道二年詔 闕 元符間寺弊僧法超刻志募緣撤而新之辛勤餘十年乃成居無何宋南渡金 闕 柄水出如注泥像觀世音眼有水如泣金人駭懼火隨止建炎後僧守一嗣第 闕 壞已隨之矣大德丁酉僧行超號物外不假衆

緣慨然傾己橐創大殿越三十闕年創僧堂廚堂堂後浚大井復得衆耆舊及富豪相之寶藏經閣鐘樓兩廊闕碧焜煌超公又置田一千畝歲入米八百石鐘魚之響不絕包笠之來如歸闕盛矣徒孫法開從曰述修建始末求記且曰開山融禪師受法茅山貞觀中闕來負米丹陽朝往暮還八十里供僧三百衆又今山之廢興凡四天王菩靈闕一嗣昔在宋南北將分時今有田可食且可贍往來視開山負米時何如今闕平無事視前超修創時何如知恩報恩吾徒當何如用力耶余聞其語歎而闕持心堅固如此爲吾聖人之徒者可愧矣遂爲之記

耆宿　前住平江路穹隆山顯忠廣福禪寺佛心下闕

前行建□□□□果紹生□東行下闕

此碑句容尚兆山訪得之文十六行碑趺陷入土中每行之末

缺三數字撰碑之張御史名遂不可見立碑年月記文不具以記中大德丁酉推之丁酉爲大德元年又越三十□年近則泰定之四年遠則至元初矣

宋昭靈侯沈襄王祠記正書在句容下蜀鎮高山廟今存

事物寓於天地之間廢興各有定數古今之一理也予觀蜀鎮北有高山昭靈侯沈襄王祠寓其上積有年矣赫赫威靈幽明不殄忠烈元勳流芳信史兼奉前朝歷代封謚名爵粲然靡所不載玆不必贅迨今廟食一方福佑斯民坐鎮江面洋洋如在左右禱祈必應有感則通徃來時貴每登其峯瓣香修敬之際東瞻鐵甕西望金陵兩淮列圖畫之間直下視長江之險南山崒嵂路適容峯水光山色亦足以暢敘幽情未嘗不歷覽焉昨自至元乙亥●●皇元平宋之後廟貌依然纖毫無毀非神力孚佑何克臻此今經

四十餘年矣累奉聖朝頒降詔旨祭祀名山大川忠臣烈士乃歲時雨暘不調有司請禱屢獲感通邑大夫躬親捧檄詣祠欽遵致祭飭次祝板明然具存焄蒿悽愴若或見之況昭昭之不可揜如此夫奈乾旋坤轉歲月因循古殿廊廡宗桷頹圮風雨凌震杌桯不堪祝師坐視而忸怩行之實惟艱也況好事者罕遇歲次甲寅延祐元年有市居湯公名世英一旦奮發素志不憚勤勞募緣各社信士率裨錢糧顧售工匠涉遠運木搬石鼎新建造前殿山門兩廊共四十餘間捏塑裝鑾在廟神像三十餘堂大小計一百五十餘尊彩畫出入隊仗前後擁壁甃砌地面及四圍遮暘門戶軒牖几案雕鏤花樣器物漆飾粧金俱各輪奐一新不期年而廟成三載而工畢雖人力之所爲而神功顯著自有不期然而然者矣今焉立石素非沽譽要功亦爲衆信成功姑以紀歲月

延綿香火永年祭祀云耳

歲次延祐七年三月旦日謹題

焚修廟祝許宗旺許興旺

幹緣張士龍李文熙謝以成高桂

相副吳文通

勸緣建造都會首前福州路古田縣丞湯世英

里人吳桂發撰

將仕郎前行宣政院都事蔡杞書篆

進義校衞建康路句容縣主簿董珏

承務郎建康路句容縣尹兼勸農事成天瑞

承德郎建康路句容縣達魯花赤兼勸農事哈剌立石

京口華善甫刊

呂志佚目據建康志收宋昭靈沈襄王廟碑六朝碑也其詞無考此碑句容尚兆山訪得之碑製狹而長失其篆額邑人相傳沈襄王即宋沈慶之考宋書慶之傳謚襄公其稱襄王由後襃封也碑詞甚俚其碑後題名以廟祝募緣撰書爲次末乃及縣官猶是唐宋人上表結銜尊者在後之式

元劉仙翁冠劍虛室碣篆書左右正書在句容茅山南薛埠道上今存

宗壇初祖大師上眞昇舉後同天眞復降華陽傳玉經寶籙授元師立宗壇于洞天之北至宋祖師仙翁建宮壇于中山受道

上清二十五代宗師崇中大夫蔣眞觀妙

沖妙先生謚靜一眞人劉仙翁冠劍虛室

三眞潛神養素壽七十三解眞後●勑賜山建觀藏冠劒于此至順癸酉上元日徒弟四十五代宗師劉大彬謹書立

碑長七尺寬三尺句容阮其相訪得之冠劒虛室如衣冠臺虛室之稱可補金石例據茅山志仙翁名混康字混康一字志通嘉祐五年試經爲道士紹聖四年勅江甯府即所居菴爲元符觀別勅三茅山經籙宗壇與信州龍虎山臨江軍閤皁山鼎峙輔化皇圖與碑稱宗壇合又云大觀二年四月於儲祥宮元符別觀解蛻則仙翁北宋人也癸酉爲元統元年碑仍書至順者元統改元在十月碑立於正月也

元重修西楚霸王廟記 正書在江浦項王廟今佚

距烏江縣治東南三里曰項亭陟培塿而上數十步廟扁曰英惠即西楚霸王靈祠也仆碑二乃唐李少監陽冰篆額六大字筆法遒勁宋張史□懌記指意嚴確來者覽讀忘倦又碑一畫王半像圓袍矩帽戟髯重瞳碑陰則宋縣令龔相賦也昔唐李德裕登眺

賦序燼於兵燹之郡志嗟夫由漢而下革十五代城郭宮陵榛莽獨王血食斯土一千百餘禩遐瞻遡敬勿替蒸嘗豈不由撲秦之餘德被生民摧金之鋒功堅珉石喑嗚山嶽動叱咤風雲生古今一人而已耶禮能禦大災捍大患德施於民則祀之王之功之德不特福當時迄今和人遇潦乾祈禱順序罹癘疫叩則濯蘇蔭庥無斁如在其左右英惠爲額奚忝焉余以至元戊寅叩恩守和兼戎旃之寄暇日因道縣境瓣香祠下目庭宇之圮歎梁棟之阤陊僅撐兩壁支一柱淩雨飄風懍懍欲壓象服黝昧弗稱威靈心焉恂愁召耆保詢之謂前守廟僧捂金穀遁去因仍廢葺役煩費重民徙於瘠者十九力弗克荷余聞而喟曰皇元光統海隅澤傳顯幽名山大川丕受郵典余司千里土缺崇明祀坐視宴埃之覆人謂我何爰輟已俸疎此爲郡邑勸允愜輿情落筆恐後合行不貲

咄嗟辦集遂取材於產並舉而陶凡梓者售於江南而倍其常賈三時不害翁率來工辰作申休供犒有節吉日良時卜而協之俾縣達魯花赤阿剌渾總之郡昭顯校尉管軍總把葛晟相之毗里士民之願者分董之余則時一再至諗其程而勞之建儀門七架三間兩廡各五間增爽塏接露臺東西升以級之正廟九架三間鼎繪圭章式昭王度侍臣左列有翼有嚴陑甃壁牖杌座匜盥罔漏厥微固垣墉浚堙井植斷碣直關鑰撤而一新無復曩年因循比也繼是祝於斯遊於斯者曰美哉輪美哉奐顧不韙歟始於壬午之孟冬落於癸未之仲春乃奠桂漿潔薦牲犧宅馭安靈愉愉穆穆是役也歲阜民比政簡訟稀中和所召且作且嬉固曰鬼神非人實親惟德是依吾亦欲使邦人永思□□之攸歸命劉石於右以誌之歲在閼逢涒灘夏五吉日昭勇大將軍管領河間等路

軍馬萬戶鎮守和州路總管府達魯花赤不蘭奚記前烏江縣尹郭資書

此碑在項王廟正殿之後歷陽典錄據拓本采其文咸豐三年佚於兵火其欵式無可考矣碑題闕逢涒灘歲陽爲甲甲元有兩甲申一爲前至元二十一年一爲至正四年據記文稱至元戊寅守和後至元之四年也壬午之孟冬至正二年也其三年仲春落成四年五月立碑碑載職官姓名可補志乘之闕

續纂江寧府志卷九之下終

續纂江甯府志卷之十

同人同纂

大事表

嘉道中士躭於所業足不出鄉里而　朝廷政事之大小與方域風俗之盛衰皆其所弗識及乎粤逆之亂稍稍異矣奔走四出遠者數千里近亦千里若數百里耳目於是一擴焉而故郡久陷雖克復欲迹其終始暨得失所由可資載筆者顧又不能無闕夫三十年一世其閒郡事興替風俗轉移可勝慨哉而吏牘無可稽所屬之縣亦若是此記載之無如何者廑掇拾一二以繼前志作續大事表呂志止於乾隆六十年未詳其義例也故爲著之

嘉慶十六年河決王家營百齡以總督治河　重光協洽之歲

謹案乾隆元年

詔凡遇蠲免以奉　旨之日爲始其奉　旨之後部文未到之前如有已輸在官者准作次年正賦永著爲令按見上海縣志卷五之首錄之以備查檢

總督百齡字菊溪

十七年王家營合龍　元黓涒灘之歲

小旱井無水

江浦知縣丁猷駿修學宮

十八年　昭陽作諤之歲

主試會稽茹棻字古香南昌黃中模字範亭初九辰時始封門監臨被劾

捕妖言朱毛里

水月庵僧鏡澂以術見捕妖人方榮升黨類并獲審實磔之

總督百齡協辦大學士

十九年　閼逢閹茂之歲

大旱賑饑甚周乾隆乙巳後第一奇災凡賑貧民十七萬餘口

發倉米平糶四城分設

恩免錢糧十之六

脩府學

賜上元伍長華一甲第三名及第

義捐極眾餘銀二萬奇存典生息備荒

建正覺寺於門東爲鏡澈也

立老人崇義清節三堂在同光寺剪子巷油坊巷

二十年　旃蒙大淵獻之歲

三月板巷火有死者民李位三宅以壽演劇也

旱大疫

二十一年　柔兆困敦之歲

主試蕭山湯金釗字敦甫錢塘陸言字心蘭

貢院改鑿水池於東龍腮牆外原在西也

總督松筠字湘浦

二十二年　強圉赤奮若之歲

巡道方體浚運瀆用宋張孝祥言也

旌孝子郭鴻

二十三年　著雍攝提格之歲

恩科主試黃梅帥承瀛字仙舟東陽盧炳濤字秋槎

小旱

脩浦口敵臺

脩上江兩縣學泮宮坊

總督孫玉庭字寄圃

二十四年 屠維單閼之歲

主試蕭山陸以莊字平泉閩縣廖鴻藻字儀卿

恩蠲十年至二十一年未完民欠錢糧銀米孫公祝嘏巡撫陳桂森暫署

賚老民絹綿米肉有差

二月朔府學大成殿災

二十五年 上章執徐之歲

小旱

督署大堂及科房災正月審涇縣民徐飛龍京控案委員推鞫數晝夜不決閽者倦焉

道光元年 重光大荒落之歲

恩科主試蕭山湯金釗前見新建熊遇泰字東品

賚年老庶民絹綿米肉有差

山田旱

賞給口糧

六合學宫改建於西門高岡

二年　元黓敦牂之歲

主試長白穆彰阿字鶴舫平湖徐士棻字辛庵

加賞旱田民春日口糧

增貢院西供給所號舍維明機神具慎微獨八字

祀端木心寅於孝子祠

三年　昭陽協洽之歲

給水災賑銀

義捐賑及貧士

立免簽快丁碑今存

重脩下江考棚及其西大程子祠學使周系英罰某童也

賜江甯周開麒一甲第三名及第　閼逢涒灘之歲

四年高堰決故水

加賑水災民春日賑銀

藩署火案牘無存

旌孝子倪之鏕

秋溧水疫

五年　旃蒙作詻之歲

主試黃陂劉彬士字璞石新城陳用光字碩士

小水

運河淤塞議行海運戶部尚書英和巡撫陶澍議也

漕督魏元煜字燮軒署總督

六年　柔兆閹茂之歲

總督琦善字靖庵

試行海運治運河

旌孝子甘遐年

淸涼山翠微亭發蛟淸涼寺九間大殿冲倒三間牆壁俱圮水深數尺入城河

七年　强圉大淵獻之歲

復行河運

八年　著雍困敦之歲

春連陰溧水無麥

主試長白鍾昌字仰山宜黃黃爵滋字澍齋

總督蔣攸銛字礪堂

脩南門闕石道江甯縣傅璋有碑

旌孝子楊銓

九年俘逆囘張格爾 屠維赤奮若之歲

藩司賀長齡纂經世文編刊以教士

藩司賀長齡浚城內外河道

十年 上章攝提格之歲

淸涼門草場人斸地得鐵槌數十枚入縣庫

總督陶澍字雲汀

十一年 重光單閼之歲

水災紳民議閉上水關閘板

免溧水錢糧十之四

八月地震二十四日

主試延津申啓賢字敬汀廣安鄭瑞玉鄉試以水改期九月武闈改次年三月

總督陶澍兼鹽政

十二年　元黓執徐之歲

立豐備倉於石城門街陶公首捐銀五千兩紳士增捐又建廣豐備倉於羅寺灣

三月靜海寺災

恩科主試蕭山湯金釗三見光澤龔文煥字霞城林中丞改黜名章程

十三年　昭陽大荒落之歲

江甯府俞德淵移建鳳池書院於五松園

水高淳溧水給賑秋溧水疫

疏支河至北門橋乾河壖建見山亭

八月文德橋闌圮鈔庫街大火人衆所致溺數十人

重改朝天宮得明永樂告天文石刻

十四年　閼逢敦牂之歲

主試仁和龔守正字季思昆明趙光字蓉舫
春雨甚溧水無麥緩其上忙錢糧
十五年　旃蒙協洽之歲
恩科主試華陽卓秉恬字海帆襄陽單懋謙字地山
恩蠲十年以前正耗民欠銀糧及因災緩徵帶徵銀穀並借給籽
種口糧牛具及漕項蘆課學租雜稅以
皇太后六旬萬壽也
旱
十六年　柔兆涒灘之歲
上江兩縣學重建青雲樓洒埽會也并賡學額
移八蜡廟於欽天山
十七年　强圉作詻之歲

主試清苑王植字曉林蒙古柏葰字聽濤

上元萬保廷重宴鹿鳴

陶文毅建惜陰書舍於盋山園

脩上江兩縣學魁星閣

安徽紳士廣上江考棚

十八年　著雍閹茂之歲

上江兩縣學新明德堂併志道等四齋酒埽會也

旌孝義甘福

水

江浦縣鄧夢鯉脩文廟告成

高淳民施曰堅年百歲

十九年　屠維大淵獻之歲

水

預行子科主試官黃黃爵滋前見烏程鈕福保字松泉

六月總督陶澍薨巡撫陳鑾字玉生署十一月又薨布政司唐鑑字鏡海代折行而河督麟慶字見亭署又以鄧廷楨調補又以本籍回避鄧字嶰筠乃以雲貴總督伊里布字莘農調補二十年春赴清江接印後大閱六月駐蘇州聞定海陷自請赴浙督師而巡撫裕謙字魯山署七月接印明年正月奉旨赴浙巡撫程矞采字晴峯署裕公殉難巡撫梁章鉅字茝林署

二十年英人擾浙上章困敦之歲

總督伊里布赴浙督師裕謙署總督

恩科主試長白文慶字孔脩益陽胡林翼字詠芝以水改期如辛卯

水

溧水大水知縣劉佳捐給口糧刊高平義賑錄

免溧水錢糧并加振給

上元黃榮曾重赴鹿鳴

續纂江寧府志　卷之十

二十一年　重光赤奮若之歲

裕謙補總督

裕謙殉難鎮海謚靖節

水給振高湻

溧水地生毛

總督牛鑑字鏡汀

二十二年　元黓攝提格之歲

六月朔未刻日食既（午後非燭無所見一小時許漸明）

六月十四鎮江破於英人（牛鑑盡撤兵及火器入城備守禦）

城內紳民分段自立保衛防宵小內訌日夜梭巡稽查寺院客寓賭場妓館甚細故四城安堵（九月三十撤散保衛）

二十八日洋船抵草鞋夾閉城

七月五日洋人占居上元縣丞署在觀音門

藩司黃恩彤親赴洋船撫之十五日洋人輸平燕耆英伊里布牛鑑黃恩彤於其舟二十一日燕洋人於上江考棚二十四日立和約

八月朔陡發大水平地四尺以河決桃源北眾興也

二十五日洋人游正覺寺報恩塔二十九日洋人遵約起椗去

二十三年　昭陽單閼之歲

主試黃縣賈楨字筠堂豐城徐士穀字稼生

閉定淮門

總督耆英字介春嗣赴粤巡撫孫善寶署

二十四年　閼逢執徐之歲

恩科主試平湖徐士棻見前大竹江國霖字雨農

水

總督璧昌字星源

二十五年　旃蒙大荒落之歲

皇太后七旬萬壽一切恩蠲如十五年例

水

二十六年　柔兆敦牂之歲

主試蒙古柏葰見前盧陵黃贊湯字莘農

二十七年　強圉協洽之歲

是年溧水男丁一十八萬五千一百四十三永不加賦內節年

滋生人丁一十六萬三千六百六十一按他縣未聞

二十八年湖南雷再浩新甯李沅發等結會匪擾寶慶此亂民之先徵也　著雍涒灘之歲

水

給高淳溧水振免徵

裁府照磨缺

總督李星沅字石梧

二十九年粵逆蠢動　屠維作詻之歲

主試長白福濟字元脩廣州杜翻鄉試改期如上二次例

大水平地深丈餘民房僅露屋極城中街衢皆掉瓜皮小艇或乃聚處城上皆徧

給振免徵

三十年揚州運司署災檔案全燬　上章閹茂之歲

藩司徐廣縉議不行大錢

總督陸建瀛字立夫改淮南爲票鹽

奉試文童加試性理論一場縣府試行之

咸豐元年河決豐縣蟠龍集北流之先徵也　重光大淵獻之歲

恩科主試蒙古瑞常字芝生黃陂金國均字可亭

恩免道光三十年以前民欠地丁錢糧

豐工決口總督自請塞之未合龍河遂北流此北流之始

溧水麥秀兩岐

高湻韓敬二年百歲

二年　元默困敦之歲

主試錢塘沈兆霖字朗亭仁和葛景萊字蓬山

總督自請迎勦粵匪明年正月十九日師潰回未練之例兵也

地小震

地生白毛

提督福珠隆阿以其眾來助防明年死之

三年　昭陽赤奮若之歲

正月二十八日粵匪來二月初十日城陷將軍祥厚總督陸建瀛死之

正月溧水地震有聲三月又然

地震

總督怡良四月至駐常州

彗見

欽差大臣向榮統師至三月杪

四年　閼逢攝提格之歲

三月初六日稟生張繼庚謀內應殺賊事洩死之

五年　旃蒙單閼之歲

諸水無故自溢

本科鄉試九年於浙闈補之

六年河決銅瓦廂遂成北徙　柔兆執徐之歲

旱蝗江北大飢

有大星西南流有光芒數丈

向大臣師退守丹陽七月薨於師

欽差大臣怡良署

七年　彊圉大荒落之歲

總督何桂清

欽差大臣和春復立營於孝陵衛

八年　著雍敦牂之歲

高湻楊廣瑜妻邢氏年百歲

本科鄉試於同治三年補之

江寧知府鄭濟美設撫卹局暨書院於湻化鎮

九年　屠維協洽之歲
主試商城楊式穀字詒堂長白阜保字蔭芳借浙闈鄉試
十年　上章涒灘之歲
熒惑有芒　旌上元壽婦馬蔡氏五世同堂
欽差大臣曾國藩字滌生總督兩江
十一年　重光作噩之歲
本科鄉試於同治六年補之
浙江巡撫曾國荃率師剿賊駐軍省城南門外雨花山
彗見
同治元年　元黓閹茂之歲
恩科鄉試於九年補之
江南軍營大疫

二年　昭陽大荒獻之歲

五月十三日浙江巡撫曾國荃提督楊岳斌侍郎彭玉麟攻克燕子磯賊壘

十五日李朝斌成發翔劉連捷攻克九洑洲賊壘

溧水蝗

提督鮑超陸軍渡江會攻金陵

二十七日提督楊岳斌鮑超收復江浦

十月初二日侍郎彭玉麟收復高淳

十二日提督鮑超收復溧水

三年　閼逢困敦之歲

正月二十一日浙江巡撫曾國荃攻克鍾山石壘

三月初七日提督鮑超收復句容

六月十六日浙江巡撫曾國荃收復省城戮洪逆之屍而焚之

脩貢院

恩免府屬四五六等年錢漕三年以前俱蒙恩以兵災蠲免

十一月舉行鄉試主試昆明劉崐字蘊齋山陰平步青字枝山

以穀貸卹農免其繳還因鄉民還倉交收不易甚苦之從邑紳王延長請也

借給府屬七縣牛本籽種

戶部奏請江安兩省道光三十年以前豁免積欠錢糧未題豁者一概免之上海志

浚城內支河

四年　旃蒙赤奮若之歲

浚內河

立普育堂收養難民

復清節堂

復書院以教士鍾山尊經鳳池三書院改建鍾山書院於城西新廊

瘞枯骨

試武月課以靖凱撤將弁

立七屬招墾局

溧水水

總督李鴻章署字少荃

繕城塡壕

借給七縣牛本其後惟江浦令吉昌挪用未繳

十月江浦立昭忠祠

五年七月高郵清水潭河決淮北大水　柔兆攝提格之歲

改建府學於朝天宮故址

立刊官書局

復惜陰書舍以古學教士

六年　強圉單閼之歲

主試南皮劉有銘字鐫山樂陵王榮瑄字玉文

增貢院號舍

旱水涸

奏立導淮局或由成子河至桃源或由張福口入清河

三月曾國藩再督兩江

七年　著雍執徐之歲

奸民何至華在丹徒詐稱買墳山開礦鄉民逐之此江以南言挖煤之始故特書之

恩廣學額上元江甯各五名六合六名

恩准抵徵又以水旱如七八九十一十二等年偏災俱蒙　蠲免

祀朱桂楨於鄉賢祠

九月總督馬新貽字穀山

奸人呈請在句容寶華山挖煤總督禁之上海人魏鏞也

八年　屠維大荒落之歲

水初道光中常患水東水關因用石堵塞至是拆去石工仍用閘板

建上江二縣學於舊址

立育嬰堂

高淳重建縣學

九年　上章敦牂之歲

主試長白銘安字鼎臣長樂林天齡字錫三

立會試公車費勒石於府學明倫堂

民間傳言奸拐迷人

南城外大火飛火入城延燒高岡里民舍梅藩司上城親督洋龍救息

浚北河口挑築沙洲圩大埂藉助防軍兵勇力江寧縣知縣莫祥芝請也

七月盜張汶祥刺總督於演武廳

賜總督馬新貽謚端敏

將軍魁玉守時若署總督

冬曾國藩三督兩江

浚大勝關河

祀潘鐸於鄉賢祠

脩六合浮橋嗣後三年一脩

脩高淳大小圩工

十年 重光協洽之歲

立勸學官書局在惜陰書舍

浚秦淮至東水關

祀伍光瑜於鄉賢祠

南城外合字營掘地得肉芝人不識也

十一年　元默涒灘之歲

二月曾公薨於位謚文正

三月何璟字小宋署總督十月以憂去

張樹聲字振軒署總督

府學始習樂舞

祀何汝霖於鄉賢祠

紳民公立民不能忘碑在石城門外爲曾文正公也

十二年　昭陽作詻之歲

主試南皮劉有銘見前安化黃自元字菫畬

總督李宗羲字雨亭

奸民王浩生請在上元句容挖煤制軍禁之

淩上元句容之便民河在棲霞石埠橋

祀陳授於鄉賢祠

十三年日本違約籌辦海防　閼逢閹茂之歲

脩上江兩縣新志上元莫祥芝江甯甘紹盤

築下關烏龍山沙洲圩礮臺

奏建向張二忠武公祠從邑人請也

二月六合學宮工竣

光緒元年　旃蒙大淵獻之歲

恩科主試臨桂周瑞清字鑑湖南鄭王炳字竹安

蠲緩貸一切如道光咸豐元年例

開辦大徵以前皆仿皖章辦抵徵也

溧水丁漕減成徵收

二月劉坤一字峴莊署總督七月總督沈葆楨字幼丹

二年　柔兆困敦之歲

主試仁和龔自閎字叔宇漢軍邊寶泉字潤泉

總督沈葆楨閱兵

有星晝見

溧水丁漕減數徵收

三年河南飢　強圉赤奮若之歲

旌上元民歐陽國順年百歲

旱

邑紳石楷首倡捐積穀一千石並勸捐五千餘石俱儲廣豐備倉

捕蝗蝻

飭江浦防軍開浦口東朱家山河

恩減上元江甯句容江浦六合五縣漕糧十分之三

豫晉兩省饑江甯各屬士民捐貲助振不議獎

十月溧水學宮工竣

四年山西飢　著雍攝提格之歲

上元知縣程遵道議開赤山湖圖說甚詳以費巨未行

掘蝗子

豁除江興二衛快籍編審沈制軍會奏

是年總督司道府縣共捐積穀三千五百石稟儲於紳富捐穀

廣豐備倉內歸紳士經管

旌江甯舉人甘元煥母鄧氏樂善好施額豫饑助振千金也

恩免高淳沈田攤派虛糧仍舊六升六合起科

高淳立禁漁筏碑於當塗界花津護駕墩等處

脩六合通江集圩埂

脩江浦扁擔河

五年直隸水　屠維單閼之歲

主試高要馮譽驥字展雲仁和許有麟字石卿

始籌各書院經費常年專款制軍沈公從紳士石楷籌議也

浚城內河道

沈葆楨薨於位謚文肅

巡撫吳元炳字子健署總督

封烏龍山龍神曰靈護

上元溫葆深重宴鹿鳴　賞給頭品頂戴溫辛巳舉人今光緒七年無科

旌孝子梅續高

有倡立義渡於下關者止之以礙貧民操舟生計也據云其舟朽敝載人太多于是石紳稟官爲下關大勝關二渡脩整船柁使民駕之而禁其多載

旌候選同知上元吳靖母王氏及江寧文生翁長森母劉氏以樂善好施額各以千金振山西直隸也

脩六合犁團兩圩埂

防軍仍脩六合江浦朱家山水道明年防軍北去而罷

六年　上章執徐之歲

總督劉坤一

賜江寧黃思永一甲第一名及第

上元溫葆深重宴恩榮　賞加太子少保銜溫壬午進士

永禁府屬各山挖煤立石於縣學制軍從紳民請也

重建句容縣學工竣

六合脩三鋪堡培路疏溝設陡門脩圩埂

恩免溧水湖坍浮糧如高淯所云浮糧也

溧水男婦大小八丁六萬八千七百七十二同治十三年知縣丁維濤查凡三萬七千一百八十八口他邑未之聞

秋不雨

旌同知銜湖北候補知縣江寧傅鎔母二品命婦林氏以樂善好施額助直振千金也

續纂江甯府志卷之十一上

江甯鄧嘉緝分纂

表 秩官 守令

省會設官多於支郡固也然名同而職掌今異於昔者惟制軍嘉道中重河務故常半歲駐工上至霜降後大溜歸槽 奏安瀾乃已今時重邊防海水不波琛賮之颿屬於南洋者不絕朝正慶賀之使商賈遊覽來觀 國光之士昧任侏離不能繩以司寇之法仰體聖仁所以褱柔萬方之畧此曏者所無也其餘諸秩官亦小有不同今記其大畧作續秩官表

同治上江兩縣志云將軍一員從一品副都統一員正二品筆帖式三員九品順治二年由京分派駐防馬兵四千名每名馬一匹月餉二兩米二石五斗閏月如之乾隆二十八年移駐京口馬兵一千一百三十七名江甯存二千八百六十三名今存三百三十六名調到荊州兵

八百一十六名步甲五百七十二名（每名月餉一兩米三斗閏月如之今存六十一名新到荊州兵一百一十二名十二年到）養育兵千五十名協領八員從三品（每旗一員）佐領三十二員正四品（每旗四員）防禦四十員正五品（每旗五員）驍騎校四十員正六品（每旗五員）凡官兵年關俸餉銀二十三萬五千八百五兩九錢四分（按俸餉馬乾由藩司於本省地丁項下撥入紙張銀硃銀年需一百二十兩大閱獎賞銀三百三十兩亦由藩司呈解）凡領催二百四十名（每旗三十名）委署前鋒校十六名前鋒百二十八名米六萬四千二百八十一石八斗豆一萬六百五十六石七斗（皆由藩司撥解）鹽菜銀一千二百九十八兩三錢四分七釐（由運司解內有京口三百二十九兩）其軍裝在教場田租銀內撥款修補（將軍都統鑲黃大纛各一每旗大纛十五盔甲三千四百九十六弓如之箭十六萬五千七百二十腰刀長鎗各三千六百二十一抬鎗三百二十鳥鎗一千四百其教場田租歲收銀一千五百六十四兩外有充公地租銀歲入一千二百七十兩幕府山西大江中八卦官洲年交錢一萬一百緡兵得柴二十束其修理營房每兵借餉一年例由江藩司在旗兵月支餉銀分八年扣還其各項差務一切公費在將軍應得鹽規及官兵鹽菜銀內撥用）馬甲

二千四百七十九名鑲黃三百九名正黃少一名鑲紅加三名餘五旗俱三百十名礮手六十一名弓箭鐵匠各四十名此與會典微異以係今事故錄之

將軍　本智嘉慶年任　普恭　岳興阿　以上皆道光年任　祥厚咸豐三年殉難　蘇布通阿　和春　都興阿　巴揚阿　以上皆咸豐年任　富明阿　魁玉　以上皆同治年任　穆騰阿光緒年任　希元光緒六年任

副都統　常德道光年任　霍隆武咸豐三年殉難　富明阿　魁玉　以上皆同治年任　富陞光緒年任　姚田光緒六年任

兩江總督一員從一品使相正一品侯伯超品兼兵部尚書都察院右都御史雍正元年加銜兼理河務道光中歲以伏秋二汛赴清河安瀾始回省　兩淮鹽政道光十年裁鹽院使兼之五口通商大臣同治中始南洋大臣光緒中專理地方軍務糧餉按會典轄本標中左二營兼江甯城守京口八營揚州高資二營其中營副將一人兵六百六十四名左營游擊一人兵五百七十九名城守協副將一

人轄左右營以上皆住上元此協兼轄奇兵浦口瓜洲溧陽四營其左營兵四百九十右營兵四百八十九奇兵營住儀徵兵六百十一兼靑山營住儀徵兵八十浦口都司住浦口兵三百七十溧陽都司住溧陽兵二百八十八江都縣瓜洲守備兵三百五十三名京口協內河水師副將住江陰其左營兵七百九十六右營兵八百零一左營住靖江右營住瓜洲皆游擊也右營守備住韓橋揚州府游擊兵九百六十五丹徒高資水師都司兵五百八十一名鎮撫江蘇安徽江西之治而受其成以佐　國家奠南服大計則以八法弊羣吏之績而舉劾之達於部武鄉試則以主司兼監臨蒞之學使者拔貢優貢則與巡撫會考焉四歲則閱邊凡寅午戌年在會垣者三時操演無定期武月課則月試之外洋之通商者褱柔之嘉慶十七年重修會典較乾隆中會典兵少七十二名同治來又不同詳軍制志

總督　百齡嘉慶十七年任　松筠二十年任　孫玉庭二十年任　二十三　陳桂生署　孫玉庭　魏元煜道光五年署　琦善五年任　蔣攸銛八年任　陶澍十年任　林則徐署　陶澍　林則徐署　陶澍十九年任　陳鑾十九年署　麟慶署　鄧廷楨未到任　伊里布

二十年任裕謙署伊里布同任程矞采署裕謙二十一年任梁章鉅署牛鑑二十
二年任耆英二十二年任孫善寶署耆英同任璧昌署陸建瀛署李星沅二十
八年任陸建瀛二十九年任楊文定咸豐三年三月署怡良三年四月任趙德轍六年四月
署何桂清六年五月任薛煥十年夏季任曾國藩十一年七月任李鴻章同治三年十一月署
曾國藩三年十一月回任李鴻章四年五月署曾國藩六年正月回任馬新貽七年九月任
魁玉九年九月兼署曾國藩九年閏十月回任何璟十一年三月署張樹聲十一年十一月署李
宗羲十二年三月任劉坤一光緒元年二月署沈葆楨元年十月任吳元炳四年四月署沈
葆楨四年五月回任吳元炳五年閏三月署沈葆楨五年五月回任吳元炳五年十二月署劉坤
一六年六月任

織造一員以內務府郎中員外郎爲之掌造作縑帛紗縠之事用異其物品異
其式月有要歲有會檢其不如法者一曰神帛以事神元宗廟順治
八年定江甯織造局神帛機三十張歲織帛四百端又准部移額
造二千端其文兼清漢曰郊祀告祀其色青黃曰奉先其色白曰

禮神其色青赤黃白黑曰展親曰報功其色白曰素帛其色白不織文乾隆四十三年定例不敷用者部文行知如數辦解二曰誥敕以封贈文武庶官康熙元年設官誥機三十五張誥命用五色或三色絲文曰奉天誥命敕命用白綾文曰奉天敕命用升降龍清漢字一品玉軸鶴錦二品犀軸蝙蝠錦三四品貼金軸五六品角軸牡丹錦七品以下角軸小團花錦三曰采繒以待庶用采繒長丈六尺廣尺六寸供結采之用鸞衣校尉衣長四尺二寸廣尺七寸袖八寸色木紅官綠凡內務府之需爲之綜理和市覈實而册申之兼監督龍江西新二關之稅會出入之籍而參考之以達部龍江關稅銀四萬六千八百三十八兩銅觔水腳銀一萬七百六十九兩奇盈餘銀五萬五千兩嘉慶十七年重修會典云西新關正稅三萬三千六百八十四兩銅觔水腳銀七千六百九十二兩盈餘銀三萬三千兩見戶部貴州司　按此與縉紳所載不同其屬司庫一員正七品筆帖式二員七品庫使二員正八品烏林大一員未入流

現行江甯織造衙門各款光緒六年

現漢府倭緞堂共設機貳伯玖拾伍張連搖紡局役等匠月倉米伍伯[illegible]拾柒石伍斗均歸江藩庫移支銀陸伯柒拾餘兩散放其銀卽

各州縣所解前項米折銀兩

歲領內府戶部大運額撥銀肆萬兩由江藩庫地丁蘆課銀兩撥給

例辦內府大運額撥銀肆萬叁千叁伯叁拾叁兩叁錢叁分

例辦戶部大運壹萬肆伍千兩添派在外

每年額撥上元江甯江浦六合四縣米五千石無和二州米五千石經解織倉收儲散放十一十二兩月在於江藩庫內移支銀兩

例設緞堂紗堂搖紡堂染堂挑花堂現在局房間不敷染堂搖堂在外辦理

倭緞堂向在常府街細柳巷口現今附入珠寶廊漢府局內向織上用素緞倭緞等項

神帛誥命堂向在皇城厚載門內現在尚未開辦

哈密吐魯番親王倖緞暨伊犂塔爾巴哈台烏什葉爾羌暨所屬和闐阿克蘇喀什噶爾喀沙拉爾等處應用緞綢蘇杭甯三織造分

辦江甯例分辦壹千貳叁百疋現奉戶部照會准陝督部堂咨

送冊籍行令籌款開辦

青海郡王等處應用俸緞江甯分辦柒拾捌疋辦解有年

年貢萬壽貢端陽貢均因龍江關未開暫行停辦

向例漢府額設機伍百伍拾肆張機匠壹千陸百陸拾貳名月倉米陸百陸拾肆石捌斗

搖紡額設匠肆百柒拾捌名月倉米壹百叁拾捌石陸斗貳升

挑花等匠叁拾名月倉米拾叁石伍斗

局役壹百貳拾貳名月倉米柒拾陸石柒斗

倭緞堂機肆拾陸張匠壹百拾捌名月倉米肆拾柒石貳斗

搖紡額設局役等匠玖拾叁名月倉米叁拾壹石捌斗

欽差織造存棟掌印司郎中道光三十年七月任　中福營造司郎中咸豐元年七月任　興保奉宸苑卿

銀庫郎中二年七月任　中福見前二年九月署　文熊銀庫郎中二年十一月任三年正月帶印赴儀徵查口

福善武備院郎中四年正月任文熥廣豐司郎中四年十二月任松齡廣儲司六庫郎中五年十二月任
葛林慎刑司郎中六年十二月任景綬圓明園郎中七年十二月任啟裕甯壽宮郎中九年十二月任兼
署淮安鈔關松瑞圓明園郎中同治元年四月任祥佑掌儀司郎中五年五年任春年四品銜廣儲司磁庫
員外郎六年六月任廣順造辦處郎中七年十二月任忠誠三品銜造辦處郎中八年十一月任慶林二品
頂戴升補三品卿銀庫郎中十年八月任錫奎二品頂戴題補卿銀庫郎中光緒元年九月任明勳三品頂戴皮庫
員外郎三年十一月任定昌三品頂戴上駟院郎中五年十二月任

江甯布政司掌稽江淮揚徐通海財賦之政舉劾所屬之賢否而申於督撫以黜陟之治江甯府按　國初通安徽爲一省設江南布政司治江甯順治十八年分爲左右二布政司左領安徽全省而兼今之淮揚仍治江甯右領江蘇松常鎮而治蘇州康熙六年改左右之名曰安徽江蘇雍正二年松升海通太六泗爲直隸州十一年徐州升府十三年潁州升府乾隆初猶曰江蘇布政司而安徽布政司仍治江甯如故二十五年始使安徽布政司回治安慶而添設江淮揚徐海通布政司治江甯成今制以尹繼善奏也名曰江甯布政使司同治三年以來兼善後局

江甯布政使司恆敏嘉慶二十五年　張志緒道光五年　慶善七年　安甯八年　賀長齡九年　陸言十一年　趙盛奎十三年　陳繼昌　李璋煜署　傅繩勛　唐鑑　崇恩　成世瑄二十二年　徐廣縉　馮德馨　以上皆道光年任

祁宿藻咸豐元年任三年積勞故　涂文鈞三年二月署初十日殉難　陳啓邁三年四月任　麟桂三年六月署　趙德轍三年九月代辦　楊能格三年十一月署　趙德轍三年十二月又代辦　麟桂三年十二月署　楊能格四年二月暫行收印　文煜四年三月十八日任　楊能格四年署　何俊四年七月署　梁佐中高要縣人戊子舉人六年五月任　聯英九年八月署　喬松年九年十一月署　薛煥九年十二月任　喬松年十年六月署　王夢齡大興貢生十年六月任　吳棠盱眙舉人十一年十二月任　喬松年同治二年四月任　吳世熊仁和貢生三年二月代理　萬啓琛豐城貢生三年二月任　勒方錡新建人甲辰舉人四年六月代理　李宗羲開縣人丁未進士四年十月任　杜文瀾秀水人六年九月代理　孫衣言瑞安人庚戌翰林八年四月署　梅啓照南昌人壬子翰林八年十月任　勒方錡光緒二年十一月署　孫衣言三年四月任　桂嵩慶臨川貢生五年八月代理　盧士杰光州人癸丑翰林五年十一月任　梁肇煌番禺

八癸丑翰林
六年三月任

江安督糧道轄江甯安慶甯國池州太平廬州鳳陽淮安揚州徐州潁州十一府七州漕務一員正四品駐江甯養廉三千兩庫大使一員從九品府屬惟上元江甯江浦六合句容有起運漕糧額設江淮九幫糧船四十五隻興武二幫糧船三十八隻九幫糧船二十四隻輸兌五屬漕米上元漕項正銀七千四百七十一兩一錢二釐耗銀照加一外加津銀七百三十九兩七錢一分五釐又本色米一千八百三十一石三斗六升五勺漕糧正耗米一萬二千三百八十八石九斗五升四合九勺江甯漕項正銀四千六百八十四兩九錢四分二釐耗銀照加一外加津銀八百四十二兩九錢七分九釐又本色米一千九百三十三石一斗九升二合七勺漕糧正耗米一萬一千七百二十石九斗八升二合一勺外縣未聞自咸豐元年豐工決口後河道梗塞漕運久停軍興以來江屬漕糧復改征折色解糧台充餉舊時旗丁承運糧船又經折變同治四年漕督吳棠創議雇用民船試行河運於清淮軍需項下籌款買米三萬石委淮揚道劉成督運赴通五年春間起運江北淮揚通等屬四年冬漕仿照上章由官設局買米四萬石雇民船復行河運是年江北水災各屬冬漕僅收米一萬四千石零經署總督李奏請全數截留以爲兵米七年糧道王大經詳請改由海運計淮揚通等屬漕糧共五萬七千三十石有奇由江北運至上海兌交沙船由吳

淞出口赴北八年仍由海運計淮揚通等屬及江甯抵征項下采買米石共八萬九千餘石九年改辦河運其米民折官辦十年河運計淮揚通等屬漕糧共米五萬七千二十六石有奇而江甯屬二萬四千石十一年統計淮揚通等屬及江甯屬抵征項下買米三萬石共該米一十萬五千八百六十二石有奇十二年計淮揚通等屬及江甯抵征項下買米三萬石共該一十萬六千八百六十四石有奇同治十三年計淮揚通等屬及江甯抵征項下采買米共一十萬五千八百七十二石有奇以上據上江兩縣新志

江安督糧道沈兆澐　岳鎮南俱道光年任　陳克讓咸豐三年殉難　存葆咸豐三年署　吳其泰四年　趙德轍四年署　書齡五年　湯雲松六年　史葆悠七年　王朝綸八年　李鴻裔同治三年署　許道身四年　杜文瀾五年署　王大經六年　衛榮光十二年　薛書常十三年署　劉傳祺光緒元年　張富年　松椿二年　師榮光五年　德壽六年署　張富年六年補

江甯[illegible]鹽法道分巡江甯府兼管水利事務一員正四品駐江甯舊廨三千兩　江甯巡道新管長江水師三江十四營餉項蘇省牙釐安徽牙釐江西牙釐各局皆每年額解十六萬兩蘇省由瓜

洲釐卡皖省則大通釐卡六萬皖南茶捐局十萬兩江西由湖口釐卡撥解皖南茶釐又年撥解火藥經費銀一百兩湖口又年加撥船廠經費銀一萬兩飛划船經費則蘇滬兩釐局年撥五千兩大通釐局年撥五千兩

江南鹽法道

方體 嘉慶二十八年任

李象鵾 道光十九年任

積拉明阿 道光年任

吳葆晉 咸豐年署

涂文鈞 咸豐三年

龐際雲 同治三年八月署四年十二月准補直隸甯津縣人壬子翰林

淩煥 同治八年十一月署安徽定遠縣廩膳生

孫衣言 同治十年三月署十一年正月准補浙江瑞安縣人庚戌翰林

袁保慶 同治十一年十二月署十二年六月病故河南項城縣人戊午科舉人

劉秉厚 同治十二年六月署山東章邱縣人丁未科進士

鄧裕功 同治十二年十一月任湖北江陵縣附貢生

勒方錡 同治十三年十月署光緒元年六月准補

陶寶森 光緒元年九月署江西南昌縣人丙辰科進士

王福保 光緒二年任湖北黃陂縣人壬戌進士

劉秉厚 光緒三年二月署三年四月准補五年閏三月病故履歷見前

蔣啟勛 光緒五年閏三月署湖北天門縣人庚申進士

德壽 光緒五年十一月十六日任內務府鑲黃旗漢軍吉瑞管領下人繙譯生員二品頂戴

張銘堅 光緒六年署安徽人己酉拔貢

續纂江甯府志卷十一下

江甯鄧嘉緝分纂

守令表

守令今府縣也親於民故治績之善否不可掩足以宣究恩德通達上下使民時作息足衣食寬然有自適之樂而相與以廉恥爲重則可謂良吏已粵逆平自曾文正公以來大吏知民力彫敝求治頗得其序府縣競競務稱其職若夫治行尤優具諸宦蹟今第第其姓氏著於篇作守令表校官及丞佐坿焉

	江甯府知府	上元縣知縣	江甯縣知縣	句容縣知縣	溧水縣知縣	江浦縣知縣	六合縣知縣	高淳縣知縣
嘉慶朝	邱樹棠南屛湖北縣進士				周垣山東金鄉縣進士	牛先達定襄縣舉人	王失名 杜念典	高人舉縣舉人十八年

楊　馥

梁蘭滋

葉甲霱 福建侯官縣舉人二十四年任

黃　沛 漢軍正黃旗人進士

丁猷駿 豐城縣舉人

王之堂 署

向文璜 二十四年任

克什布 蒙古正黃旗進士

成履壯

葛　昂

黃　灝 浙江杭州人

王　頎

武念祖

王仕仁

劉大烈

朱慶湖

道光朝

余霈元　德化縣人

吳潤泉　卽元潛再任

喀什佈

羅鴻翔

劉鈴　履歷見上元年任

劉佳　浙江江山縣舉人

趙鉞　浙江仁和人由翰林院庶吉士改選有惠政

鄧秉乾

方宗翰　安徽桐城縣進士

賀崇禧　山東歷城縣進士

葉申藹　履歷見上

田如芬　山西縣舉人

周以勳 浙江縣人　劉銓 安徽人　陳鑾 芝楣湖北江夏縣人　錢有序

旗人　丁堂 再任　沈邦基　武念祖 潤泉岐山人　姚檠 直隸大興人

鄭其忠 五年任　傅璋　伍家榕 舉人　周璞 蘊山山東舉人　李金芝

陳 失名 字陶甫五年任　毛正坦 湖北麻城縣人　錢兆麐 浙江人　王清渠　陳廉

楊得時　高德明 雲南廣通縣舉人二十年任　李蕚 花樓湖南湘潭縣舉人二十三年署　周璞

王頎 履歷見前二年復任　錢燕桂 嘉興人二年署有惠政　馮應渭 十年任　李蕚 湖南湘潭

熊傳栗 商城縣進士　光謙　熊錫周 河南進士　雲茂琦 文昌縣進士　徐麟趾　舉人

秦頤齡 拔貢三年署　葉京 舉人　甯雲程 山東舉人五年任　賀雲舉 進士五年任

[illegible]

王青蓮　俞德淵 陶泉甘肅人　蘇廷玉 鼇石福建人　趙炳言 竹泉浙江人

陳道坦 陝西人　王文炳 陝西人　溫綸湛　張連茹 山東舉人　保先烈 永昌縣進士

直隸舉人署三次　徐麟趾 河南人　朱清耀　趙本敭 植夫貴州舉人　姚㮾

林用光　唐斆　王經　楊得時

履歷見上二十四年署　林向榮 附生

縣舉人十四年任　鄧夢鯉　張寬培 履歷見上　于醇如 平度州進士　白聯元 海峯山東

朱其榮 舉人　伍家榕　朱恭壽 浙江海甯州舉人　劉同纓 江西石城縣拔貢

卞鸞停 河南夏邑縣舉人六年任　姚逢熙 廣東舉人七年任　許心源 甯鄉舉人七年任　李蓴 履歷見前

王錫蒲　善慶　王用賓　安徽人　溫子巽

毓彬　旗人　吳廷獻　山東人　馮思澄　黃冕　湖南人　張寬培

履歷見前　楊維藩　曉嵐福建監生　李彭齡　漢軍旗人　劉大烈　安徽人　王採

山西舉人　梁園棣　王會圖　張寬培　采訪册云三任句容初次勤慎二次嚴明以僚

進士　姚元爔　理堂安徽貴池縣舉人　彭光祥　四川舉人　劉坦　竹樵直隸進士　周璞　履歷見上

嚴緯　聞鏞　護理　黃紹原　林向榮　履歷見前　黃夢麟

王之棠　朱其榮　舉人　嚴偉　舉人　朱奕亨　拔貢　孫炳煒　通判署

沈兆澐 雲巢直隸天津人

顏以燠

樊師仲 奉天人二十二年

查文經 耕六湖北人

履歷見前

張銘曉 山東濱州進士

龔善恩 安徽合肥縣進士

李映棻 香雪瀘州進士

屠元瑞

楊遵實 山東進士

王紹復 伯陽山東人

陳介眉 山東拔貢

秋家丞

友僕從多舊人防閑尤密

白上采

楊鳳翽 永和縣拔貢

錢燕桂

劉佳 嘉興縣人十六年任

李恩慶 四川重慶府進士

劉同纓 履歷見前

衛榮簡 迪臣山西舉人

李守誠 次生宜黃舉人殉八年六合難

蓬萊縣舉人

張銘曉 履歷見上

都棨森 海甯州舉人

安徽黟縣人通判署

羅鶴翔 浙江人監生十七年任二十九年又署

王元本 進士十八年任

周際華

黃存厚 二十九年任

查文經 再任

吳葆晉 宏生

徐青照 稚蘭浙江人

張之濬 山東人

范仕義 廉泉雲南進士

方傳書 安徽桐城縣人

劉同纓 履歷見前

履歷見前十七年任

姚文 邦生浙江人十九年任

許道生 浙江附生

王檢心 內鄉縣舉人二十三年任

貴州進士二十年任

王會圖 廬州舉人二十年任

徐林春 歸安縣進士二十一年任

尹宗澮

沈濂

王慶瑞 順天人二十九年任

進士 胡椿

貢生 白聯元 履歷見前二十四年任

王檢心 履歷見前二十五年任

黃鏡清

舉人二十五年署

謝邦鑑湖南進士二十六年任

阿勤濤滿洲正紅旗舉人二十八年任

錢德承慎庵浙江山陰

縣監生二十八年任

向柏齡 湖北舉人二十九年任

咸豐朝

魏亨逵 直隸人	張寅 安徽桐城人
劉同纓 履歷見前三年任殉難	岳恕
張行澍 河南人三年任殉難	王省山
郭 失名	杜代侃
陳敦詩 湖北沔陽州舉人元年任	林戴榮 直隸大興
曾勉禮 長甯縣監生	袁瑞麟 履歷見上
溫紹原 伯屏湖北江夏縣監生洊升候補道殉難	李守誠
章乃登 浙江舉人元年任	祁之鈐 山西

趙德轍　靜山山西人三年任
劉釗
劉存厚　山東人鎮江大營殉難
存祿

姚文　見前　禝歷
虞運文　安徽合肥縣人八年任
玉亮
徐上達　曉泉四川

姚俞
王恩培
范驤　再任
劉釗　再任

曾錫三
趙廷銘　伯庸貴州遵義縣進士九年任
杜可謙　湖南人十年任
周　失名

人二年選三年殉難省城
周硯銘　河南舉人三年任八年殉難
德明　滿洲人九年署
張毓林　安徽盱眙縣拔貢十年任

陶金貽　安徽滁州監生
宋傳燧　懷遠縣監生九年任

宜黃縣舉人殉難
陶金貽　安徽滁州人
張肆孟　集南四川巴縣監生
陳志培　定遠縣舉人
袁瑞麟

舉人三年任
黃友焯　善化縣舉人三年任
姚俞　三年以理問署
楊承忠　湖南長沙監生四年任

人五年任

溫紹原 履歷見前六年任

鄭濟美

七年任有惠政殉難

楊承堪

進士

胡克文

殉難

袁瑞麟 山東人

山東人

楊鍾琛 子穆江西清江縣人監生

馬鴻翔 山東濟甯州舉人

		同治元年	二年
江寧府知府	周成璋	楊鍾琛 履歷見前	
上元縣知縣		唐瀹 浙江蘭溪縣監生咸豐九年到任	
江寧縣知縣		禹志漣 湖南湘鄉縣人軍功署	
句容縣知縣			杜代侃 湖南宜章
溧水縣知縣		范驤 同治元年任	曾紹傳 省三江西金溪
江浦縣知縣		曾惠 廉叔長甯縣人	符宋英 洪三江西新建監生同治元年二月任殉難江西
六合縣知縣		姚愈安 貴筑人	楊介福 江會稽
高淳縣知縣		包家丞 欣石安徽涇縣拔貢咸豐十一年到任	

以上皆同治前檔册無存僅得之采訪者

	三年	四年
	涂宗瀛 朗軒安徽六安州舉人	
		李師濂 蓉江河南林縣進士署
		王鴻訓 子蕃四川井研縣舉人署
縣監生代理	依勒通阿 健庵荊州駐防正紅旗滿洲筆帖式署	周光斗 山東東阿縣監生署
縣供事	程祖寅 貴州貴定縣舉人	陳斌 四川南充縣監生署
昌 松崖	黃國光 廣西奉議州舉人署　黃倫秩 湖南湘陰縣監生代理　黃國光 回任	聶輔 江西新建縣監生署
縣監生	戴元履 浙江錢塘縣附監生署　于寶之 山東榮城縣附監生署	莫祥芝 善徵貴州獨山州附生署
		張金奎 直隸磁州監生

本頁原殘闕，現據南京圖書館藏《光緒續纂江寧府志》（光緒六年刻本，光緒七年初印本）補字。

	五年	六年
		張開祁 紹京安徽桐城縣副榜
康挹玉 直隸滿城縣歲貢 代理 張肆孟 前履歷見		莫祥芝 前履歷見
	龍寅綬 右村廣西臨桂縣舉人署	
查祥考 安徽涇縣監生署 吉昌 鑲白旗蒙古筆帖式		逄恪夫 山東諸城縣廩生 代理 匡懋綸
		許誦宣 仲甫浙江海甯州副榜

	七年	八年
		錢德承 履歷見前
		陸長齡 浙江錢塘縣監生署 莫祥芝 同任
程祖寅 山東膠州人代理 同任		匡懋綸 署履歷見前
		藍源 浙江定海廳監生署
	楊福鼎 雲南麗江縣舉人署	

九年	十年	十一年
馮柏年 直隸天津縣舉人 蒯德模 子範安徽合肥縣附貢生署	蔣啟勛 鶴莊湖北天門縣進士	趙廷銘 履歷見前代理
胡裕燕 式嘉浙江建德縣監生代理 張開祁 回任	胡裕燕 署履歷見前	
	蔣志拔 萃峰江西鉛山縣議敘署	
	李寶 順天昌平州供事署	裴輔 前署江浦
吳崇壽 安徽涇縣舉人署	龍寅綬 署	丁維 玉田縣進士
柳承先 鳳陽縣監生		齊鈴 山東臨淄縣舉人署
	徐樹釗 湖南長沙縣附監生	邵順國 浙江仁和縣監生署
	秦曾熙 浙江會稽縣監生	

十二年	十三年	光緒元年
蔣啟勛 回任		
黃祥芝 履歷見前	沈國翰 筠生安徽泗州監生	
甘紹盤 愚亭安徽桐城縣監生署		蕭煥唐 廉泉江西廬陵縣拔貢署
魏大鈞 浙江秀水縣附貢生代理 丁維 回任		徐成敟 實庵宿松縣拔貢代理
沈啟鵬 餘姚縣議敘署 葉滋森 福建閩縣廩貢生		潘祖蔡 直隸安州舉人署
王賓 山西陽曲縣監生		張振鑌 金門廣西興安縣舉人署

	二年	三年
		陸嗣齡 署見前
許誦宣 署見前	陸嗣齡 子年四川雅安縣進士署	吳元漢 樂園安徽鳳陽縣監生署
	樊燮 浙江會稽縣監生署	涂嘉驥 貴州松桃廳附貢生署
丁維 回任	陳雲逵 安徽懷甯縣文童保舉代理　丁維 回任	傅觀光 江西新建縣進士
萬青選 蘭谷湖北江陵縣吏員		李春藻 湖南長沙縣文童保舉署
	方紹曾 閬仙安徽桐城縣監生署	沈啟鵬 代理見前　謝延庚

	四年	五年
	孫雲錦 海岑安徽桐城縣增生署 蔣啟勛 回任	孫雲錦 署 蔣啟勛 回任
	程遵道 悅甫安徽績溪縣附貢生署	
		顧景濂 紹錫順天大興縣監生署
	朱聲先 浙江歸安縣監生 袁照 萬皆湖北公安縣附貢生署	
		黎光旦 湖南湘潭縣監生代理 傅觀光
		崇樸 正藍旗滿洲舉人署 盧思誠
浙江會稽縣監生		
	唐祿元 綬臣廣西靈川縣舉人	楊福鼎 署見前

同任

福建侯官縣監生

六年

趙佑宸 粹甫浙江鄞縣翰林

郝炳綸 少山順天三河縣監生署

陸元鼎 春江浙江仁和縣進士

張沇清 山東進士光緒六年任

龔長恩 少愚

張興詩 恕齋浙江舉人十月調署

於培樹

嘉慶朝

教授

教諭 保烘 閔長育懷遠舉人 朱南枝南匯貢生 汪燁歙縣舉人

教諭 訓導

教諭 潘慶齡泰州二十二年任 魏嘉謀 吴文煥 何失名 趙失名上海舉人 訓導

教諭 王文亨吳縣拔貢 查祥源婁縣貢生 江玉歙縣副榜 訓導

教諭 李光瑜廬州貢生 阮觀光太湖貢生 宋保 訓導

教諭 鄒印綬 馮汝英 盧綱舉 朱松年 訓導

教諭 卜清塵十九年任 沈開陽二十年任 訓導

倪良耀 望江

吳琢成 涇縣舉人
周葆元 荆溪舉人
李聲清 太湖貢生

吳櫝 歙縣舉人
魏益模 繁昌貢生
吳儆 華亭舉人

尹敦行 清河舉人二十二年任
方穀成 合肥舉人二十三年任

道光朝

教授	沈迺崧　曹槃 上海進士　王廷楨
教諭	陳栻 三年任　馬肇勳 七年
教諭	凌晉采 七年任　張志鴻 太倉
教諭	茅枝 四年任　張履 震澤舉人十八
教諭	江爾維 懷甯舉人　范丹樹 如皋　宮庠
教諭	胡澤淵　胡玉樹 蘇州舉人　萬鏞
教諭	陸梁　周瀛元
教諭	孫上楨 宣城舉人元年任　卓振宗 睢甯拔貢七年

訓導	署 何修道 署 尤炳文 署 宋光挺
訓導	任 王世豐 泰州 姚鵬飛
訓導	楊文鼎 宋開第
訓導	年任 陳廣鉞 蕪湖舉人 成祉 趙楷 寶應 徐逢幹 寶應附生 華廷弼 舉人
訓導	泰州舉人
訓導	楊正 繆文煥 揚州舉人 徐登鼇 山陽舉人 仲承武 海州貢生 趙克宣 鎮江貢生
訓導	
訓導	任 呂賢基 旌德拔貢七年任 楊瓊林 青陽拔貢十五年任

華元梅　阮師龍　柳增義　章先甲　署　金旭昌

汪鶴泰興貢生　喬曾如皋優貢　陳栻見前　周錫元望江人以博雅稱　薛寶田　唐秀鍾

周嘉福時亭吳江舉人　過夢劍和州

何堅先四年任　唐沂舉人　馬元德上海拔貢

夏爲銓高郵　胡國樑涇縣壬午解元

盧麟驗　胡沛澤涇縣　張夢麟含山舉人　王大然　趙學曾　陸宗麟太倉舉人

徐汝田　呂鳳球　崇桐林天長舉人　瞿福田常州副貢　趙書田丹徒副貢　徐失名寶應副貢

吳廷輔甯國舉人七年任　孟貞純　盧麟珍山陽舉人八年任　潘紹恩涇縣優貢署　王天池鹽城舉人二十

咸豐朝

教授

歐陽普 三年署殉難

教諭

陳 失名

夏慶保 三年署殉難

教諭

教諭

馬 失名

教諭

宋祥 八年殉難

劉惟金

王希閎

教諭

任琴 寶應

李復曾 鎮江貢生

陳煥新 如皋附生五年任

周 失名

泰興附生九年

教諭

教諭

三年任

徐檍 甘泉優貢二十四年任

鄒壽齡 丹徒三年任

章煥 舉人四年任

董楨

訓導

訓導

訓導　張盔三

訓導　任

訓導　任　四年

錢垂文　興化附貢　五年任

吳育禧　江都拔貢　六年任

吳瑞圖　寶應廩生　九年任

張雲棟

徐樹滋　寶應附生六年任

李許夔　通州八年任

董楨　揚州九年任

徐元達　昭文甲午解元

張失名　泰興貢生

程愷勳　元年任

王堃　江陰舉人元年任

范景瑗　舉人二年任

劉升唐　贛榆舉人五年任

職官			同治元年	二年
教授		以上皆同治前檔册無存僅得之采訪者		
教諭				
教諭				
教諭				
教諭				
教諭				王作賓 泰州附貢兼署訓導
教諭				
教諭	丁芃 山陽廪貢九年任			汪宏吉 清河廪貢

三年	四年	五年
薛廷棟 江都附貢兼理訓導		
朱大澂 荆溪舉人		
朱開第 吳縣舉人咸豐九年到任至是年兼理訓導		
朱元烺 如皋附貢兼理訓導	馮元棨 金壇增貢兼理訓導	蔡光熙 泰興附貢
許伯英 海州附貢兼理訓導	吳紹伊 履歷見前　程席齡 山陽附貢兼理訓導	吳秉成 山陽附貢兼理
崔耀曾 東臺附貢	賈受璋 如皋附貢	
符燮梅 甘泉增貢兼理訓導		高長齡 江都廩貢
徐德懷 山陽優貢兼理訓導　韓兆元 丹徒副榜		

	六年	七年	八年
	趙彥脩 丹徒舉人		
			陳 泰興舉人兼理訓導
		王治和 儀徵舉人兼理訓導	錢青選 丹徒舉人
訓導	朱成熙 新陽舉人 顏懷德 丹徒廪貢兼署訓導	章驥 泰州舉人兼理訓導	
大	王文炳	程蔚如 阜甯恩貢	
	邵敏 山陽附貢		王仞千 睢甯恩貢

年								
九年							趙書田 丹徒副榜	
十年				徐燦英 贛榆恩貢				徐寶書 山陽附貢
十一年				徐倬 江都副榜				吳清標 吳縣舉人
十二年				彭福保 吳縣舉人　楊保貞 丹徒舉人				
十三年			朱大澂 署見前	杜效曾 東臺舉人	蔡觀雲 山陽附貢		宣儒昭 海州附貢	萬嗣伯 清河增貢署

	光緒元年	二年	三年
		方榮森 儀徵副榜 王政敏 寶應舉人兼理訓導	
季寶仁 江陰舉人兼理訓導			
	胡壬源 寶應舉人		賈受璋 如臯附貢
	徐晉高 上海附貢		
吳清標 署見前			

	四年	五年	六年
楊青選 溧陽舉人	許桐 海州歲貢		
		顧履祥 泰州舉人 楊誥 甘泉廩貢	

同治	元年	二年	三年	四年	五年
訓導			吳紹伊 丹徒附貢		
訓導		張錫恩 高郵廩貢			
訓導			謝寶鼎 儀徵廩貢	張鵬南 寶應附貢	
訓導		李蓉鏡 寶應附貢		朱啟華 青浦歲貢 邵承誌 山陽附貢	何榮錦
訓導					
訓導				邵敏	韓鴻飛
訓導					
訓導			許伯英	朱成熙 見前	

	六年	七年	八年	九年
	陶躍龍 鹽城廩貢			
丹徒附貢 張振奎 丹徒廩貢	錢寶昌 江都優貢	周殿喬 山陽附貢 秦煥 無錫廩貢		
			王文炳 通州拔貢	黃亨業
元和舉人兼理教諭				
		程席齡 見前	熊文通 桃源優貢	孫遷逵

十年	十一年	十二年
	徐鋐 儀徵舉人 李愼傳 丹徒舉人	陳煥新 兼理見前
宿遷舉人 方榮森	莊兆曾 丹徒拔貢 于應圖 泰興附貢	
		丁一鵬 山陽拔貢 任光熊
泰興恩貢	蔡光熙 署見前	劉元浩 寶應廪貢
徐倬 署見前 郭宮桂 山陽舉人		

	十三年	光緒元年	二年
	王錫恩 鹽城附貢 吳部生 吳縣附貢		
			徐宸英 清河廩貢兼理教諭
	李愼傳 復任		
	張汝諶 溧陽舉人		
宜興舉人兼理教諭	劉幹貞 寶應附貢		
	蔡鳳閣 桃源舉人		

三年	四年	五年	六年
尤文淵 無錫附貢 吳振宗 吳縣附貢			
戴榮 丹徒附貢			
			陳鼎 秦煥 再任
		陸維聲 通州廩貢	李宗元 丹徒舉人
			莊兆曾 署見前
張喬森 高郵舉人			楊介福 寶應附貢

江甯府屬同通 駐省城

江防同知　陳鍾蕃定遠縣附貢同治元年任五年復任光緒四年復署　彭以竺歷城進士同治四年署　王宜昜滕縣恩賞舉人同治十年代理　卓景洵華陽縣恩賞舉人同治十年任　江於煒鄞縣附貢光緒四年署

理事同知　聯璧道光年任　舒廉廣州駐防繙譯進士同治四年署　隆山廂藍旗滿洲筆帖式

督糧同知　同治四年任十一年復署　廷俊正白旗滿洲文生同治八年任　恩秀廂紅旗滿洲筆帖式同治十三年任

督糧同知　隨汝齡金州廳拔貢同治三年任　江鴻蘭溪縣進士同治五年署　陳兆齡上虞縣監生同治六年任　祝赫固始縣監生光緒元年任

南捕通判　德明正白旗漢軍筆帖式咸豐七年任　金鴻保秀水附貢同治三年署　張廷珍新安縣監生同治三年署　平履和大興縣監生同治四年署　袁照公安縣附貢同治七年署

濮嵩慶蕪湖縣廩生同治九年代理　繡綸廂黃旗滿洲舉人同治九年署　虞運文合肥縣附貢同治九年任

北捕通判　孫炳煒道光年任　任成林嵩縣貢生咸豐十年任　祝赫見前同治十二年署　周肇文大興縣監生光緒元年署　陳兆榮續溪縣附監生光緒三年任　楊學培光緒六年任

經歷駐府署前　蔣士祺金華縣監生同治十二年選

檢校駐府署前　高毓森鄆縣監生同治十二年選　丁昌松大興縣監生光緒五年選

聚寶門大使駐南門外　張福齡河間監生光緒二年補

江東司巡檢駐江東門　張錫智新鄉監生同治八年選

龍江關大使駐下關　周祖陰宛平監生同治十一年補

江淮司巡檢駐江浦縣之浦口　虞在璣海甯監生同治十年補

秣陵司巡檢駐秣陵鎮　李維賢大興監生同治十一年補

茶引批驗大使駐省城　鄧汝章臨桂監生同治三年補

上元縣屬丞尉

縣丞駐觀音門　詹聯芳同治年任　聯科同治年任　周臣弼荷澤監生同治十年補

典史駐縣署前　張植道光年任　吳申之咸豐三年任殉難　沈秉權同治三年任　沈屋同治四年署　俞哲休甯監生同治五年任　顏保奎同治六年任　第五杰同治六年任　張嗣杰同治七年任　吳應照同治八年任　姚慕崇當塗監生同治九年任　俞哲同治十年復任　畢錦堂

同治十一年任于英基同治十二年任馬繼曾同治十三年任蘇有烱德化監生光緒元年補

湻化司巡檢駐湻化鎮褚思綬　郁傑　詹聯芳　聯科　周培經　隨麟圖　高泰奉　袁麟勛　以上皆同治年任　姚謙大興監生同治十一年補

江甯縣丞尉

縣丞駐南門外王失名湖州人道光年任程錫旂全椒監生同治四年任曹淵太湖監生同治五年任王樹蘭涿州供事同治五年任錢啟嘉興附監同治六年補潘銘恩涇縣監生

典史駐縣署前劉蘭道光年任俞慶泰紹興人咸豐年任關遠焜仁和廪貢同治四年任沈之奇山陰監生同治五年任曹淵見前同治六年任高經綸貴池供事同治六年任俞哲同治七年任蔡懋勛休甯監生同治八年任蘇有烱仁和監生同治九年任胡以丙仁和監生同治十年任姚慕崇同治十一年任呂偉堅旌德監生同治十二年任舒霖懷甯監生同治十三年任李林望江人光緒三年任

江甯司巡檢駐江甯鎮 程錫旂 曹淵 王樹薰俱見前 曹恩慶貴池附監 孫悅蘭會稽吏員 武國銘光州監生 高慶培貴池監生 陳驤大興監生 俞殿輝新昌監生 王恩榮會稽監生 以上皆同治年任 高清巖錢塘人同治十年補

句容縣丞尉

縣丞駐郭莊廟 岳緝祖山陰附生同治七年選

典史駐縣署前 沈炳湖州人 徐廷芳石埭人 馮失名 姚失名桐城人 沈鏞湖州人 陳文治湖北人 鄧汝章 以上皆道光咸豐年間任 王其昱嘉興附生同治年任以廉潔稱 黃啟仁會稽監生光緒五年補

龍潭司巡檢駐龍潭鎮 潘榮慈谿監生同治十一年補

溧水縣屬

典史駐縣署前 胡光燧大興供事嘉慶年任 王汝信嘉慶年任 王坦嘉慶年任 周鏞祥符人道光年任 李應麟道光年任 朱溥道光年任 馮星源咸豐年任 朱濤咸豐年任 陳學桂懷甯

人咸豐年任楊學培咸豐年任張夢熊同治年任張振清大興監生同治七年補陳熙南充人同治年任任慶芳光緒年任朱燾

六合縣屬

典史駐縣署前劉洪修嘉慶年任張廷杰嘉慶年任姚文相嘉慶年任李天祥嘉慶年任吳燦道光年任吳琴泉道光年任周錫光大興人咸豐年任殉難葉楙奎宛平人咸豐年任殉難翟錦文涇縣監生咸豐十一年任陳熙四川監生同治十二年署祝衍綸固始監生同治十二年署余天福盱眙監生同治十三年署洪崇駿歙縣監生光緒元年署姚森犖歸安人光緒二年署周應龍大興監生光緒三年署汪長言懷甯文童光緒五年補

瓜埠司巡檢駐瓜埠鎮湯汝槐嘉慶年任江德堃仁和監生同治二年任邵信中大興人同治三年署翟錦文見前同治四年代理龔昭璜合肥監生同治四年署安國楨日照監生同治五年署祝麒秀水人同治六年署馬時昌仁和縣監生同治七年署潘榮慈谿監生同治八年署王荃大興人同治九年署姚家澐仁和人同治十年署高昂千仁和人同治十一年署陳燾山陰監生同治十二

年補張越宛平監生光緒二年代理樓汝玉錢塘監生光緒二年胡鈞大興監生光緒四年補

稅課大使駐縣城陳植山陰監生同治五年補

江浦縣屬

典史駐縣署前諶宜曙懷甯監生嘉慶年任宋長吉江西監生道光年任潘惟新涇縣監生道光年任高璕浙江人咸豐年任張立本魯齋廣東順德監生同治年任陳銘勳建之山陰監生同治年任陳失名字立生浙江人同治年任李本榮建漁臨川監生同治年任倪寶琛歷城監生光緒年任王福增紹興監生光緒年任倪寶琛見前光緒六年再任

高淳縣屬

典史駐縣署前曹正銓失考李同叔臨江人馬蛟失考以上皆道光年任

徐邦彥大興附貢道光十八年任至咸豐十年殉難俞哲休甯監生同治二年任姚森犖歸安監生同治四年補黃爵勳宜黃監生同治六年署洪業禮歙縣監生同治十年署李恩植鄞縣人軍功同治十一年任吳國章隨州監生同治十二年任王侃當塗監生同治十三年任吳向春黃陂人軍功光緒元年任

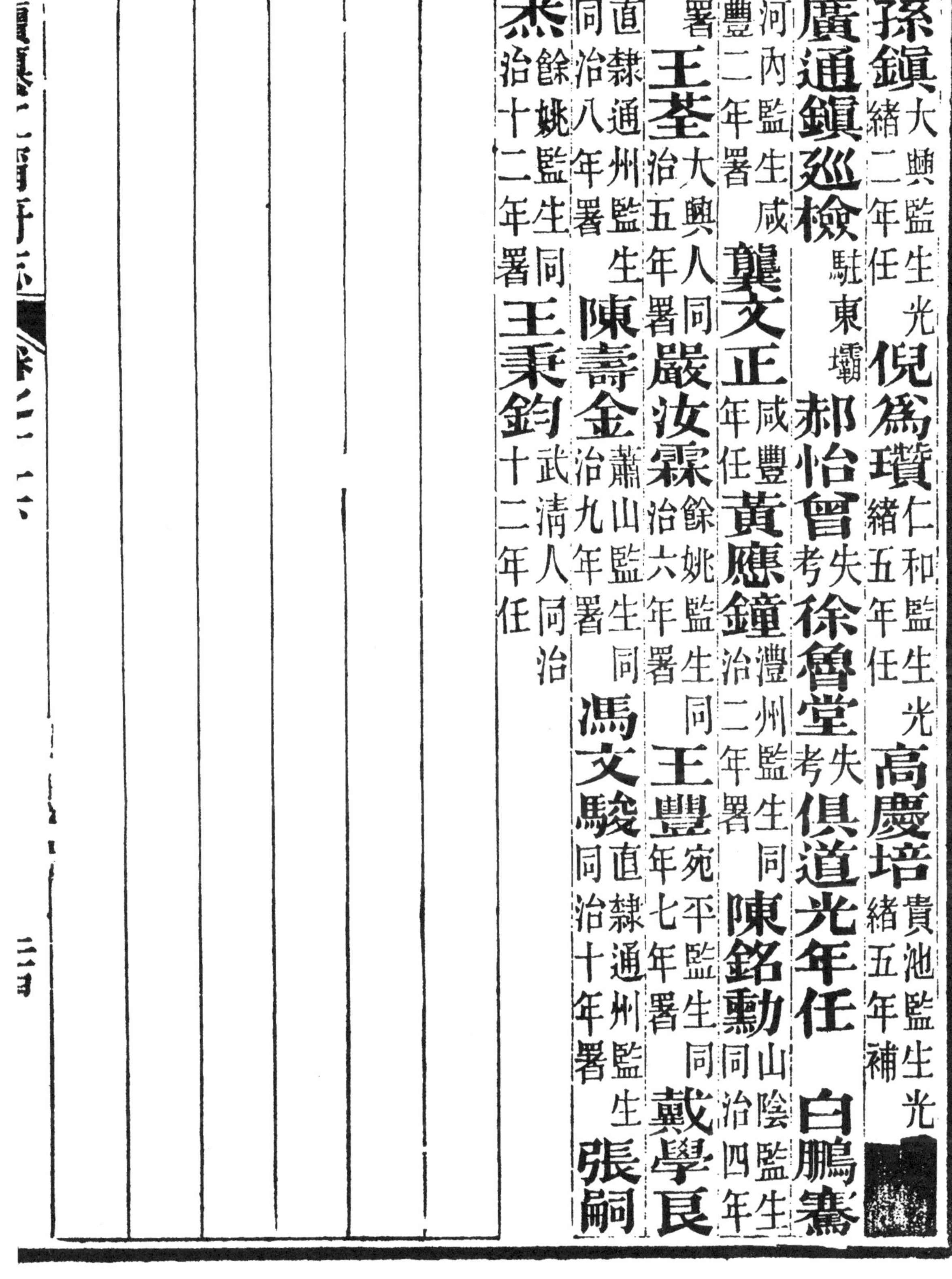

孫鎮大興監生光緒二年任 倪爲瓚仁和監生光緒五年任 高慶培貴池監生光緒五年補

廣通鎮巡檢駐東壩

郝怡曾失考 徐魯堂失考 俱道光年任 白鵬翥河內監生咸豐二年署 龔文正咸豐年任 黃應鐘澧州監生同治二年署 陳銘勳山陰監生同治四年署 王荃大興人同治五年署 嚴汝霖餘姚監生同治六年署 王豐宛平監生同治七年署 戴學艮直隸通州監生同治八年署 陳壽金蕭山監生同治九年署 馮文駿直隸通州監生同治十年署 張嗣杰餘姚監生同治十二年署 王秉鈞武清人同治十二年任

續纂江寧府志 卷之十二
二五

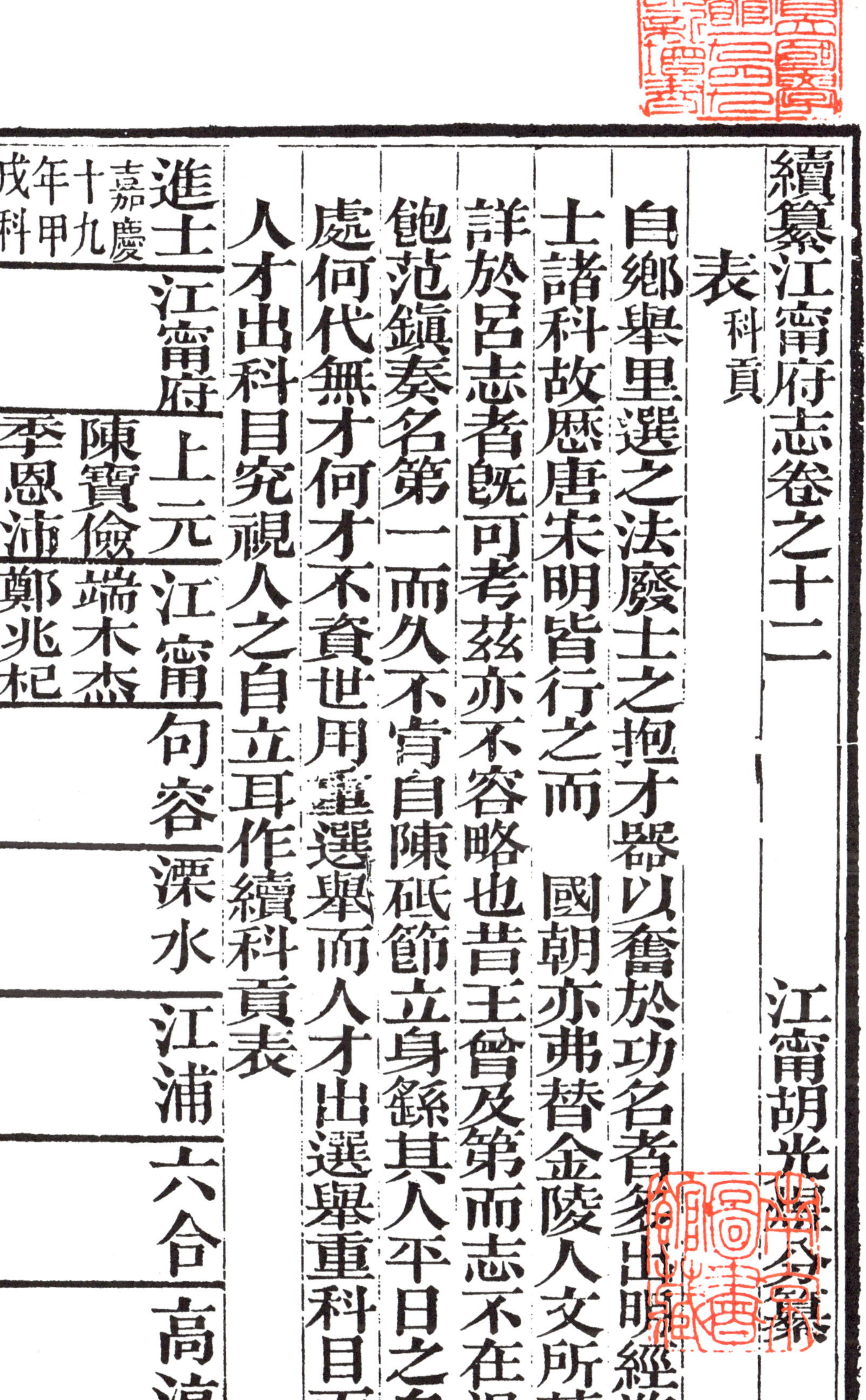

續纂江甯府志卷之十二

江甯胡光[illegible]分纂

表　科貢

自鄉舉里選之法廢士之抱才器以奮於功名者多出明經進士諸科故歷唐宋明皆行之而　國朝亦弗替金陵人文所萃詳於呂志者既可考茲亦不容略也昔王曾及第而志不在溫飽范鎮奏名第一而久不肯自陳砥節立身繇其人平日之自處何代無才何才不資世用重選舉而人才出選舉重科目而人才出科目究視人之自立耳作續科貢表

進士	江甯府	上元	江甯	句容	溧水	江浦	六合	高淳
嘉慶十九年甲戌科登龍汝言		陳寶儉 季恩沛 伍長華	端木杰 鄭兆杞					

榜	嘉慶二十二年丁丑科登吳其濬榜	嘉慶二十四年己卯恩科登陳沆榜	嘉慶二十五年庚辰科登陳繼
		易長華	何其興　張曾　章沅
	吳坦	陳維垣　裴鑑　陳維屏　方傳穆（欽賜）	張德鳳　吳繼昌　范承祖

昌榜	道光二年壬午恩科登戴蘭芬榜	道光三年癸未科登林召棠榜	道光六年丙戌科登朱昌頤榜
	喜祿駐防 德亮駐防		松年駐防 巴永阿駐防
	曹森 溫肇洋改名葆深 梅曾亮		張介福
		周開麒 朱性堂	馬湘 楊明善 陳之驥
			濮瑗
	劉遇恩欽賜翰林院檢討		

同治上江兩縣志 卷之十二 科貢表 十一

道光九年己丑科登李振鈞榜　道光十二年壬辰恩科登吳鍾駿榜　道光十三年癸巳科登汪鳴相榜　道光十五

易長發改名長楨
馬沅
溫肇江
蔡宗茂
車瀛
吳鴻謨
陳崑玉

金鎮
潘鐸
鄧爾恆

馬兆增

葉覲儀
秦滈熙

年乙未科登劉繹榜	道光十六年丙申科登林鴻年榜	道光十八年戊戌科登鈕福保榜	道光二十
齊秉震、方俊、黃家聲	羅鳳儀	吳雙	曹士鶴
		吳言昌、甘熙、葉聲揚	顧開第
		郭名燕	
			張鵬程

年庚子科登李承霖榜

陳魯

道光二十一年辛丑恩科登龍啟瑞榜

姚錫華

吳鼎昌

道光二十四年甲辰科登孫毓溎榜

薄彭齡

朱彥華

陳立

道光二十

何其盛

[illegible]

徐鼒 [illegible]

五年乙巳恩科登蕭錦忠榜	道光二十七年丁未科登張之萬榜	道光三十年庚戌科登陸增祥榜	咸豐二年
		壽昌駐防 普昌駐防	
改名桂芬			許宗衡
	葉毓祥		
	朱麟祺		

壬子恩科登章鋆榜　咸豐三年癸丑科登孫如僅榜　咸豐六年丙辰科登翁同龢榜　咸豐九年己未科登孫家鼐榜

夏家鎬　原名鯤　改名家鎬

侯甲瀛

蔡琳

唐嘉德

陶汝霖

咸豐十年庚申恩科登鍾駿聲榜	同治元年壬戌科登徐郙榜	同治二年癸亥恩科登翁曾源榜	同治四年
	諶命年		
林廷燮原名恩　傅遇年	葉守矩　任朝棟		管近修
		卞寶璋	濮文暹

乙丑科登崇綺榜　同治七年戊辰科登洪鈞榜　同治十年辛未科登梁耀樞榜　同治十三年甲戌科登陸潤庠榜

鄭嵩齡

陳達　盧崟　顧文基

濮文昶

光緒六年庚辰科登黃思永榜	舉人	嘉慶十八年癸酉科　查八旗定例文童五八取進一名每科鄉試江甯京口取中三名	嘉慶二十
錫恩駐防　承廕駐防		文童入學自嘉慶七年始鄉試自是科始	巴永阿
劉汝霖		丁金榜　陳大鈞　王德輿　伍長華　何其輿　胡澄	林端
鄧嘉純　黃思永		陳維屏　金志伊　朱大成　端木杰　陳寶儉　北榜	秦鶴齡
		史豐照辛未欽賜	
		劉維桐　林長霈	
		李會年欽賜　陳式欽賜	

一年丙子科
德亮 駐防
駐防 駐防
易長發 改名長楨
陳寬
鄭應舉
吳坦
何銓
楊明善

嘉慶二十三年戊寅恩科
松年 駐防
喜祿 駐防
菊林 駐防
金鎮
曹森
周森
陳榮
易長華
王全桂
章沅 北榜
張應釗
陳維垣
吳鴻謨
張恩洋
陳榛
游師洛
許夢麒 欽賜

嘉慶二十四年己卯科	道光元年辛巳恩科
佈騰阿 駐防改名麟勳 塔豐圖 駐防	福克精阿 駐防改名李葆初
齊秉震 梅汝沅 汪烜	吳廷貴 温肇洋 改名葆深 馬沅 談承平 朱錫鑾 丁金詔
周開麒 吳繼昌 王宮溎 吳介寶 戴凝之	沈錡
朱彥喆	
	濮瑗
	朱家炘 戴文燦
	楊文蔚 欽賜

道光二年壬午科	道光五年乙酉科
福魁駐防	西金額駐防　薩丙圖駐防
孫肇垣　梅曾亮　朱緒曾　賈星垣　羅鳳儀　朱應坊　葉克昌	劉坦　張介福　管同　王世培　陳之驥
蔡宗茂　朱性堂　張以游　車瀛	潘鐸　陶實蓮　蘭滋疇　孫懷仁　柴沂
	唐治　王雲錦
王用予	
毛鉞	郭名燾　趙慶修
魏錫昌	劉國霖　秦湆熙　金楠

道光八年戊子科	道光十一
額哈佈（駐防） 祥瑞（駐防）	貞格
歐陽長海 溫肇江 李鈞 陳崑玉	夏塏
劉沅 顧雲韶 何洛森（北榜） 劉富春 劉恆春 章燨 張錫麟 陳元慶 婁家蘭 朱璵	劉德敷
馬兆增	
	夏之霖
	王浩恩

科分	二	三	四	五	六	七	八	九
年辛卯科	駐防	夏鏞	施越廣 徐承慶 王佐才 改名文佐					欽賜
道光十二年壬辰恩科	慶德 駐防 慶明 駐防 薩哈布 駐防	談承誥 李琛 姚錫華 貴杰 曹士蛟 伍長松 汪杰	梁增敭 周葆元 葉聲揚 秦家曾 欽賜 鄧爾恆 吳士楨		蔣璽	嚴正	葉覲儀 北榜	
道光十四	錦春	朱皜	吳元昌	陳立	徐大文		吳孚	

年甲午科

道光十五年乙未恩科

駐防

薩璧圖 駐防

兆德 駐防

壽昌 駐防

吉祥

許鯤

伍承平 改名宗衡

方俊

伍承吉

侯雲偉

黃家聲

陳俊

吳雙

伍長齡

全紹鉉

王鳳藻

葉毓祥

王俊臣

吳鸞

顧開鏘 北榜

吳吉昌

盧士瀛

王國琛

張熙麟 改名景琛

徐大綸

吳家楣 解元

改名程鵬

徐鼒

沈樾

諸鑑

駐防

阮嘉言　張鳳儀

薄彭齡

陳魯

夏塽

姚天麟

曹士鶴

程傳厚

何其盛

北榜改名桂芬

陶桂馨　陳士宴

周洛　甘熙

余白玉　沈墉

道光十七年丁酉科

文海　駐防

炳元

童良杰

道光十九年己亥恩科

駐防

劉紹曾　戴鼎亨改名鼎元　伍承欽

何德昌　胡嘉楝　焦子安北榜　韓道原北榜　陳士全北榜　吳鼎昌　郭長華　王體仁　葉覲揚

龔名澧

厲世瑄　朱麟祺　陳灝

道光二十年庚子科

延齡 駐防
貝琿阿 駐防
普昌

孔繼周
歐陽岳
王浴
王大椿
劉定敷
鄭杰 改名彤書
陸鈞
李頤
朱鎮 欽賜

王光照 北榜
林恩 改名廷燮
汪士鐸
江文熙
顧捷慶

北榜
惲朝元 北榜
林中芬
巴光誥

道光二十三年癸卯科	道光二十四年甲辰恩科
駐防 圖理訥 駐防	福成 駐防
張燦輝 朱彥華	葉廷鑾 張葆和 李作枚 改名景曾 陳鳴玉 俞鄉堯 汪家勳 吳師祁 北榜
陳鐸	張學權 北榜 孫棣 田種珏 范先敘
	張長鑑
	唐嘉德
田萬清	陶汝霖

道光二十六年丙午科

顧永熙　孫錡
毛文煥　陳燮
倪嘉祥　何兆瀛
范培　北榜
王鑒元　吳士松
談鎬

道光二十九年己酉科

王延長
田寶琛
倪嘉禧　章鼐
陶桂芳　趙鍾靈
夏家鎬　葉守矩
改名家鎬　北榜

馮毓璋

十二

劉承炳

咸豐元年辛亥恩科

咸豐二年壬子科

侯甲瀛
馬鼎
程燮
丁椿年
諟命年
楊丙文
葉紹庭
孫承熙

梁承先
傅遇年
姜若照
蘭恩紱
張維垣
管近修
任朝棟
蔡琳
張曦照
淩丙鈞
周肇元
王殿鳳

査佐堯

陳萊
周天元

劉國熙
葉琳
汪達元 解元
林漸逵 北榜
朱覲光

張奉璋 欽賜

咸豐八年戊午科

李瑜 北榜
鄭嵩齡 北榜
李瑾 北榜

劉大鏞
何承禧 欽賜

咸豐九年己未恩科並補行

陶楫
何忠萬 北榜

方胙勳
楊桂年
朱期保

卞寶璋
濮文暹 北榜

唐毓慶

乙卯科	咸豐十一年辛酉科	同治元年壬戌恩科
李彭壽 夏如椿	溫繁炘 鍾銘 俱北榜	
徐毓錕 鄭鏡清 吳長年 傅遇昌 北榜 袁慶豐 北榜	張敦敏 北榜	陳正笏 北榜
濮文昶 北榜		

科

同治三年甲子科並補行戊午科

曾應奎　卓熒

北榜

張文銳

周維燮

王雙璧

濮筆華

葉有年　盧崟　蔣鳴慶

秦際唐　哈賢招

楊景祉　徐坦

北榜

陳元恆

李森　陳達

袁晏清　顧先孚　賀廷壽

欽賜

劉家善

同治六年丁卯科並補行辛酉科

張步蟾　黃之瀛

同治九年庚午科並行壬戌補恩科	同治十二年癸酉科
積廣 駐防	
夏禮 張兆鐘 北榜	江毓昌 北榜
蔡燃鏞 北榜 陳兆熙 王錫疇 楊長年 許應魁 錢允純	魏賡元 改名寶鈞 何延慶 顧文基 北榜
陳慶榮	
徐佩瑚	孫錫第
夏友荷 欽賜	陳裕後 欽賜 張清源

光緒元年乙亥恩科	光緒二年丙子科	光緒五年
懷他佈駐防 文瑞駐防	承廕駐防 錦山駐防	錫恩
蔣師軾 劉汝霖	丁自求 李作霖北榜	楊文彥
潘敦傑北榜 陳作霖 謝霖 鄧嘉縝 黃思永	甘元煥北榜	姚兆頤
	朱紹頤 朱紹亭 濮文曦	濮賢懋北榜
		毛鳳五
汪達鈞 周煒北榜		
欽賜		

田晉奎 劉傳林
鄧嘉純
北榜

貢生
嘉慶

胡光煜 歲貢
伍長華 癸酉拔貢
温肇江 癸酉拔貢
王惟寅 歲貢
易孝敏

何汝霖 癸酉拔貢
吳坦 癸酉拔貢
郭鴻 優貢
方濤 歲貢
汪允寬

李廷錫 歲貢
王鳳翔 歲貢
李兆詵 歲貢
戴臣錦 歲貢
周鳴岡

武秉衡 癸酉拔貢

葉鎧 癸酉拔貢
張元炳 癸酉副榜
胡珊 癸酉歲貢
邵元

朱實發 癸酉拔貢
汪傳模

孔繼照 庚午欽賜副榜
吳器 辛未歲貢
李會年 辛未欽賜副榜
魏峋 癸酉欽賜副榜
吳球

歲貢夏承虞
歲貢朱蔭棠
歲貢蕭之澐
歲貢周鏞
歲貢冷富春
歲貢田牲

副榜焦若淮
副榜張壎
歲貢鮑昌德
歲貢陳善富
歲貢蘭觀生
歲貢陳瑞朝

歲貢經朝倓
歲貢王以楠
歲貢尚徵進
己卯恩貢

濮殿颺
甲戌歲貢

歲貢李九疇
歲貢文森
歲貢

癸酉拔貢邢自業
癸酉歲貢張韶
癸酉歲貢邢在揚
癸酉欽賜副榜劉鏄
丙子歲貢卞信
丙子欽賜副榜孔廣業

恩貢　倪德灝
恩貢　伍長齡
歲貢

歲貢　馮廣淵
歲貢　俞昌言
歲貢　王恩元
優貢　談德燈
歲貢　龔黃
欽賜副榜　田豐

戊寅恩貢　史儀
戊寅歲貢己卯欽賜副榜　夏廷標
己卯歲貢　錢達

歲貢
錢尊彝 丙子歲貢
陶寶熒 己卯副榜

道光

經魁 駐防
岐山 駐防
萬全 駐防

周鴻璽 辛巳恩貢
戴衍祜 歲貢
劉崧 歲貢
朱巽

甘煦 辛巳副貢
龔賜書 歲貢
方爲梅 歲貢
朱蘭

張慶闓 辛巳副榜
朱煥 歲貢
裴宗鋹 歲貢
吳鴻舉

程覲日 恩貢
蔣大中 歲貢
茹步瀛 歲貢
蕭棨

許開泰 恩貢
吳任 歲貢
王臣 歲貢
董世揚

余溶 辛巳恩貢
杜濂 壬午優貢
朱襄 恩貢
汪芳壽

陳錦鯉 辛巳恩貢
高淦 壬午歲貢
陳搢書 歲貢
李毓英

曹士蛟 歲貢	李光祖 壬午副榜	孫昌經 歲貢	孫延壽 歲貢	夏埉 歲貢	王光照 乙酉拔貢
鄧廷梓 歲貢	程亮祖 歲貢	吳晉康 乙酉拔貢	聞殿暘 歲貢	楊天球 歲貢	王佐才 歲貢
裴澍 歲貢	李元淇 乙酉拔貢	朱淮 歲貢	高星顯 歲貢	裴宗鋭 歲貢	駱懋修 歲貢
徐大儀 恩貢	王錫 甲申恩貢	徐大綸 乙酉欽賜副榜	朱華 乙酉副榜	武珏 乙酉拔貢	徐純栺 歲貢
葉德興 歲貢	朱敬承 乙酉拔貢	夏文魁 歲貢	吳第元 歲貢	郭鑾 歲貢	瞿春 歲貢
孫延祖 恩貢	朱遐昌 歲貢	常樽 乙酉拔貢	徐瑞麐 歲貢	秦維樞 歲貢	夏賓 歲貢
吳邦彦 歲貢	王豩 歲貢	王暉吉 乙酉拔貢	陳魯璵 乙酉恩貢	孔廣銓 歲貢	孔昭溶 歲貢

夏澍 乙酉拔貢	王鳳藻 乙酉拔貢	曹淼 乙酉副榜	盧長年 乙酉北闈副榜	匡肇昌 歲貢	談承基 歲貢
張鳳儀 副榜	王光煜 副榜	李逢辰 歲貢	焦若鈐 辛卯副榜	王錕 歲貢	吳啟元 歲貢
陳範 歲貢	駱化林 丁酉拔貢	裴宗鍇 歲貢	張雋堂 歲貢	駱仲林 辛丑歲貢	李川 歲貢
毛杏林 歲貢	王琳 歲貢	李臬 歲貢	陳曦 歲貢	姚必成 歲貢	蔣鼎 丁酉拔貢
禹士愷 歲貢	吳佑 甲午歲貢	鄧嘉善 乙未恩貢	唐虞 丁酉拔貢	馬騮 歲貢	張元福 歲貢
葉覲儀 歲貢	唐淦 戊子優貢	唐廷夔 歲貢	陳淳 歲貢	沈永恭 歲貢	許錫齡 歲貢
吳錫滿 歲貢	史允甲 辛卯欽賜副榜	孔廣信 辛卯恩貢	陶又新 歲貢	史有章 歲貢	楊日青 歲貢

李熾 歲貢	胡鎬 歲貢	徐蔭穀 歲貢	周鎔 歲貢	趙家驥 歲貢	阮屋 歲貢
張以溎 歲貢	胡大鈞 歲貢	楊炳基 歲貢	周嘉祥 歲貢	吳鼎昌 歲貢	江文熙 甲午優貢
駱重恆 歲貢	束春瑞 歲貢	淩長埏 己酉拔貢	姚鋐 己酉副榜	歲貢	
陶奉璋 歲貢	尹鳴球 戊戌歲貢	武經瀾 歲貢	陳起庚 歲貢	濮松雲 歲貢	蔡旅平 歲貢
鄧嘉樂 副貢	吳廷珍 丁酉歲貢	馬鶴年 歲貢	蘇兆奎 歲貢	吳文治 歲貢	韓印 歲貢
印廷桐 歲貢	袁學漢 歲貢	談朝佐 歲貢	沈觀政 歲貢	顧升堂 歲貢	徐石麟 歲貢
卞錫麟 乙未欽賜副榜	孔憲爵 丙申歲貢	童鴻儒 丁酉拔貢	趙謹之 歲貢	陳殿榮 庚子欽賜副榜	陶汝霖 歲貢

庚寅歲貢　芮溥言
歲貢　朱以均
歲貢　何其盛
壬辰副榜　方俊
壬辰副榜　方恩露
壬辰副榜　何其盛

丁酉拔貢　張廷勳
歲貢　王錫江
歲貢　吳熒
歲貢　陳衍言
己亥副榜　章啟基
歲貢　汪汝式

歲貢　陸菼
己酉拔貢　濮瑩
恩貢　張恆
邱克沂
王球
陶又謙
司徒沛
徐大紱
徐大懋

甲辰副榜
李桂馨
歲貢　金孟占
歲貢　周柄
己酉拔貢　顧宜啟

歲貢　李志鵬
丙午歲貢　史之溥
歲貢　常恬
歲貢　愼朝元
陳灝
均丁酉拔貢　朱鵬翥
歲貢　汪傳模

癸卯副榜　張奉璋
癸卯欽賜副榜　陳斐
甲辰歲貢　王席珍
乙巳恩貢　史褒
乙巳歲貢　傅孟蘭
丙午歲貢　柳舒

何其發 甲午北闈副榜	戴家仁 歲貢	竇寅 副榜	陸長發 歲貢	胡家楷 丁酉副榜	伍承欽 丁酉拔貢
汪漣 歲貢	盛廷楨 歲貢	錢鼎交 歲貢	朱毓楨 歲貢	金鼇 歲貢	汪丙南 歲貢
袁燮 己酉歲貢	金學濬 庚戌歲貢	歲貢			
王琨 歲貢	朱京 歲貢	陳朝儀 歲貢	陳宗鏞 歲貢	王祥發 歲貢	葉慶蓀 歲貢
邢上森 丙午欽賜副榜	李惇裕 歲貢	沈士仁 歲貢	王彥 歲貢	孫源 歲貢	王金榜 己酉副榜

丁酉拔貢陳鶴鳴　歲貢吳啓昌
歲貢蔣新　歲貢陸士元
庚子副榜丁金鎔　歲貢張霖
歲貢方先甲　歲貢張恩崇
歲貢伍慶祥　歲貢朱上池
癸卯副榜孫樑　歲貢張子雲

歲貢陳朝詰　己酉欽賜副榜唐階
歲貢徐鼐　己酉拔貢陳鳳池
歲貢尹如金　歲貢傅逢源
歲貢金森　歲貢邢鳳毛
歲貢葉琳　歲貢楊文炳
歲貢姜由軫　歲貢孔憲昂

原名念揚副榜
侯大桐
丙午副榜
陸應賓
丙午北闈副榜
朱搢
歲貢
鞠長華
歲貢
劉恩奎
歲貢
姚世熙

歲貢
江上潮
歲貢
王宮銘
歲貢
郘如松
歲貢
鄧宗海
歲貢
張長森

己酉拔貢
戴文泉
庚戌歲貢

歲貢

歲貢　周國熙
己酉拔貢　胡嘉槐
己酉拔貢　伍承宣
己酉優貢　李瑜
己酉副榜　劉長城
己酉副榜　況宣恩

歲貢　汪本源
歲貢　哈晉豐
歲貢　陳元富
歲貢　孫大鵬
歲貢　端木埰
丙午優貢　柏寅

歲貢 張靜	丙午副榜 馬翰如
歲貢 胡嘉楨	歲貢 葉守矩
歲貢 西培	己酉副榜 金燦鎔
歲貢 陳開周	己酉拔貢 鄧爾晉
庚戌歲貢	己酉拔貢 徐慶曾
	己酉優貢 沈葆湻

咸豐

石恩元 辛亥副榜 彭長華

副榜 顧遜之 歲貢 方培基 戊申歲貢 芮培進 歲貢 錢雲鶴 庚戌歲貢 伍允寬 辛亥歲貢 蔡琳

朱振鷺 壬子恩貢 張澍堂

陳繼塋 壬子恩貢 施森

張蔀生 辛亥欽賜副榜 蘇長華

朱學詩 辛亥副榜 馬湲

趙夢庚 欽賜副榜 王玉田

壬子恩貢	李家誥	壬子歲貢	雷逢春	癸丑恩貢	李逢年	己未副榜	田晉蕃	己未副榜	李煊	辛酉北闈副榜	
壬子優貢	端木壁	壬子恩貢	芮康	壬子恩貢	張鑄	壬子歲貢	龔坦	癸丑恩貢	謝學元	甲寅歲貢	張頤麟
壬子歲貢	朱驥	癸丑恩貢	王承曾	甲寅歲貢	施貞文	乙卯恩貢	潘同	丙辰歲貢	周肯堂	戊午歲貢	嚴名棻
壬子歲貢	李乃培	癸丑恩貢	馮毓文	甲寅歲貢	蔡光榮	乙卯恩貢					
壬子副榜	金步鑾	壬子恩貢	許春元	壬子歲貢	趙鏡蓉	癸丑恩貢	鄧德修	甲寅歲貢	周朝洛	乙卯恩貢	
壬子歲貢	汪經球	壬子恩貢	陳慶榮	癸丑恩貢	唐嘉書	甲寅歲貢	陳煜	乙卯恩貢	孫嵩晉	丙辰歲貢	
欽賜副榜	楊培	欽賜副榜	魏金相	甲寅歲貢	史丹書	乙卯恩貢	孫鑑	戊午歲貢	孔昭雲	庚申恩貢	邢士楨

同治

王汝梅　甲子副榜孫昌蔚　乙丑恩貢丁自求　丙寅歲貢朱桂模　丁卯補行辛酉拔貢秦際唐

己未副榜鄧嘉純　己未北闈副榜謝緒曾　乙丑恩貢陳伯龍　丙寅歲貢姚兆頤　丁卯補行辛酉拔貢盧崟　丁卯補行辛酉拔貢陳兆熙

庚申歲貢朱汝舟　丙寅歲貢章安福　丁卯補行辛酉拔貢王嘉貞　壬申恩貢陳汝灌　壬申歲貢裴忠

朱紹亭　乙丑恩貢孫嘉瑩　丙寅歲貢郜長濬　丁卯補行辛酉拔貢馮逢源　戊辰歲貢錢培基

夏錫寶　甲子副榜侯宗海　辛酉拔貢許邦達　戊辰歲貢胡士元　庚午歲貢吳大勳

夏毓芬　乙丑恩貢葉琯　歲貢葉晉筌　丙寅歲貢周焯　丁卯補行辛酉拔貢王家蕙

庚申歲貢李蔚然　辛酉歲貢夏煥勳　壬戌歲貢陳敬典　乙丑恩貢魏榮　丙寅歲貢夏文源　丁卯補行辛酉拔貢孫巨源

丁卯補行辛酉拔貢
王澄
丁卯補行優貢
陶瑢
丁卯副榜
程有年
丁卯副榜
丁澍森
戊辰歲貢
戴錦江
庚午歲貢
王堯夔

丁卯補行優貢
甘元煥
丁卯補行優貢
秦汝槐
丁卯副榜
葉發周
丁卯欽賜副榜
江鴻鈞
戊辰歲貢
鄧嘉縝
庚午優貢
黃文濤

癸酉拔貢
朱昌沂
甲戌歲貢

庚午欽賜副榜
王杰
庚午歲貢
朱紹鴻
壬申恩貢
蔡光熒
壬申歲貢
鄭驤
癸酉拔貢
濮賢懋
癸酉北闈副榜
徐邦彥

壬申恩貢
何錦標
壬申歲貢
許祖劭
癸酉拔貢
劉家駒
甲戌歲貢

丁卯歲貢
葉維賢
戊辰歲貢
秦臻
己巳歲貢
田寅
庚午歲貢
董肇昌
壬申恩貢
劉家炘
壬申歲貢
謝鵬

陳裕後
姜向仁
以上三人丁卯欽賜副榜
施珍
戊辰歲貢
陳永和
戊辰歲貢
王世培
庚午歲貢
陳鳳儀
庚午欽賜副榜
孫錦

賈森　壬申恩貢
吳家修　壬申歲貢
蔣師轍　癸酉拔貢
徐登瀛　癸酉歲貢

錢連　庚午副榜
江肇垣　庚午歲貢
陶秉乾　庚午歲貢
陳熙春　壬申恩貢
王家聲　壬申恩貢
甘鑑源　壬申歲貢

鄭如杞　癸酉欽賜副榜
甲戌歲貢

唐毓和　壬申歲貢
王文杰　癸酉拔貢
甲戌歲貢

潘志清　庚午欽賜副榜
濮陽輝　壬申恩貢
葛謙吉　壬申恩貢
劉芬　壬申歲貢
張清源　癸酉拔貢
邢克寬　癸酉欽賜副榜

光緒

談烜

乙亥副榜 蔣文藻

黃恩永 癸酉拔貢

鄧嘉緝 癸酉拔貢

田塈 癸酉優貢

葉經頤 甲戌歲貢

陳道南 甲戌歲貢

張恆培 乙亥恩貢

東錫桐

劉渭 乙亥恩貢

楊鈞

陳祖同 乙亥恩貢

趙金鑾

趙鏡芳 乙亥恩貢

金汝誠

朱麟祉 乙亥恩貢

甲戌歲貢

孔廣賡

楊上林 乙亥恩貢

丙子副榜　李淦　乙亥歲貢　陳承緒　丙子歲貢　李誠保　己卯北闈副榜

乙亥恩貢　鄭傑　丙子歲貢　高琳　丙子歲貢　龔乃保　戊寅歲貢　馬景濤　戊寅歲貢　葉文翰　己卯優貢　王道生

丙子歲貢　楊瑞椿　戊寅歲貢　朱英　己卯恩貢

丙子歲貢　丁維誠　戊寅歲貢

丙子歲貢　吳家政　戊寅歲貢

丙子歲貢

孫錫綾　重遊泮水　以上二人欽賜副榜　胡紹裘　丙子歲貢　萬鑑　戊寅歲貢

己卯恩貢　雋賢弼	己卯恩貢　劉翼程	庚辰歲貢

孝廉方正

道光元年舉	咸豐元年舉	光緒元年
朱養烈　府學生員		陶嗣元
伍長齡　上元生員	倪德新　甘可貞　談鉞	陳大鈞
孫大觀　江甯八	張鈴　張寶德　陶定申	張兆賡
	田志蓮　駱懋修	駱道溥
	王崑	戴仁
孫林標　江浦廩生		
秦維楫　六合附貢		
	陳嘉德	

府學生員

上元生員

王國鏞

上元生員

附貢

武進士

同治十三年甲戌科

謝潮安

光緒三年丁丑科

伍殿樑

武舉人

嘉慶十七年壬申科

黃玉潤

嘉慶十八

王金標

姚錩

年癸酉科	嘉慶二十一年丙子科	嘉慶二十三年戊寅科	嘉慶二十四年己卯科	道光二年壬午科
		秦恩沛 牛長青	曾永林 董長青	姚珍
		馬廷棟	章印全	海定國
				楊大鵬 金岳
	王金豹 官東臺江陰千總			

道光八年戊子科　道光十二年壬辰科　道光十五年乙未科　道光二十年庚子科　道光二十一年辛丑科　道光二十四年甲辰

童本　馬光驊解元

童發

金英　嚴二元　吳魁元　唐國慶　石模

陸長青江甯城守營　夏定邦河中營都司遊擊銜花翎戊午殉難　朱金標揚州奇兵營千總

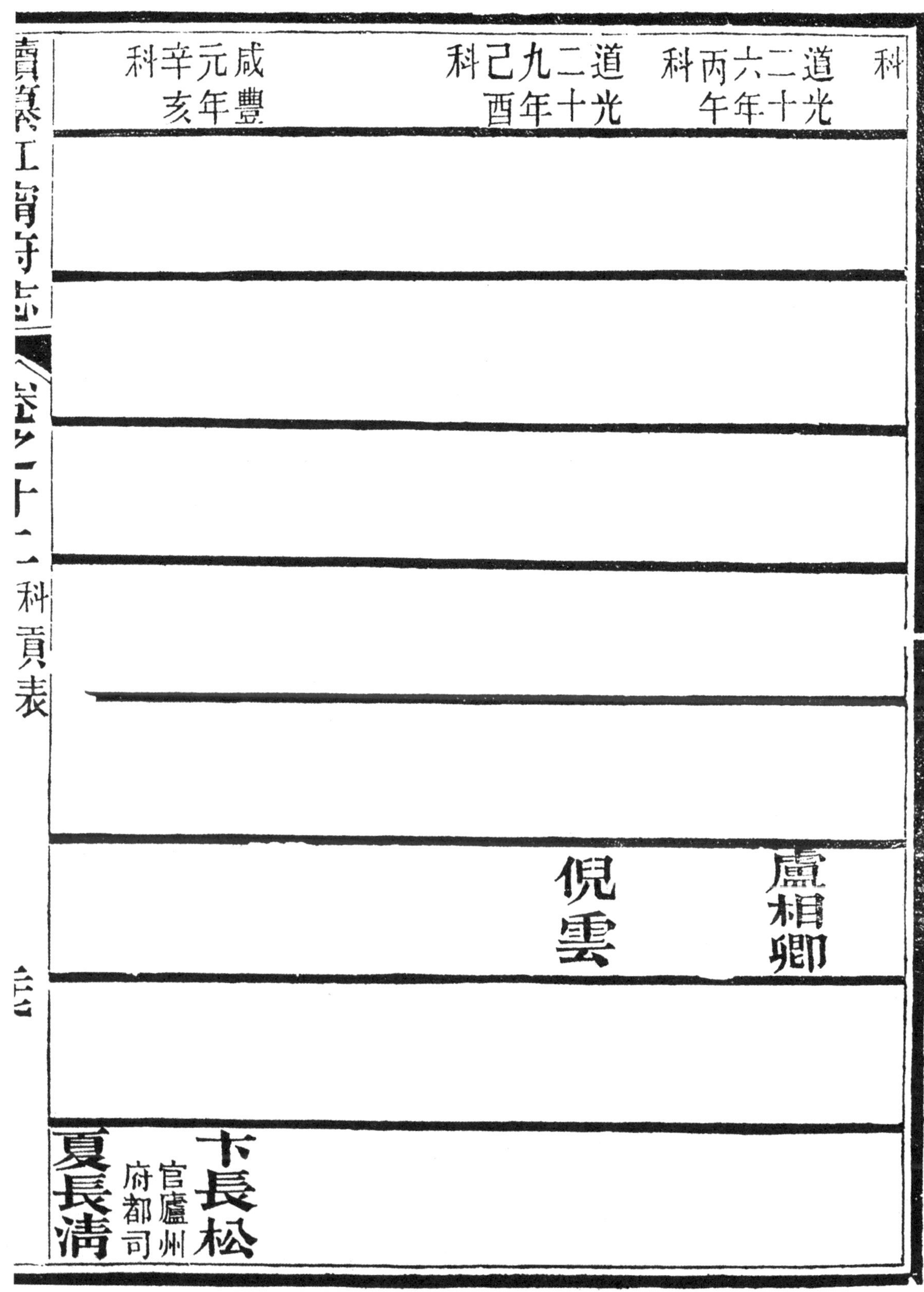

科	道光二十六年丙午科	道光二十九年己酉科	咸豐元年辛亥科
	盧相卿	倪雲	
			卞長松 官廬州府都司 夏長清

同治六年丁卯科並補乙卯科	同治九年庚午科並補戊午科	同治十二年癸酉科並補己未科	光緒元年
波囉哩駐防 西囒阿駐防	海順駐防 庚德駐防	吉猛駐防 札克丹駐防	元亨駐防 德海駐防
火乃吉 火松壽 謝潮安	辜國林 李濚	伍殿元 陸寶洲 李文學	王宏鈺
鄭德興 何長華 張金溶	吳奮	謝潮慶 李魁元	閻錦濤
			徐殿魁
		夏潮湧 卞德新	陳馨

乙亥科並補辛酉科	光緒二年丙子科並補壬戌科	光緒五年己卯科並補甲子科
長賞駐防 賡音駐防	吉勇駐防 全文駐防 雙勇駐防 寶恩駐防	添昌駐防 岱順駐防 壽元駐防 榮祥駐防
王宏濤 金得海	鄭國濤	王得招 金殿甲
沈紹金 伍殿樑 艾國楨 李永豐	汪壽仁	馬雙魁 解元 汪恆林 史佐堯
		閻人鵬翀
		張玉鐘
	張志銳	
	任汶 段宗和 達春芳 夏安邦	
湯步雲	劉瑞榮	

烏爾蒿 駐防

根興 駐防

舒星額 駐防

續纂江甯府志卷十三

咸豐三年以來兵事月日表

儀徵劉壽曾分纂

國家重熙累洽民物豐阜至乾嘉之際極盛矣芻牧遮衞之寄狃於燕安大綱或弛土滿人佚患氣潛伏道光中葉海上事起草竊姦宄是生戎心廣桂容管之鄉極天之南山叢箐密爲盜窟宅其尤桀驁者藉口吏貪虐揭竿篝火嘯聚溪峝雷李旣燼韋石洪楊繼之疆吏耄懦寇深入告已成燎原　朝廷出重臣典兵枝梧牽綴狂軼不制咸豐元年寇突永安之圍明年由全郴竄長沙不得逞遂趨資口奪洞庭沿長江而東彭蠡梁山戍蟂跳潰又明年二月江甯不守距寇起金田時未四稔也盜之初起狼奔豨突志壓剽畧旣陷江甯據爲僞都濱江重險遍置砦柵又時時分黨四出致我師數千里數百里外橈緩圍攻之

謀固城郭之寇最狡者哉向忠武公和忠壯公張忠武公先後督師轉戰於環寇縱橫之地者凡八年蓋無日無戰事其援滬援皖援浙之師又間歲必一出江以北乞援朝聞夕發喋血奔命無少休息是時江甯一軍聲威冠東南而兩忠武之功尤高然以急鄰疆之難壘單竈減寇狙我隙一衂於孝陵衞再衂於丹陽昔之依倚江甯軍者藩籬盡撤瀾倒壁飛蘇常魚爛淮楚震駭益不可收掇江甯城下無閫師者年餘恭值

文宗簡賢康難　廟謨神武用胡文忠公上游制寇之策江漢舟師如雷如霆迅掃橫截過賊反顧及是　授鉞曾文正公開府三江責以東討文正經營皖南規復安慶以今山西巡撫威毅伯曾公蕩平江上賊壘駐軍梅岡其攻牢保險裹創苦戰者又歷兩年馘酋犁庭乃告成功當

穆宗御宇之三載也是年盜據旁郡縣者以次削平東南底定江甯會城大藩淪於凶醜腥穢之域者蓋十二年東南軍事以江甯爲初終樞轄緊古江甯兵禍未有烈於此者也今江甯之民出湯火而登衽席十六年矣

聖君賢相暨岳牧之臣惠養呴濡元氣漸復人情時乎安樂畏談危苦懼

列聖伐叛弔民康濟南服之意隱而無述謹溯咸豐三年以來東南兵事繫於江甯者楬橥月日於左俾士庶觀聽證而惕之以附於六月常武之義江甯七縣跨江而治六浦兵事或隸江北帥臣鎮江別屯一軍由江甯分兵駐之水師或隸江北軍其戰爭得失常相倚今總列江南北將帥并鎮江主兵者姓名俾後之人得以考云作兵事表

咸豐三年昭陽赤奮若之歲

江甯將帥	二月欽差大臣廣西提督向榮至自湖北駐江甯是爲南軍內閣學士許乃釗幫辦
上元江甯	欽差大臣兩江總督陸建瀛以二年十二月奉　旨督師剿賊上游　正月丙辰次湖北廣濟之龍坪賊舟至不戰
句容	正月知縣趙廷銘謀城守治鄉團　二月庚寅賊至龍潭遍擄老鸛河等要隘分掠縣北濱江各鄉
溧水	正月署知縣周硯銘謀城守
江浦	正月癸酉賊掠石磧鎮　二月戊寅賊犯浦口把總包定國以三百人力戰死之賊泊舟江干略郵鎮戊子土寇李
六合	知縣溫紹原於賊攻長沙時節修城垣繕樓櫓正月戒嚴在籍檢討徐鼒具疏言江南軍情遣子承禧閒道入都鼒
高淳	二月縣城戒嚴　十二月甯國灣沚賊由蕪湖泊高淳湖欲圖東壩解鎮江圍向軍提督鄧紹良督總兵德安迎擊

本頁原殘闕，現據南京圖書館藏《光緒續纂江寧府志》（光緒六年刻本，光緒七年初印本）補字。

江南軍務三月許乃釗署江蘇巡撫仍幫辦軍務

二月欽差大臣都統一等奉義侯琦

而潰翼長壽春鎮總兵恩長投江死建瀛臨舸夜走甲子至省城是日安慶失守乙丑建瀛再出師防東西梁山聞賊舟近退

三引賊三入大縣城知縣棄城走賊旋跳去捕李三縊之壬寅琦軍至留黑龍江馬隊二千入駐浦口三月賊酋秦日綱

與知縣溫紹原集民團捕土匪二月琦軍分吉林馬隊四千為八起駐陳家橋李家凹三月賊犯東溝瓜埠黃廠河鄉民

敗之於永濟橋賊遁蕪湖是年永城鄉相國各圩練首廩生史傳經等治鄉兵與宣城之金寶圩永豐圩民團同盟殺賊

善至自河南駐揚州是爲北軍四月刑部侍郎雷以誠幫辦江北軍務二月鎮江水師統於北

同省城議毀附城房屋防地道地雷庚午江甯布政使祁宿藻出南城籌防上元知縣劉同纓購米十餘萬石實倉儲議城守

謀由六合來攻揚州大營既不得逞乃於九洑洲駐馬河立壘結木簰謀下竄 四月賊酋林鳳翔由揚州掠浦口北竄 五

殲其二十七騎 四月壬午知縣溫紹原以團勇禦賊於龍池千總徐琳外委達成榮死之紹原以單騎殿扼龍津橋而守夜

軍六月改隸南軍三月南軍以江南提督鄧紹良統陸師駐鎮江六月總兵和春接統陸

事宜辛未賊舟由太平四合山順流而東壬申福山鎮總兵陳勝元以舟師擊賊於蕪湖死之癸酉晨賊焚江甯鎮板橋轉至

月琦軍總兵武慶駐浦口 七月琦軍於浦口立水勇局

來半賊營火起紹原督民團大敗之殺偽丞相一偽統制四益謀城守賊不敢窺伺民謠有鐵鑄六合之稱 十月賊由儀徵

師

殷鄉譽葉
樹攻聚寶
門窯灣腳
夫與賊鬭
呼守堞者
求兵械不
與遂潰上
元知縣劉
同纓請自
募壯士出
城擊賊總
督陸建瀛

犯東溝外
委胡某死
之千總夏
定邦力戰
卻賊　十
二月吉林
馬隊奉調
留者僅兩
起琦軍以
都司鄧鳳
林統固原
兵駐縣境

不許甲戌乙亥賊船自新洲大勝關泊至草鞋夾繞城西南築壘二十四踞報恩寺浮圖俯瞰城中施礮資上新河木商竹木

作雲梯就儀鳳門外靜海寺掘地道穴城憑城外民居倉廒因礲坊米行油坊煤棧儲積日日環攻官兵無多南北奔命募帀

入城守人日給三百錢布政使祁宿藻乃疾籌城守上議多爲總督陸建瀛所格民有擔粥供軍者宿藻顧而歎曰好百姓吾

負若矣乙亥布政使祁宿藻憂憤嘔血薨於城樓

三月戊寅賊攻聚寶門守者自晡未得食居民汪松崖炊飯斫寒菜餉守

陣者乙酉晨儀鳳門地雷發賊蜂擁而上駐防軍力戰自巳午入助之追賊出以土囊補缺處少頃第二雷發遂不支而三山

通濟各門賊亦以雲梯上守城官兵皆死之省城陷署總督江寧將軍祥厚副都統霍隆武已革總督陸建瀛提督福珠隆阿

前廣西巡撫鄧鳴鶴署江甯布政使江南鹽巡道涂文鈞江安督糧道陳克讓督中副將程三光署江甯城守副將沈鼎督左

游擊周成
理事同知
承恩江甯
通判程文
榮上元知
縣劉同纓
江甯知縣
張行澍江
甯織造筆
帖式圖桑
阿庫大使
祥壽江甯

府教授歐陽賀上元教諭夏慶保訓導陳耀奎江甯府經歷顧瑱署滬化司廵檢朱慶煌上元典史吳申之皆死之滿營駐防

男婦殉難者四萬八義烈爲東南冠戊子賊僞東王楊秀清至以省城爲僞天京踞總督署爲僞天王府諸官署則各僞王踞

之擇民屋之廣者驅婦女居其中名爲女館以僞女官統之禁防甚嚴雖夫婦母子不得相見辛卯林鳳翔諸賊竄江北丙申

向軍至破朝陽門外賊壘二十餘遂壁於孝陵衛辛丑向軍攻克附郭土城癸卯向軍敗撲營之賊　三月庚戌向軍克通濟

門外壘三乙卯克七橋獲斷鍾山報恩寺往來路壬子克鍾山壘我兵十八營皆移近城賊不敢啓東門向軍別隊燒觀音門

外賊船千數百隻

九月江甯文生張繼庚七上書向營謀於水西太平門內應賊酉多受約東繼庚又縋城詣營泣請師期

	咸豐四年焉逢攝提格之歲
	向大臣統南軍三月許幫辦劾罷琦大臣統北軍六月琦大臣薨
以雨雪失約謀泄賊捕囚繼庚	三月癸亥夜江甯文生何師孟等以繼庚前約引官兵十餘人易賈人服入城與江甯文生周
	二月丁亥琅琊鄉練首薛如松等敗賊於龍潭　九月向軍都司長某敗鎮江援賊於東陽琦
	二月賊犯浦口琦軍總兵武慶會六合軍擊退之　三月琦軍遊擊鄧鳳林都司石皓駐守縣
	二月知縣溫紹原禦賊於通江集手刃退者　四月水勇屢奪江南賊船賊斂船入港　七月
	七月庚申賊由江甯糾蕪湖賊徑溧水犯東壩守壩參將德麟福屢死之向軍副將傅振邦擊

欽差大臣江甯將軍托明阿接統北軍雷侍郎幫辦江北軍務鎮江水師隸北軍

葆濂等率繼庚所結內應死士伏神策門軍功田玉梅張士義斬守城賊擲頭城下呼官軍官軍未即進天已曙賊四集玉梅

軍機營員姚文燾應龍毀倉頭等處橋梁琦軍副將李德麟參將張攀龍以艇師斷賊沿江鐵鎖

城戊午賊分犯浦口縣城擊退之　四月辛未賊犯浦口武慶擊退之壬申又敗賊於衆善橋　六月向軍以總兵吳全美統

遏紹原遣千總秦懷揚敗賊於圍洲斬馘無算

退之　九月知縣楊丞忠治團練立分局於東壩　是年向軍分營屯駐縣境

等跳免賊捕士義窮詰主名不得繼庚以計誑賊誅賊死黨三十五人與士義均爲賊被殺七月向軍戰上方橋擊退鎭江

紅單船駐浦口八月壬子賊掠石蹟鎭十月癸卯向軍托軍督六合軍攻九洑洲都司秦懷揚守備王家幹冒霧先登克

援賊城賊出撲七橋甕營敗之高淳敗賊燒牛首山寺　閏七月賊驅婦女出城刈稻　九月六合軍焚賊壘於八卦洲　十

之賊復竄踞之劉北河口以鐵鎖橫江阻艇師之上駛

	咸豐五年旃蒙單閼之歲
	向大臣統南軍托大臣統北軍雷侍郎及提督陳金綬幫辦江北軍務
月向軍克雨花臺賊壘	二月向軍會六合軍擊下竄之賊七戰七勝平七星洲賊壘焚其船　四月乙已向軍敗賊於
	正月丁卯賊由太平門竄龍潭下戍西城兩龍王廟進營十餘向軍總兵德安余萬清於下戍
	向軍初以兵扼烏山
	三月托軍總兵王鵬年敗諸路賊皖軍總兵吉連等來駐烏江以兵留退駐曹城七月皖軍
	二月知縣溫紹原施橫江鐵鏁於黃天蕩以礮船過通江集賊來輒敗去　五月琦軍以總兵
	三月賊犯烏溪黃池團勇扼河拒之賊退

本頁原殘闕，現據南京圖書館藏《光緒續纂江寧府志》（光緒六年刻本，光緒七年初印本）補字。

南軍以提督余萬清統陸師駐鎮江十一月江蘇巡撫吉爾杭阿接統鎮江陸師余萬清副之

江甯鎮已西向軍副將吳全美以水師紅單船擣三山賊壘斬僞王羅大綱　十一月向軍總兵張國樑敗竄賊於仙鶴門甘

迎戰壁於東門橋二月辛丑鎮江賊由西門沿江犯橋頭練目柯二與姪長松長林等力戰死之賊犯下戍向軍總兵虎嵩

參將李占虎攻駐馬河不克死之　八月庚戌皖軍總兵吉連敗賊於曹城石磧鎮　十一月托軍會六合軍都司秦騏揚千

多隆阿統軍屯縣境

本頁原殘闕，現據南京圖書館藏《光緒續纂江寧府志》（光緒六年刻本，光緒七年初印本）補字。

水師隸北軍
家巷棲霞石埠橋己卯向軍總兵秦如虎敗賊於觀音門
林德安迎戰卻之癸丑賊遁六月壬辰賊再掠橋頭　九月辛未賊至東陽向軍總兵秦如虎都司長某翼長鄧某與賊力
總王家幹攻九洑洲克之賊復竄踞之

戰數日甲戌參將張玉良總兵張國樑先後以援師至大敗之

十一月向軍總兵張國樑敗賊於東陽

十二月甲寅夜賊

咸豐六年柔兆執徐

向大臣統南軍三月江蘇巡撫

三月向軍總兵鄧紹良由鎮江追賊渡便

圍老鼠山大營丙辰賊攻龍潭大營己未夜賊由龍潭圩渡河攻龍潭東陽大營

正月邑民修城浚濠鎮江賊由西門沿江

五月向軍援鎮江丁卯賊乘虛陷縣城

二月戊申揚州告警托軍游擊鄧鳳林都

三月賊由浦口來犯縣城民團多調赴鎮

六月丁未賊由蕪湖當塗來犯縣城陷圍

之歲

吉爾杭阿幫辦江南軍務四月吉幫辦殉節於鎮江小九華山六月向大臣疏鷰渟州鎮總兵

民河擊之賊遁遂屯石埠橋五月向軍總兵張國樑游擊張玉長援鎮江敗賊於甘家巷賊自鎮江東來城賊出撲七橋甕

犯橋頭下戍等處向軍提督余萬清由山南迎剿至下戍千總張朝廣由淳化鎮至敗賊於上山岡賊鋒仍銳戍于向軍總兵

八月怡軍總兵傅振邦參將虎坤元以東壩軍至會張軍攻縣城　九月怡軍游擊張玉長敗賊於紅藍埠

司石皓撤回協守三月丁卯縣城陷于總徐綸虞六品軍功王長貴死之浦口武慶軍援遲不及事賊由寶豐莊陷浦口武

江城守空盧都司秦懷揚掘賊於南關向軍總兵張國樑渡江[illegible]毛許墩辛未會德軍總兵穆克登額及前知縣溫紹原敗賊

首杭益進死之　八月甲辰怡軍總兵傅振邦會圍首曹獻龍克東壩丁未遂收縣城

本頁原殘闕，現據南京圖書館藏《光緒續纂江寧府志》（光緒六年刻本，光緒七年初印本）補字。

張國樑爲江南大營總統七月向大臣薨署欽差大臣兩江總督怡良接統南軍駐常州張

向軍大營陷張國樑翼餘軍由滈化鎮退保丹陽賊楊秀清謀殺洪秀全事泄秀全使韋鎮誘殺秀清秀全又殺鎮四僞王

張國樑來援敗賊於倉頭　二月上山岡練首巫良蕹巫良珠南宮練首余應龍李相廟練首高世珍來助戰壁於下戍一乡

慶退保六合巳亥向軍總兵張國樑德軍總兵穆克登額收浦口庚辰收縣城德軍都司藍新恩參將薩某駐守縣城　五月

於龍泹追至藏軍營盤城集再戰敗之向軍副都統明某屯治浦橋　七月溫紹原率守備王家幹千總俞承恩由施官集進

總兵鬻覽晃 九
辦江南月張軍擊
軍務十北路之賊
月 欽再立大營
差大臣
江南提
督和春
接統南
軍駐句
容
三月托
大臣雷

成營盤五
癸未官軍
小卻戊子
向軍總兵
張國樑來
援 三月
戊午張國
樑敗賊於
下戍向軍
提督鄧紹
良追賊於
東陽賊焚

辛巳賊逼劉天長來
縣城知縣安士寇撫
曾勉禮壍定之 是
馬死縣城年溫紹原
再陷 十加道銜署
戶賊酉張知府留辦
天燕洪春芳合防堵
發掠石磧事務以署
鎮新店鎮金壇知縣
綿廟辛亥李守誠調
至陳家淺治縣事
團首文生

陳雨蒼辦皆罷欽差大臣都統衛德興阿接統北軍少詹事翁同書幫辦江北軍務鎮江水

營遊五月賊由高資襲陷縣城賊酋吳如孝至下成執練首徐崇鳳殺之向軍敗賊於東陽八月張總統克寶堰九月

張步林死之

師隸北
軍

壬戌克近
關橋已已
克吉利橋
賊犯二城
橋民團斬
僞檢點某
癸未民團
挫潰張軍
將弁李鴻
勛追賊於
百塔山死
之十一

月戊午張總統移駐小圩橋練首高世珍敗賊李相廟賊以光里下陰路皆不通乃東下陰攻大祝廟欲與江上賊合練首高

世珍移屯而西賊不能過

咸豐七年彊圉大荒落之歲

和大臣統南軍朝廷再用三品頂戴許乃釗幫辦江南軍務與張幫

三月賊於祿口秣陵湖熟龍都包句溧之境築壘周七十餘里八月賊竄鎮江掠棲霞圩營

正月己卯張軍敗賊縣東門外賊擾下蜀橋朱家邊練首高世珍敗之三月溧水敗賊合皖

二月己丑和軍副將魯占鰲總兵傅振邦敗賊於烏山平賊壘二十六副將米興朝擊城賊之

三月縣城隔武慶追六合德軍撤回武慶以總兵姿勇統浦口之防軍　十一月賊句煽撚匪欲

是年縣境無兵事德大臣劾知府前知縣溫紹原罷之總督何桂清疏訟紹原冤開復知府

十月蕪湖賊由水陽來犯知縣楊承忠以團練敗之永濟橋賊遁回蕪湖

辦共贊子洲靖安賊犯郭莊出援者亦由西江口十一月紹

南軍口廠

月許幫

辦耀光

祿寺卿

德大臣

統北軍

十一月

駐浦口

翁詹事

幫辦軍

務

廟和軍總敗之　五竄渡援鎮原上收江

兵傅振邦月甲子傅江德軍敗浦策

與賊相持振邦會副之分竄石

十餘日將虎坤元積鎮　十

三月己巳總兵周天三月偽國

張軍來援培收縣城宗洪廝子

敗之殺賊

近千餘萬

橋頭練首

蔡長清屢

禦賊敗之

踞守縣城

與九洑洲

賊策應德

軍提督翰

殿華駐西

鎮江水師隸北軍

五月賊攻包家窯練首高世珍樂之張軍來援賊卻退遂躡於野雞山城守千總蔡某遇偵賊斃之和軍以總兵虎嵩林璧

門板橋遏之

於盤山閏五月甲寅張軍會和軍總兵傅振邦收縣城六月張軍徵民夫濬長濠練首解文約等敗賊東西峴兩木門口

八月賊犯龍潭河北及太平橋下成等處和軍副將虎坤元會練首高世珍蔡彔清擊退之九月虎坤元擊於廟頭十

本頁原殘闕，現據南京圖書館藏《光緒續纂江寧府志》（光緒六年刻本，光緒七年初印本）補字。

月庚午張軍至自鎮江督虎坤元追賊於倉頭敗之鎮江瓜洲金山敗賊掠橋頭下成下圩紅旗橋張軍會練首蔡慶華敗之

	咸豐八年著雝敦牂之歲
	和大臣統南軍 張提督許光祿幫辦軍務 德大臣統北軍
	二月戊申和軍總兵李若珠克秣陵關敗賊於黃泥庵葛塘集 三月甲子張軍敗
十一月虎坤元敗賊於上山岡	九月和軍平高古山磨盤山賊壘 十月張軍敗溧水竄賊於高古山 十一月賊
	九月庚寅皖賊由太平府來犯縣城陷知縣周硯銘死之 十月和軍總兵張玉良
	正月辛丑德軍都司王熙堂克石積鎮 三月駐馬河賊投誠 乙巳德軍總兵安勇
	二月前知縣溫紹原充德軍營長總督何桂清檄紹原援常州 三月以皖賊擒匪
	是年和軍以都司龍正耀屯縣境助知縣楊承忠防堵時有斬獲

駐江浦八月退駐揚州翁詹事授安徽巡撫提督鞠殿華幫辦軍務鎮江水軍隸北軍

賊七橋甕　四月和軍總兵戴文英攻雨花臺方山賊竄總兵李若珠敗賊於銅井慈湖　五月和軍副將張玉良馮子材擊

掠下戍南北山頭御河口竹里廟和軍總兵虎坤元會練首高世珍玉矜式等敗之　是年江浦六合民逃徙至東陽龍潭者

由祿口進援攻克紅鹽埠賊竄癸卯張玉良督副將馮子材陳朝宗收縣城

會六合前知縣溫紹原收縣城僞國宗洪麻子伏誅分兵駐守石磧鎮四月皖賊自石橋薛家口竄浦口德軍營總富明阿

合股由來安來犯同師謀城守賊由葛塘集犯縣城張軍會溫紹原敗之於毛許墩　七月溫紹原分兵守雷官集大殷集與

退太平神策門撲營之賊平東北城外賊壘　七月和軍水師毀上游泥汊河賊壘　九月張軍水陸攻險皆捷十月張軍

甚眾抽捐入廣寧局

敗之大劉莊綽廟集和軍亦來援　六月德軍游擊劉綜副將馬得昭等駐守縣城　八月德軍調石積鎮之兵分守小店浦

德軍之駐施官集者策應　八月壬戌皖賊陳玉成旣陷江浦分隊來犯縣城德大臣由江浦退師道出縣南都統穆某亦至

既收溧水同駐江甯鎮銅井陸郎橋龍磨山諸賊悉平　是年長濠成自水西門迤東歷儀鳳太平諸門北達七里洲綿亙百

口要隘都司詹啟綸駐東兩山壬戌賊犯浦口德軍敗之癸亥賊酋陳玉成由九洑洲犯浦口德大帥師潰賊遂陷浦口副都

溫紹原留止之不可乃徹西防之軍入城急籌防禦癸亥守備俞承恩王家幹敗賊於壺盧套丙寅賊襲楊家河焚桂家營程

餘里我師進屯七里洲

統烏爾恭額台斐音保總兵安勇皆死之德軍知府孔繼鑅宣維初副將陳昇亦死之德大臣退至呂伯和軍參將馮子材等

家橋竹墩當官集施官集四合墩馬家集諸鎮巴山土團與賊戰文生方寶華死之丁卯庶吉士唐嘉德乞師至句和軍副將

來援不及事乙丑縣城陷團首千總石模死之　十一月奸民傅如賓充偽鄉官潛說賊捕殺團首武生陳立猷等十四人

馮子材督兵四千人至屯冶浦橋戊辰賊大至接戰師潰守備王家幹死之張軍以收揚州遲至賊遏於陳板橋不得進　九

五月庚寅賊掘地道以火藥實空棺轟城縣城陷道員前知縣溫紹原總兵羅玉斌都司夏定邦守備徐鎮海兪承恩千總海從

	咸豐九年屠維叶洽之歲
	和大臣統南軍張提督許光祿幫辦軍
	以長濠成奏免錢糧
	是年賊屢由鎮江掠橋頭下戍
	正月縣城守賊薛三元遣賊至張軍乞獻城降戍戍
龍力戰死之知縣李守誠候補知縣周錫光李作霖典史葉懋奎亦死之	三月以後和軍提督張玉良李若珠總兵詹起綸王
	十一月賊由當塗犯湖陽縣境戒嚴

務七月德大臣劾罷北軍不復置帥由南軍兼轄和大臣以提督李若珠駐營揚州

和軍參將李世忠收縣城撫三元改名成長並收浦口適皖軍令李世忠追賊高旺小店賊回撲浦口據之李世忠再克之

肯堂先後屯縣之東南境圍攻縣城 七月擊賊勝之 十月癸卯和軍參將李世忠攻賊於紅山窯失利師潰

鎮江水師隸南軍

二月皖賊結九洑洲賊撲浦口張軍總兵李若珠游擊薛成良往援會守將總兵周天培擊走之并敗竄撲縣城之賊　三月

乙未張軍會總兵李若珠副將馮子材敗賊於九洑洲平附洲賊壘　十月六合兵潰賊竄浦口張軍派隊馳援失利賊陷浦

咸豐	
閏三月	
二月張軍	
三月僞忠	
三月壬辰	
正月乙亥	口守將提督周天培死之張軍退守縣城賊復來犯擊敗之十一月張軍平江北城南及磨盤山求雨山賊壘
三月乙酉	

十年尚章涒灘之歲

張幫辦殉節於丹陽和大臣薨於蘇州許幫辦罷提督張玉良暫署欽差大臣總統江南諸

克上關綏帶洲下關七里洲賊遁江東門平寶塔橋賊壘三月僞輔王楊輔淸由溧水來犯秣陵關僞忠王李秀成由句容

王李秀成自溧陽犯赤山湖閏三月丁酉縣城陷　六月己卯江甯將軍巴揚阿敗賊於橋頭炭渚泥山湯岡以安　七月

賊酋李世賢劉光第由浙西回竄壬辰縣城陷總兵魯占鰲知縣張鑅林死之

張軍會總兵張玉良克沿江賊壘遂克九洑洲己卯張軍擊浦口援賊敗之　二月縣城賊結瓜子山之賊出撲張軍擊敗之

杭州敗賊由建平竄陷東壩守壩都司匡興仁方景元死之遂陷縣城典史徐邦彥團首王維城死之賊酋黃有才踞縣城

軍四月兵部侍郎曾國藩以兵部尚書銜署理兩江總督督辦江南軍務六月拜實任及　欽

來犯滬化鎮　閏三月自辛丑至戊申賊日犯大營己酉夜大雷雨酷寒各營火起和大臣張幫辦退保丹陽賊軍追躡張幫

練高世珍駱平齋謀結內應復城賊偵知之殺世珍於石墓是年邑之北鄉焚掠最甚賊築石壘於寶堰運蘇州之糧屯儲

收縣城閏三月和軍副將薛成良棄縣城浦口走揚州叛李世忠擒斬之　四月僞王宗壹天將洪仁政及賊酋賴文洸李

差大臣之命逕統南軍駐祁門北軍提督李若珠病不能軍八月荊州將軍都興阿督

辦傷軍羅入丹陽河以殉和大臣退守蘇州未至傷發堯於滸墅關江南大營陷沒

壘中以濟上江之賊

長春陳士承復據縣城以縣城爲僞天浦省　是年旱蝗民食桑椹草根

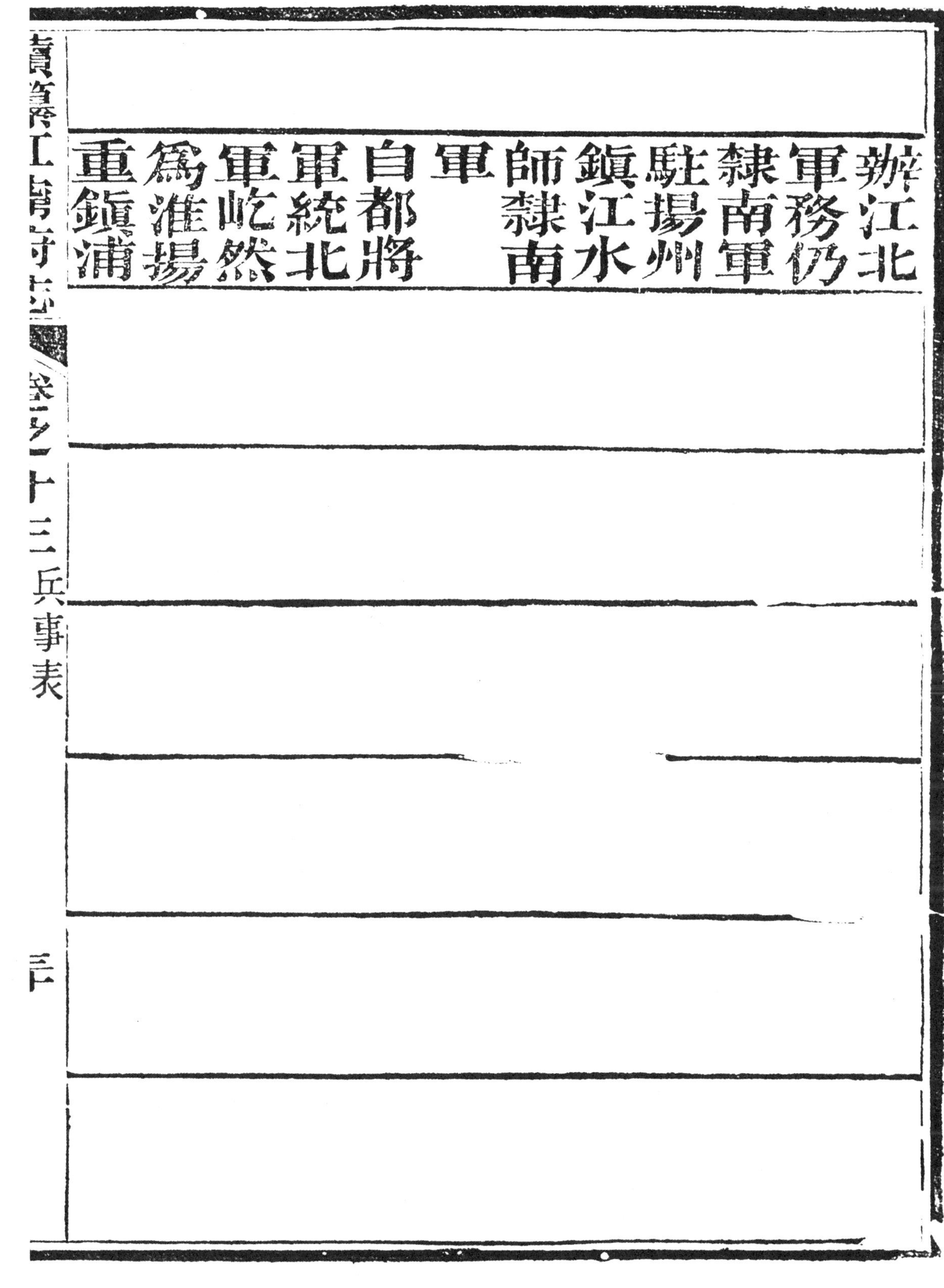

辦江北軍務仍隸南軍駐揚州鎮江水師隸南軍自都將軍統北軍屹然爲淮揚重鎮浦

咸豐十一年重光作噩之歲

六以安

曾大臣兼統南北軍四月進駐安慶都將軍分統北軍鎮江水師隸南軍

五月偽護王趙天義掠橋頭提督馮子材敗之七月賊掠橋頭下戍民多溺紅旗橋死八月橋頭民與賊夜戰

是年偽鹿天義李長春偽天浦文將帥隨天義陳士承偽天浦武將帥報王秦日富據縣城及浦口諸賊不協叉缺

十二月乙亥皖軍李世忠收縣城

九月丁亥賊由宣城金寶圩來犯相國圩仙圩及秦家馬家保勝等圩城賊黃有才自西廒之民團拒戰陣斬黃有

	同治元年
	曾大臣兼統南
	四月曾軍以東紮山
於下坍堝陵互有夾傷 九月賊掠橋頭下成提督馮子材敗賊於湯岡民團攻城不克	正月賊掠橋頭 四
糧衆賊攜怨	正月僞軍政司劉元
才於雙橋渡戊子賊陷相國等圩團首史傳經史丹書沈登魁武生李長庚李恆新劉金瀛等皆死之	閏八月曾軍侍郎彭

元默奄茂之歲

北軍駐之師奪烈月賊竄據安慶四山石壘辛苓山唐陵月江甯已壁板橋等處　五布政使　五月壬月練首吳曾國荃午曾軍克廷珍僧開乘勝東秣陵關癸保攻入賊下駐江未克大勝壘後隊不甯南軍關三汊河繼死之再立　甲申克上九月鎮江都將軍關浦包洲敗賊回竄分統北壁雨花臺馮軍追及軍　六月曾湯岡毀壘

成單玉功內應獻壘丁亥皖軍李世忠收縣城誅僞報王秦日富僞王宗操天福等戊子收浦己丑克石磧鎮敗九洑洲擊

玉慶提督楊岳斌敗賊於東壩

鎮江水師隸南軍提督馮子材以陸師守城

軍敗城內撲營賊至西蘇州賊李秀成率賊四五萬來援圍我大營丁卯力戰圍解八月庚午李秀成率十三僞王至號六

九　是年旱蝗民閒種麥爲賊掠大饑官疫才遺之民畧盡

賊　六月曾軍提督黃翼升以水師二營駐浦口十一月蘇州援賊渡江圍浦口皖軍李世忠堵擊退之

	同治二年昭陽大淵獻之
	曾大臣兼統南北軍三月曾布政擢浙
十萬衆自方山西至板橋連營數十里曾軍固守西十六日力戰解圍	四月壬寅曾軍總兵李臣典克雨花臺僞城石壘
	二月馮軍追賊至薛邨敗之十一月曾軍提督鮑
	十月賊酋楊英清乞降於曾軍乙酉提督鮑超收縣
	二月賊自九洑洲圍浦口皖軍李世忠突圍走賊陷
	十月曾軍侍郎彭玉麐由澄溝塘溝兩路攻縣城賊

本頁原殘闕，現據南京圖書館藏《光緒續纂江寧府志》（光緒六年刻本，光緒七年初印本）補字。

歲

江巡撫五月丁己超擊鎮江
留辦江曾軍克實同竄之賊
甯軍務韮夾燕子敗之於亭
都將軍磯　七月山柳橋是
奏　曾軍克上年賊屢擄
旨督辦方橋方山橋頭江岸
陝西軍江東門賊尚有賊壘
務江甯壘　九月提督楊岳
將軍富曾軍克中斌以水軍
明阿以和橋七橋駐江上鎮
欽差大甕雙橋門江賊援始
臣統北土山秣陵絕

城

縣城石磧
鎮孤軍亦
潰時江南
軍攻圍急
浦口賊棄
城往援縣
城賊乞降
於曾軍不
許　五月
乙卯曾軍
提督楊岳
斌鮑超拔

目楊友清
獻城降提
督鮑超會
師於東壩
東壩賊亦
投誠

軍鎮江水師隸南軍提督馮子材以陸師守城

闞博望首總兵朱洪章營鍾山鎮江賊陸路之援始絕自總兵朱南桂屯湄化鎮而鎮江饋糧始絕

察使劉連捷收縣城浦口庚申夜會軍提督楊岳斌李朝斌成發翔按察使劉連捷潛師由江北岸小埂鳧水達九洑洲猛攻

本頁原殘闕，現據南京圖書館藏《光緒續纂江寧府志》（光緒六年刻本，光緒七年初印本）補字。

同治三年閼逢困敦之歲

曾大臣兼統南北軍曾巡撫督辦江甯軍務富大臣分統北軍鎮江水師隸南

正月癸亥曾軍攻克鍾山天保偽城斷太平神策二門遂台城閏五月己巳曾軍提督李祥和攻克龍脖子山

正月辛酉曾軍擊退運糧之賊二月賊由約金壇寶堰賊助守三月乙己曾軍提督鮑超克三岔丙午克塔岡賊

四月癸未曾軍水師營官柳壽過賊於固城湖

四月曾軍提督梁某駐守縣城克之

四月戊寅賊由句容天王寺大山頭竄東壩別股由溧橋竄塘溝癸未曾軍提督鮑超敗賊於楊郎賊竄廣德

軍提督馮子材以陸師守城六月大功告成各軍以次凱撤

五月僞天王洪秀全服毒死六月庚午以後曾軍輪隊攻城乙酉時加午曾軍由太平門發地雷揭開城垣二十餘丈總兵

竄同縣城賊目徐邦本結內應丁未夜舉火城東賊由南門逃大兵追殲之遂收縣城賊東竄寶堰己酉鮑超軍敗之奪壘五

李臣典先登諸將蕭孚泗彭毓橘武明良李祥和王遠和劉連捷羅逢元李金洲陳湜黃翼升易良虎袁大升吳宗國協力攻

庚申敗賊於茅山四月戊寅僞顯王僞玕王由天王寺回竄大山頭犯高淳阻於水師不得進仍竄大山頭甲申會軍總兵

克省城三更僞天王府及各僞府火起曾軍追逃賊於湻化鎮湖熟鎮殲之奪獲僞玉璽二方金印一方戊子擒僞忠王李秀

譚勝達鄧訓詁敗之賊竄廣德

成偽王兄洪仁達洪仁發等計乙酉丙戌丁亥三日殺賊酋三千餘賊十餘萬丁酉掘偽天王洪秀全逆尸焚之江干 七月

乙巳誅僞忠王李秀成僞王兄洪仁達洪仁發　九月癸亥江西軍道員席寶田擒僞幼王洪福瑱於石城戮於南昌粵寇平

續纂江寧府志卷十四之一

上元朱桂模分纂

人物

科目興而人材鮮見於韋布進士重而鄉舉明經俱不顯非登二品且功烈灼然熏炙人者亦碌碌與衆無殊然士之自盡其道術之區則各有一域以蘄其至雖其食報豐悴得失攸殊繇其天質人工之不齊而當其敝精神竭志慮窮老弗悔則性安於所近也於是有至者焉有志其至而不幸不至焉有幾至而誤歧其趨者焉有似至而非古人所謂至者焉此不以境限而境實限之則遂如其期至之域而分爲六類曰孝友仕蹟儒行文苑義行此偏至者也曰先正不名一行者也此外曰駐防尊王人也名宦貴貴也古之邦君也曰寓賢其族之别子爲祖者也曰忠義曰節孝不幸之民也亦以其類列之作續人物志

駐防

國初威武讋海内外而直省駐防皆八旗勁旅其制與緑營相爲鎮撫積久乃不能不移於所習焉浸淫至粵逆之亂江寧駐防獨以節義聞雖婦孺𠴫免者說者謂　國家二百餘年培養之澤於兹爲烈粵逆既靖當事徵調他所暨舊所遺一二仍將軍於故治轄焉庶幾念前此節義人自爲奮威聲遠振一仍乎國初之盛語曰猛獸在山藜藿爲之不採緊與有賴矣志駐防

本　智　　普　恭

富明阿都興阿　　常　德

明　禄　　蘇隆阿錦春

法式沙太　　薩杭阿

尚　德　　萬　成

恆喜　西金額兄色勃星額

薩畢圖　德亮

噶爾杭阿　增福

蔡某　金慶

重藝　和謙布

經魁　菊林

伍正阿　巴永阿

勒爾敬安　松年

壽昌

本智嘉慶二十四年任老成持重敦崇儉樸廉靜孚於遠近一時兵民輯睦禮教肅然衆推以爲賢將軍也

曹恭字壽峰由舉人官經筵講官禮部尚書道光初任江甯將軍

從容儒雅有裘帶風嘗於署西園築茱根草堂戎政之暇以觴詠爲樂平日留心政治培植士林爲八旗諸生延訪名宿考試月課奬賞每解囊優之又於旗庫籌撥銀萬兩交典生息以爲舉人公車之費其時列科第者如巴永阿松年壽昌皆名進士識者以爲培養之力焉

富明阿同治初任江甯將軍正直有聲時金陵未克督兵駐揚州兵民同歌令德迨甲子克復旗兵同防爲之備器械足糗糧修屋宇謀家室皆自捐廉俸籌畫盡善既去人猶思之先是咸豐九年江甯將軍都興阿初率師駐揚州賊大至總兵詹啟綸驕慢不出戰都興阿獨率親兵奮擊之賊敗退諸將慴伏聽約束六合江浦遂倚揚防爲重鎮綏輯地方軍民安堵南軍得專力奏大功闔郡尤隱受其賜焉采訪

常德由舉人官布政使道光中任江甯副都統古道自重御下嚴明有屬員干以私者屏斥不用黜陟公平人才爲之振作

明祿者正白旗協領陞杭州都統僅攜一僕隨任有陋規銀數百兩義不受盡出以利施濟及兼署乍浦其地濱海多淹冢舍乃買高阜地葬水浸枯骨數百處又開溝渠洩城中積水及致仕出俸餘千金盡贍族戚之貧乏者上江兩縣志

蘇隆阿正藍旗三甲人天性醇厚精於兵制乾隆時官佐領惠威兼濟居鄉尤有法度既卒里人以鄉黨稱賢四字表其門上江兩縣志

錦春字叔繡道光甲午舉人性篤靜寡言笑爲文一宗先輩尤工古近體詩著有洗桐山房詩草

法式沙太字研農性端凝行事一軌於正善行草書得米南宮筆意擘窠大字尤佳尺幅片紙人多珍之款署趙庸卽法式沙太也

薩杭阿官協領力崇實行好學至老不倦工近體詩嗜書法晚年尤蒼勁可愛

尚德字鶴亭官驍騎校少失怙事母曲盡孝養家貧好學搆一齋顏之曰惜陰讀書其中披吟無閒昕夕所著有通鑑覽要改元考古今風謠補古今諺補明小史惜陰齋脞錄子壽昌自有傳

萬成由武生官正白旗佐領性情純正言動儒雅見者不知其爲武生也家貧幼失學及登仕始補讀四子書虛心講習每有所得實能見諸躬行事節母色養備至母病成侍湯藥不解帶者數月宗族以孝稱

恆喜字樂亭官防禦性敏嗜學居家孝友爲將軍印務章京處事尤有卓識

西金額字渭川道光乙酉舉人知江西長甯縣署貴溪居官清廉聽

訟明斷卓著循聲事節母左右就養能得歡心兒色勃星額官協領亦能竭力事母癸丑城陷帶兵巷戰烈節特著人以爲忠孝兩全

薩畢圖字石生道光甲午舉人官廣西蒼梧貴縣等縣時粵賊氛方熾圖於防勦撫卹諸務籌辦盡善築倉積粟捐廉倡之民閒貿物取重利爲之設法平利窮黎被澤中丞勞文毅公檄飭通行嘗乘小轎懷餅餌一僕一吏隨之下鄉勸農遇涉訟者卽於田閒聽決之一刑不用而民心悅服時或小病鄉民爲禱於神婦孺咸至朔望民以官淸民樂四字書燈懸戶其得民心亦可概見未幾擢升知府子善慶官江西長甯縣

德亮字潤之道光壬午進士官陝西高陵縣居官淸廉能以文章飾吏治平日撫疾言遽色化民爲善民思之如父母擢定遠同知

卸任之日行李蕭然

噶爾杭阿字森如性剛正而用情和厚居幕府爲歷任將軍所倚重尤精漢隸字體古樸如見其人五十餘補官協領甫涖位卽以疾卒聞者惜之

增福字成之官正紅旗協領虛心好學老而不倦執事勤敏而終若不足與人愷悌而不有其善癸丑城陷闔室殉難

蔡某鑲白旗人貧而好善居鄉和平正直道光中有孝陵衞業絨者自城中歸時已昏暮遺白金數十兩爲蔡某拾取明晨有人踉蹌而來蔡某問明悉數還之時都統春生賜門額遺金不取四字褒之其子月桂讀書亦頗循謹是年入泮

金慶鑲白旗人諸生品端學優性情和藹爲文醞釀深純一如其人惜數奇不遇以一衿老癸丑闔門殉難

重藝正黃旗人貢生事親能孝爲文力追先正屢試輒高等授徒多所成就薦不售人多惜之

和謙布字蔚堂正紅旗步兵天機清妙適志山水好讀書工詩喜與文人唱和有臥雲草堂集其爲人尤深明大義守正不阿癸丑之變閉戶自焚

經魁字爕軒貢生言行不苟務爲本原之學教讀四十餘年門牆多知名士士林稱之

菊林字秋藩嘉慶戊寅舉人官戶部員外郎廉靜寡欲不苟取與生平行事無不可告人者寓京邸三十年相隨僅一僕布衫布履依然寒素人以古君子目之以上炳元采訪

伍正阿號懌山由諸生考取筆帖式洊升協領記誦淹博識見超邁精篆法工詩所著有列岫軒詩集楚使吟采訪

巴永阿號惺齋嘉慶丙子舉人道光丙戌進士事母純孝績學工詩文爲康方伯基田所賞識著述甚富惜亂後無存采訪

勒爾敬安姓王氏字耐谿性好風雅官協領戎政無事即與邑之文人飲酒賦詩所居在駐防城北門內蒔花種竹蕭然自得又於北門外王荆公半山寺結精舍有前湖水由城腹流繞其下精舍之東則謝公墩也子奎光世其學能寶藏其文字另見忠義傳

松年號雲樵嘉慶戊寅舉人道光丙戌進士官戶部主事升員外郎擢江西道監察御史性淸儉非義不居在部日每晨徒步入署同輩戲呼行走松所爲文有雄直氣庚子分校會闈得士十七八皆一時名彥官御史最久彈劾不避權要受

成皇帝特達之知屬奉使出按事其卒也不能歸葬渥荷帑金之賜尤爲異數云

壽昌姓于氏號湘帆鑲黃旗人年甫冠即登鄉榜由戶部筆帖式中道光庚戌進士改庶吉士散館授戶部主事昌熟選理所爲詩賦雜作直登古作者之堂肄業惜陰書舍時與江甯蔡琳當塗馬壽齡諸人同爲掌教馮景亭宮允吳和甫侍郎所特賞膺館選時公卿咸慶得人迨改部曹未幾金陵先陷昌念老母幼子音耗闊絕憂鬱成疾遂不起而母與子賓以義僕馮某護持得不死昌未之知也以上上江兩縣志

名宦

君子疾沒世而名不稱焉仕宦所至煒乎在人耳目故亦君子之所務而其所由來抑豈無以致之哉夫曰名宦則自疆吏以及羣有司胥於是乎著而師武臣力勞苦功高有不可得而沒者蓋以粵逆之亂與爲終始不一其倫且均之爲　國藎臣有

以卹平人心而弭之替儻亦所謂有文事必有武備者乎志名官

百齡　松筠
孫玉庭　蔣攸銛
陶澍　陳鑾
裕謙　李星沅
曾國藩　馬新貽
沈葆楨　向榮 周天受 周天培 周天孚
張國樑 虎坤元　温紹原
賀長齡　陸言
陳繼昌　李璋煜
唐鑑　祁寯藻

沈兆澐　吳葆晉
呂燕昭　周以勳
趙炳言　蘇廷玉
俞德淵　徐青照
沈　濂　趙德轍
馮柏年　聯　璧
孫炳煒　王世豐
沈廼崧　歐陽晉
溫綸湛　張五典
葉申薌　武念祖
保先烈　龔善思
李映棻　劉同纓

徐暢達　張泰運
陳栻　夏慶保
傅璋　劉大烈
周璞　范仕義
張行澍　張志鴻
周嘉福　陸鈞
曹襲先　毛正坦
錢兆麐　潘慶齡
張履　徐鑄金
彭福保　沈鏞
李囱李鴻勳　淩世御
劉佳　李葶

周硯銘　宋祥　張發春　張毓林　林戴榮
胡國樑　宮庠
李聲清　强汝諶
魯占鼇　王頫
馮應渭　裘輔
周巘　竇廷模
胡澤淵　弟沛澤　陸宗麟
余錫齡　孔繼鑅
宣維祁　烏爾恭額
台斐音保　包定國
徐綸庚　卜鸞停　廖掄升
熊傳栗　雲茂琦

朱蔡壽　李守誠　葉楙奎
朱儒秀　瞿福田
王仞千　李作霖
羅玉彬　王家幹　俞承恩　霍來宗　秦頤齡
許心源　王檢心
錢德承　向柏齡　謝邦鑑
秦曾熙　呂賢基　孟貞純　楊璦林　潘紹恩　孫上楨
徐邦彥　德麟　福賡
匡興仁　方星元　甘紹盤

百齡字子頤號菊溪姓張氏正黃旗漢軍人乾隆壬辰進士嘉慶辛未河決王家營授兩江總督　命一力治河壬申大工合龍疊荷　殊獎癸酉拜協辦大學士仍管總督事其治河也

首疏海口海口大暢乃求效於河大要以謹守東清壩爲第一義盡瘁河干者五年黃水無倒灌患甲戌御史吳雲馬履泰交劾之吏部尚書松筠白其誣乙亥夏江省有莠民散逆詞惑衆一日召機幹將吏三數人入密室給契箭一枝令曰某已廉得逆犯主名可速往某處掩捕稽緩一時者斬疏脫一人者斬如教果獲方榮升等首從百五十八於巢縣事平晉三等男爵九月病請開缺

上以松筠往代其事仍　命在江調理疾瘳同任迨

賜醫至自度不起口授遺疏而薨年六十有九見先正事略

松筠字湘浦姓瑪拉特氏蒙古正藍旗人乾隆四十一年由筆帖式充軍機章京嘉慶中任兩江總督南河自上年馬港口陷後黃水倒漾河水淤墊爲患遂偕河督吳璥查勘舊海口使全防仍歸故道得　旨允行會醫生王勳獻疏沙器具圖以堅木爲架

架鑲鐵齒以巨絙繫船尾能刷淤沙仿造四十架親乘舟疏濬果著效又以比年河北淤淺糧運遞遲請造撥船千艘停泊禦黃壩外備撥運並以江廣漕船笨重請改小以利遄行　上均從之是歲漕艘渡黃及回空皆迅速疏請引沁入衞以濟漕運復疏陳黃河受病之由自求調任總河以便省覈又疏薦蔣攸銛孫玉庭堪勝此任　上令蔣攸銛補授河督與松筠實力講求相助爲理尋　命兼署南河總督明年春疏報馬港口合龍河復故道並請於南北新隄兩岸各設同知守備等官旋調任兩廣總督見先正事略

孫玉庭字寄圃濟甯人道光初總督兩江清操碩德爲天下望生平嚴重識大體鋤剔姦蠹撫綏遠人不邀旦夕不可必之功銷患未萌天下陰受其賜焉見上江兩縣志

蔣攸銛字頴芳號礪堂遼東襄平人隸漢軍旗籍乾隆甲辰進士道光八年授兩江總督性聰强與人一面或曾接片言隔數十年記憶不爽僚吏驚以爲神其爲政明而不苛清而不刻飭武備清吏源尤壹意以培植賢才爲念所薦達者唐公仲冕嚴公如熤劉公清趙公愼畛陶公澍林公則徐其尤著也見先正事略

陶澍字子霖號雲汀湖南安化人嘉慶七年進士道光五年任江蘇巡撫行海運以蘇民困米色瑩潔優詔襃美十年任兩江總督兼管鹽政殫心釐弊其大端著有成效者四一曰裁浮費以輕成本凡公費匣費岸費窩價數百萬其利皆不歸於納課行鹽之商故成本日重一切裁減本源澄而浮冒絕一曰愼出納以重庫款鹽庫不分正雜虧那百出又有總商笼庫不行鹽而專領費甚至捐輸皆出庫墊冒支從不報銷奏分二庫以正項者內庫

備部撥雜項者外庫革總商以杜侵漁一曰禁糧私船私以清綱銷糧船回空向帶長蘆私鹽疏奏不但病鹺亦且滯漕堅持定議蘆私遂絕至儀徵商船有籍官私行之弊一切禁杜又力主散輪隨到隨售而久滯報淹之弊亦少一曰革五壩十槓以清淮北北鹽十年無課遍地皆私商遁岸懸蓋由運道迂而成本重遂決計改票減稅裁費不數月商旅輻輳場鹽一空化私為官復與巡撫林公則徐合疏言劉河與吳淞分流東達太倉為元時海運出口之路其分支為白茅受常州諸水由常熟昭文入海近皆淤塞關數州縣田賦之命若開通海口則潮沙復虞倒灌莫若挑成清水長河工省而利永其海口各建石壩置涵洞隨時啟閉道光十四年工竣通太湖蛟水驟漲盡啟劉河白茅海口各壩水銷歲熟建惜陰書院於省城盋山以經學課士十七年薨於位諡文毅見先正事

略

陳鑾字芝楣湖北江夏人百文敏總督兩江時延入幕中掌章奏嘉慶二十五年進士一甲三名入詞館道光十七年陶文毅薨於位鑾任兩江總督漕鹽河三大事熟習胸中剖決如流如蔣琬之繼葛相人皆稱之采訪

裕謙字魯珊滿洲人道光中巡撫江蘇署總督事好善惡惡出於至誠尋以督師禦夷鎮海兵潰親兵負之趨經文廟謙自兵背躍入泮池謚靖節見上江兩縣志

李星沅字子湘別號石梧湖南湘陰人道光十二年進士二十七年任兩江總督是時廷臣有漕糧改徵折色解部之議星沅疏言州縣兼收折色以錢抵銀本無定價若著爲令而示價於通省則銀價日昂民且重困且例有明文迥非州縣通融辦法若就州縣

分明重輕無論各州縣情形不同卽一州一縣中亦各不同並不能合戶部定例而轉執州縣之勒價爲準多則輸納不前少則采買不足此國計之難也兼攝南河總督疏言河工道廳應各駐汛地不得萃處淸江浦二十八年秋江淮海並漲淹沒民廬萬計親出籌賑撫眠食虧損疾大作准其開缺調理見先正事略

曾國藩字滌生湖南湘鄉人咸豐十一年以一代龍門總督兩江時所屬悉爲賊據國藩駐兵上游指揮衆軍三年之間東南底定遂移節金陵籌度善後謂滌蕩兵氣首以興文教爲急是年冬舉行鄉試明年規復鍾山尊經兩書院聘名宿爲主講士氣大振又招集流亡開墾荒田官給牛種買湖州桑秧令四鄉領種凡民間疾苦壅於上聞者許士民赴轅具稟隨時批閱尤軫卹孤寒如士宦家嫠婦不能自存者每名月給千緡本城粥廠收養難民歲撥

銀米以資之先後三督江南百廢具舉而自奉儉約嘗舉不忮不求二語作詩以自勗同治十一年薨於位謚文正靈𨌺回籍焚香敂送者不下數萬人建專祠於清涼山麓並民不能忘石坊以頌德政焉綜公生平謀在萬年目營四海故以經筵輔　聖學以經術作人才以仁厚培元氣其餘理財察吏若遜後賢精核之爲而千秋權衡恐在此不在彼也見上江兩縣志

馬新貽字穀山號燕門山東菏澤人道光二十七年進士同治六年任兩江總督奏請泗州蔣壩應照舊案專查黃豆餅片芝麻鐵貨藥材煎鹼六宗其餘無論何項貨物准關巡役概不得過問又宿遷旱關本非舊例應請裁撤以蘇商困是年秋收豐稔籌款買穀運省儲倉續修小羅堡河工江南自被兵後田地荒廢同治五年江北水災居民南徙經業主給以牛種開墾者居多此等災民

原籍本有田可種自江南權辦抵徵賦出於租租出於佃開荒者因利息無多棄田而歸業主無可如何新貽奏查開墾荒田爲善後要務未墾之先必將有主無主詳細分晰既墾之後必使客民土民彼此融洽方足爲持久之計其定章有八一招墾荒田啟徵宜寬予年限一未墾荒田有主無主均宜清釐一無主荒田方可由官招墾一墾戶不論土著異籍皆准認墾一墾荒之戶宜曲爲體卹一認田認墾宜令鄉董地保轉報一外來兵勇不宜墾荒其整頓營伍也營兵中共挑出二千八立爲新兵四營均於省城擇地駐紮其在省外者惟徐州鎮標向稱精勁挑出一千八立爲徐防新兵左右二營嚴申紀律優給口糧俾成勁旅酌留淮揚水師數營分汛揚州至清江之運河及裏下河高寶諸湖俾與長江水師聲勢聯絡以靖盜氛又因胭脂河近日淤塞高淳溧水宣城當

塗四邑洩水多阻議濬此河以利民未及行而滬綱髮逆張汶祥戕公奉　旨褒卹建專祠於省中約年譜

沈葆楨字幼丹福建侯官人咸豐五年以詞垣出知九江府六年調署廣信府粵逆竄陷貴溪弋陽葆楨修城籌餉河口輕騎馳赴府城乞援於浙省總兵饒廷選士民泣籲入鄉暫避待後舉笑謝之與夫人林氏堅坐空城誓以身殉廷選兵至賊亦至七戰皆捷圍乃解曾文正公疏稱獨伸大義於天下即指是役也同治元年任江西巡撫獲逆首洪福瑱光緒元年任兩江總督察吏秉公舉劾悉當治軍嚴而有恩草澤巨憝盡法懲治伏莽者相戒不敢發良懦恃以無恐整頓鹽務則有規引地清老堆綫增引浚鹽河諸政江海防務則有請緩裁營之疏洋務則執詞侃侃上海領事情亦輸服開行鐵路之議因而中止辦理皖南教案終能力持公道

愜服羣情惠及江甯者如奏請普減郡屬三成漕糧籌增鍾山尊經惜陰三書院常年經費專款捌辦積穀仿社倉法各存各鄉能附郭建倉之議奏免快丁停造編審准罷絲捐之議派兵勇捕蝗築圩隄濬城內河道重建中和橋修艙擺江船仍歸民渡凡此功德在民永垂不朽光緒五年以勞瘁卒於位遺疏安內攘外不尚近功要籌萬全策言尤扼要自奉極儉俸祿所入隨手賙濟旋盡地方善舉鄰省賑輒解囊倡之歿之日不名一錢訓子遺訓毋得受賻喪祭用秀才禮毋得作行狀墓誌奉　旨予謚文肅建立專祠

昔在嘉慶中康乂江表時則有若文敏公百齡文清公松筠道光間濟甯相國孫公襄平相國蔣公文毅陶公靖節裕謙公文恭李公咸用清德偉度作鎮南服同治中則有曾文正公馬端

本頁原殘闕，現據南京圖書館藏《光緒續纂江寧府志》（光緒六年刻本，光緒七年初印本）補字。

敏公越至於今亦有沈文肅公惟咸豐三年以來文臣未有功名在人耳目者而萬民之望在師武臣故記二忠武公以備一朝江左之名德焉

向榮字欣然蜀之大甯縣人幼穎異捷足能及狡兔爲兒嬉戲常率諸童倚山累石爲城堡攻守之埶識者咸異之嘉慶初教匪亂掠之去既脱遂入行伍從故忠武楊侯遇春受兵法從平滑縣賊積功至偏裨侯忠勇聞天下所部皆顯名一時榮最少其勇略樸誠侯最信愛從征喀什噶爾克復四城賞戴花翎師旋歷遊擊至副將鳥夷不靖授直隷通永鎮事平擢四川提督調湖南提督平李元發亂一月而捷道光三十年率兵越境勦賊旋調廣西提督時粵匪蠭猋數十起而潯之會匪洪秀全據紫荊山眾踰萬公曰會匪非遊匪比也盍先翦其翼卽自將兵由柳州慶遠至

南甯橫州四戰皆捷索潭陶旺諸賊盡潰　賞霍欽巴圖魯勇號已而洪逆將出竄潯乃由橫州移軍潯蓋自是由潯而桂林長沙武昌江甯無一日不在軍中矣軍甫抵潯逆全已出巢至大黃江遂擊之於馬鹿嶺賊走武宣榮先布兵要於城外賊遙望黑幟反走象州之中平百丈邨將竄省榮已繞當賊前使滇黔兵犄賊左右咸豐元年賊乃復走紫荊山之宣墟旋由鵬隘山陷永安州城又由龍寮趣桂林是時榮病疽力疾倍馳兩晝夜先賊至免胄巡郭以安人心賊至又督治具隨機守禦城瀕險而卒夷賊無所得則走陷全州出湖南榮疾少瘥卽馳救長沙時賊圍攻正力大軍踵至長沙解嚴賊走湖北入江陷沿江諸郡邑而榮再起再躓之後追賊戰於武昌追於九江遂拜　欽差大臣湖北提督之命而賊已陷江甯勢大張矣公至江甯大破賊鍾山　賞黃

馬街江甯城堅而大賊狡窟已營遂萌分黨內犯之意榮用墮甑不顧之說逼城而軍力扼其吭蘇杭腹區賊屢伺而不得逞乃分擾江西及安徽各郡邑又由揚州分股北竄榮悉遣將赴援不分畛域疏調粵海師船由海入江擇鎮將諳水戰者督之由三山轉戰而上進屯采石與賊船數百遇立碎之閒出陸兵復太平府賊援中絕於是城中賊窟且饑乃傾巢爲困獸之鬬衆數萬擇其尤獷悍者爲前鋒榮豫部署諸將誘賊至上方橋盡殲之其犯我諸營者亦聞我軍叱呼輒自相蹂踐自是益望公如神六年總兵張國樑又敗之於高資賊乃分竄江北皖南榮飭諸將領四出援勦營中僅餘兵數千國樑又渡江往來馳應五月賊以故得悉衆犯營榮自度身死則賊且躪蘇常而江浙危乃移軍丹陽扼要衝賊益出死力來犯雖大挫之而已卒於軍中矣其後國樑等分克金

壇東壩猶用其效也榮忠信肫摯長驅幹服食均士卒待之如家人而持法嚴不少貸以故所至整軍實修器械先嘗而後戰尤長守禦壁立如山嶽凡我軍知爲壁壘皆得之於其效也逼金陵營與賊城相望賊莫測我軍虛實始終畏憚者榮之外無數人嗚呼榮以大將材受楊侯兵法歷行閒久所至立功名始則權未盡屬繼則寇勢已張故與賊持佹得而瀕失之賴 天子聖明保惜愛護卒大委任俾盡瘁於戎行而賊踞江滸橫氛肆溢獨榮當其一面領一軍持全勢大江南北腹外形勢事變未嘗一日不籌萬全江浙之民頌聲視楚粵尤甚焉丹陽移軍疏請自治

上僅予落職仍留 欽差大臣益力疾督戰病遂不起年六十五

疏以軍事方殷請簡重臣總諸軍尤以全東南清江路爲惓惓一言弗及家事 上聞震悼復原官花翎予謚忠武賜一等

輕車都尉世職特旨建立專祠許乃釗撰墓誌文榮整齊嚴肅而愛民過於文吏不止無侵暴已也初至江寧立軍市小民賴以存活者甚衆豈惟市肆不變哉文士謁之者視其才細民投之者量以役壁金陵四年無論賢愚稱之如一口僕射如父兄其此之謂乎采許乃釗所作墓志榮有人倫風鑑嘗遴兩川健者以自隨而其後皆盡瘁王事若周天受之屬是也天受蜀某縣人從榮戰數有積功至提督咸豐十年守寧國府賊數萬圍之城內兵才滿千戰守皆不足天受又爲伎者劾之落職留文正新授事所部二三千人往祁門寇寇不自保顧瞻四方無乞救者夫兵待餉也無餉何倉守待援也無援何恃天受於斯時糧既單矣援既絕矣登城四顧彌望皆賊此城直生冢爾然猶與其下奮空拳冒白刃苦守三閱月仲秋十二日賊攻更猛天受遺子遺將弁自南門出親送於城外於是時官

民咸跪請同出以圖再振天受叱之策馬反（八月十二日也）是夕城陷天受死之其胞弟天培於九年殉難於江浦三弟天孚亦於是年（七月十六日）殉難金壇同係堅守孤城力竭不屈也嗚呼一門忠烈大節凛然在周氏幸有諸子不愧三良而榮之知人亦所罕有也（采訪）

張國樑字殿臣家祥其原名也廣東花縣人（亦云高要人）少無藉季父賈廣西貴縣走依焉年裁十五六鬱鬱無所見則用豪俠自喜敢爲其難遠近以氣下之土豪富而暴衆嫉之久會又辱其同儕怒往覆焉莫誰何者然數其罪無他侵暴衆愈歸之一時爲之語曰很如狠怯如羊扶弱鋤强張家祥方洪逆之起金田也勢劇張羣不逞往往逐聲響應之或說國樑與合則怒曰所貴豪傑能救民耳若輩戕民以逞賊而已矣勞巡撫崇光積前所聞民閒語曰是其人勇且知義撫而用之必爲國虎臣召國樑見之左江鎮奨而

勵之俾執弟子禮時道光二十九年也其後國樑死綏丹陽勞於廣東爲位哭曰吾門得子艮不負一慟幾絕然是時所在賊起洪逆旋以賊數萬走新甯州國樑自率其徒二百人破之授守備咸豐二年遂率偏師破賊於道州蛇皮嶺又破之於長沙新開鋪武昌洪山夷其壘遂以都司兼霍羅琦巴圖魯勇號旋以所部從向提督榮循江而東國樑身不踰中人面白皙正方而中隆目秀長寸許而言論溫雅接士大夫以禮問旁近阨塞與步騎之宜見者稔其爲大將也賊既據江甯爲僞都而鎮江揚州相繼陷向榮以
欽差大臣督元從諸軍駐鍾山國樑以其部營七甕橋扼其吭時都統琦善亦以
欽差大臣駐揚州所稱江南北兩大營者也而南軍聲威出北軍上遠甚故北軍自琦卒後托明阿德興阿咸未幾罷去其軍遂兼轄於江南三四年間江南北郡縣警輒往援

援輒立解皆其力也而復太平之功特奇始其軍未至太平數里舍之獨身往偵迤行至城下門者闃然入之處有伏則褰走女牆閒騰堞上之道一巨宅賊酋方擁婦人臥一笑刃之提兩級出賊嫗數輩啼而奔俄歌吹作蓋賊諸所守衞悉弛以觀劇迺亦循聲往躍登其臺手兩級而舞眾皇駭頃七賊追至以所斬級抵其二墜手刃其三餘二遁攫身自空下大呼殺賊萬眾奔潰聲軒屋瓦所部軍亦至遂復其城是役也實以一人下之國樑每戰足麻屨布袜首若行縢綢繆胸背累數疊遇賊不甚恃火器時賊之轟擊且伏且進益近賊轟擊益力則覷隙發子過迸濃烟翔入所部從之白刃若雨下其以數百人覆賊萬人若數萬屢矣又稔諸酋伎所長而逆以中之以故所當雖劇賊輒望風潰往往索一戰不可得則舉軍中旗鼓悉易焉而建他將之纛賊誤攖之輒衂皆大驚

道六年賊襲破江北大營揚州再陷江浦浦口等處繼之尤積怒六合益率眾往攻勢危甚於是國樑絕江援之軍不滿千人至則散坐廢壘或席濠壖而臥狀若不勝兵六合人大駭俄諜報賊至問遠近曰二十里許曰未也俄又稱賊至十里許曰未也俄又稱賊至不五里曰可矣橫刀旁侍者出腰間角鳴之臥者坐者皆起視纛所嚮擁之以馳六合人率所屬繼焉戰甫交而國樑暨數百人驀入賊中跳身盪決俄而賊陣亂潰去疾追至藏軍營盤城集再戰再破之連復浦口江浦六合人德之私於所部曰若公何好曰我公於子女玉帛未始以一眴獨好調馬雖極虓怒不可韁勒袒而上手夷礮震之聳岡窈澗掀風電俱過不三復馴矣皆大歎服國樑詢所戰地云何曰龍池也曰吾歷視諸地率狹隘不足戰獨其地曠衍可任吾馬縱橫是以克之其夏巡撫吉爾杭阿戰歿

高資而九華山之軍所稱鎮江大營者亦潰江南營以衂鄰爲天下望先後援上海廬州浙閩近數百里遠乃二三千里疲于奔命制於人而不能制人又壘闊兵單羣賊因之大熾不得已退守丹陽戰於珥陵而向帥病歿國樑遂以提督拜 欽差幫辦軍務之命總督怡良攝向軍一切任以便宜句容鎮江秣陵關江北揚州儀徵九洑洲又以次復乃築長濠江甯以困賊積功授松江提督歷移湖南世襲二等輕車都尉 賞穿黃馬褂換雙眼花翎加太子少保平鍾山賊壘礮斷中指拜 賜御用藥散 恩數頻繁不可殫述而 詔書敦諭有勇猛之中加以謹慎等語 訓辭肫摯藹然家人父子顧國樑不與時會雖江甯圍合城賊糧盡而安徽羣賊陷浙會城乃仍蹈前轍遣軍往復濱江郡縣輒遣軍援以故軍雖八萬而居守益少賊乃自浙回竄

與安徽江北諸賊十道並進國樑雖檄鎮江副都統會軍城下思下江甯而總督何桂清餉不時給始知事不可爲扶一齒畀家人歸報曰馬革裹屍亦豈易得他日葬此足矣俄賊至和春退軍因之潰國樑方出相戰地聞變撫膺大呼墜馬幾絕旣料餘軍爲民殿且戰且卻再至丹陽城下受數創探懷中印付所部令亟走然後下馬北向再拜曰臣力盡矣臣檄軍者七請餉者三皆弗應彼欲死臣久矣言訖策馬望城濠馳下民爭前擁之時方盛漲遂並沒於中流時十年又三月二十有九日也國樑旣死而蘇常諸郡號爲財賦之區者悉覆於賊且延及浙閩事聞 朝野皆震贈太子太保入祀昭忠祠並所在各立專祠而所下 詔書尤極哀痛謚曰忠武採訪

珥陵故隸丹陽齊梁五陵在焉俗曰珥邨賊豔蘇常久道必出此

時以虎坤元統一軍守之坤元字子厚四川人總兵蒿林子亦驍將軍中以小虎目之別於其父其父嘗以事當法坤元號泣向帥前請以已官贖父罪否則代以身言訖拔刃自擬帥惜其材許以功贖於是戰必先登坤元每戰好奪纛選所部惡少年百許配之千金名馬背負紅旗一縱廣各四尺遇賊輒亂陣入望之如火雲飛翻爲風所掣也俄鉅黄旗十數掩映其閒則所手搴於賊者橫舞之而出賊以故望見紅旗一簇輒曰是小虎不可當倒捲其纛以遁而其後戰殁秣陵關亦以獨騎馳萬賊中奪纛爲伏所中年裁二十許官洊至總兵即真方其軍珥陵也適國樑殿軍至遂與之合日暮張筵召諸將飲酒數巡國樑具冠服拜於階下諸將大驚爭膝席至地國樑慷慨言曰勞諸軍血戰數年艮苦今一旦糜爛至此而向帥又病東南半壁視翼日一戰勝艮善不然國樑必

死於是今與諸君別也坤元遽推案前擁國樑起曰過此半步死者非夫也坤元請先之公繼後計吞此賊必矣國樑笑撫其背曰壯哉雖然前敵吾自當之君可繼諸將亦涕泣以死誓翼日賊盛至我軍裁當十之一逆前鏖戰礮聲猛烈萬雷一奮崩崖積谷戰塵騰起數十百丈劇賊排牆進國樑洞入中堅諸將繼進剽疾震蕩血肉橫飛前賊已盡後者復來我軍始番休既則一軍覆釜起戰兩晝夜賊始大潰以奔而他賊圍金壇以抄我後者井潰散坤元以復溧水得名至是聲稱益在人口同時又有張玉良以援浙名後亦靖難軍中以二張目之蔡應龍以援甯國死其營左敬亭山右油榨溝賊攻其前他賊伏其後全軍殲焉皆向營驍健也坤元票姚敢戰見敵輒心開若飲食之人覩珍饈焉所部楚蜀梟悍少年百餘人背紅旗腰雙門槍長等身每戰亂陣入遠者洞其腹近者劈其首百響轟擊馬奔旂揚當之靡碎嘗以千五百人克句容走賊二萬功尤偉云以上皆采訪

温紹原字北屏大興籍先世有官湖北者遂爲江夏人少時好讀史深明大義其勇略天性然也工於詩獨厭棄舉子業初爲鹺官淮南非所好復改知縣行六合縣事積戰守功遷領江甯府行其事　賞花翎以道員用加鹽運使銜總六合防務始蒞任去前令苛政省役減賦月會諸生教之士民已大悅既勸捐義穀數千石即各堡儲之庀工修城垣之圮者且治樓櫓督之頗勤時咸豐元年也衆詗非急務三年粵逆遽偪江甯已前領團練法於各堡而齊一之別募壯士數百躬教之皆可戰江甯陷鎮江揚州繼之賊游騎至境輒殲於鄉團俄而大至禦之龍池衆寡不敵所屬徐琳達成榮戰死則單騎緩轡以殿賊疑不敢偪退踞南關會日夕賊營火自發大亂督衆亟翻之陣斬僞丞相一僞統制四餘衆悉殲焉紹原據扼塞浚品字坑下埋地雷火礮斷賊徑督守備秦

懷揚千總夏定邦王家幹等互相策應隨機禦之每戰擒獲過當賊愈憚其威嗣截戰江上七出七勝進破南岸七里洲營聚其船燬之賊不敢北渡乃出陸路下窟築壘高資下蜀街重濠環之巡撫吉爾杭阿檄會攻紹原命弟同知綸與夏定邦將千餘人往賊望見輒潰走進平其壘方議會軍復鎮江而揚州大營爲賊襲北帥棄軍走賊勢復張陷江浦進犯浦口總兵武慶潰遁賊遂進據六合葛塘集會南帥遣總兵張國樑來援紹原會師戰於龍池大破之追至藏軍營盤城集再戰再破之連復浦口江浦於是都統德興阿代北帥列上其狀擢道員而北帥心本嗛之未幾賊別隊至自江西舳艫蔽天下吉撫軍陣歿鎮江九華山大營悉潰南帥亦退守丹陽句容溧水江浦相繼陷江以南烽火沿江乃港浚雜植梅花椿募善泅者操小舟備越軼水陸幷禦之賊無如何則謂之

鐵鑄六合於是南帥向軍門榮列上其狀擢知府　賞花翎仍知縣事蓋時江南北督師各一六合轄於北帥而亦兼承南帥之令北帥營揚之甘泉山賊謀由六合夾攻之旣扼不獲逞則營九洑洲據江甯達廬鳳之道又結木簰長數十丈上築壘穴旁置礮用以鼠下游紹原先於八卦洲焚其簰然後會師攻九洑洲賊守甚嚴會天大霧咫尺不可辨召所屬秦懷揚王家幹冒霧以登掀其礮迴燃之礮發壘燬而秦懷揚已踰濠躍入二人大呼殺賊衆繼之斬馘數千級論功紹原最北帥德興阿輒移之他將南帥書慰之且曰賊一日未平紹原敢論功乎是時江北大旱蝗斗粟銀一兩天長梟匪來安山匪突據縣西勢汹汹不旦夕保紹原厲所屬進討一日三戰大破之然後撫其餘黨列上諸將士北帥積前嫌謂越境邀功寘弗錄紹原執唇亾齒寒義苦相抵北帥乃以

干預保舉疏劾之　天子稔知紹原無罪而重違帥意褫紹原職　諭以江北防堵自効既而總督何桂清爲疏辨詔開復知府已又以攻克江浦來安加鹽運使銜然當是時捻逆大熾粵逆與之合連陷廬鳳進踞滁州水口鎭勢尤張而六合南直江甯西阻滁來東擕揚州北爲廬鳳雖彈丸地而爲賊所必爭紹原以東路有北帥大營檄諸將備西路乃賊遽自和州含山犯大營北帥倉卒登廣艇遁都統穆某率衆東竄紹原挽之不可止乃急檄西路諸軍回守而賊已大至圍未合賊帥陳天安號四眼狗者謂此城所以不可破以兵勇與鄉團相救應今聞大營破鄉團必膽落我以衆抵城下使兵勇不敢離城而別遣驍銳四出破其鄉團城中勢孤則可圖矣會紹原焚浮橋晝河而守賊遂歷破桂家營程駕橋竹墩雷官施官巴山及馬家集四合墩諸鎭鄉團既破圍遂合然則城鄉相首尾勢既張而兼具奇正之用亦兵家所宜知也小東門濱河沮洳城中掘尺餘輒見水賊於城外掘得燥土乃潛掘達城下火藥實空棺轟之城遂陷紹

原逆戰以殉時八年九月也先是事急時諸將議請突圍出紹原歎曰吾以斗大一城屹據叢賊中支拄五載雖報　國宜然然亦久苦諸父老矣今出而城陷江北大局豈復可爲固不若與城俱亾也聞者皆感泣事聞　天子震悼贈布政使銜立專祠謚曰壯勇采未灰齋文集

賀長齡字耦庚善化人任江甯布政使道光九年稟請督憲蔣撫憲陶挑濬省城內外河道遴委江甯府俞德淵督工去淤塞而人蒙其利整修書院立規約書院之局門課文自此始勸人讀有用書纂　皇朝經世文編補修集韻玉海皆其功也見上江新志及濬河事畧

陸言字心蘭浙江仁和人道光庚寅年任江甯布政使嘗倣宋名臣言行錄彙輯　國朝名臣名儒嘉言懿行彙爲一編江甯增生李蓮取與不可晚年品節愈峻方伯獨器重之以爲多士勸見白下瑣

言及金陵文徵

陳繼昌字蓮史文恭公宏謀之孫也廣西桂林人道光二十二年任江甯布政使懸牌示期躬詣府學明倫堂諸生齊集講書訓誡諄諄書院課日亦必親臨與山陰潘諮礪砥學問刊其少白全集潘諮云蓮史初典郡畿甸及行晨過予立門外啟而入一客曰府難做若是道員便可自由蓮史不言須臾曰吾苦不從州縣做起切實就民事細密處用心二十年吾此任須久不遷調方可有益其立品砥行如此見白下瑣言及潘少白集

李璋煜字方赤諸城人以進士官刑部例案精熟吏不能欺知江甯府下車訪賢才禁侈靡天界寺僧某及道士許進俱玩法悉逐之勒石禁小押彩轎風俗丕振後攝江甯布政使曾生泉三字隸書在瞻園末刻涫化丙午邵承堅建八字亦隸書前某方伯以石

建井西三舍璋煜攝篆除其石拓字乃顯風骨雖峻厲而宅心仁恕實以儒術飭政事也見待徵錄及上江兩縣志

唐鑑字鏡海善化人生平力崇正學初爲江安糧道置蠹胥於法累遷江甯布政使後以老歸咸豐元年 召赴闕以不任辭職 命回江甯主鍾山書院講席矜式後學著學案小識畿輔水利圖說見先正事畧

祁宿藻字幼章壽陽人文端公弟也咸豐二年爲江甯布政使時粵賊陷武昌警報迭至宿藻內撫居民外籌軍食經營防禦竭盡心力大帥忌之以故噤不得施明年省垣被圍登陴巡緝積憤嘔血會民擔粥供軍宿藻顧而歎曰好百姓我負之矣疾遂劇家人請回署不從二月初卒於城上見上江兩縣志

沈兆澐字雲巢天津人道光中任江甯府升江安督糧道歷官十

年政持大體不尚嚴苛自言黃運兩河屢於轉漕時體察情形因著蓬窗隨錄一書採摘　本朝名臣治河奏疏爲最多采訪

吳葆晉字紅生河南光州人道光壬午科進士庚戌任江甯府升鹽巡道書院課士取經術湛深者置於前列嗣因尊經山長歸里代閱課卷評定甲乙士論翕然章鼎黃汝蘭皆其所拔識者也采訪

呂燕昭新安人嘉慶中任江甯府延請桐城姚鼐爲總纂重修府志文獻賴以不墜嘗刻呂新吾呻吟語以分給士林新吾卽燕昭之遠祖也見上江兩縣志

周以勳字次立浙江嘉善人嘉慶丙子入闈分校得林端卷薦未獲售及八月杪魁已定獨無元卷主司上堂語衆同考以勳出位曰昨得一卷其文氣息甚高然太遲不敢薦耳主司急索觀乃以濃藍汁塗其墨迹復用包掃一切四字改其前批呈果定元升江

寧府鋤强扶弱民用乂安見白下瑣言

趙炳言字竹泉浙江烏程人道光初任江寧府廉明剛斷案無積牘仕至湖北巡撫咸豐庚申守湖州趙忠節卽其子也采訪

蘇廷玉字鼇石福建同安人由翰林改刑部善聽訟原授松江府知府詣江寧見制府時有疑獄衆莫能決調廷玉鞫案得實遂補江寧府後仕至四川總督采訪

俞德淵字陶泉甘肅平羅人道光中知江寧府勤求民瘼廉幹有爲尤善聽訟心平氣靜曲體人情而刁健者莫得逞童生肄業鳳池違課期諄諄訓勵以其地狹隘捐金購孫氏五畝園改建上新河久塞挑濬使深民咸稱便城中賭風大熾廉得其處按名逮究生平持躬勤儉自居外舍辦公案無留牘衣數月不浣濯未幾擢兩淮鹽運使云見白下瑣言

徐青照字稚蘭浙江山陰人道光壬午進士乙巳年任江甯府知府清慎廉平勤於其職與知江甯縣范仕義究心民瘼志同道合委任甚專値江甯水菑頻仍青照加意振卹冒暑潦積勞致疾會升廬鳳穎道遂殁於任采訪

沈濂字景周號蓮溪浙江秀水人道光癸未進士由郎中出守鎮江府時讞局案牘山積判結靡遺巡撫李星沅廉其能奏調江甯府典郡五年報最陞署淮徐道見嘉興府志

趙德轍山西進士道光辛丑令漢陽治獄勤慎不事株連適巨浸爲患募貲賑濟不辭勞瘁咸豐癸丑知江甯府時會城已爲賊踞府寄治清化鎮德轍團練鄉兵有賊出犯親率勦禦賊屢敗退又設立撫卹局有拔自賊中者輒留養之尤培植文士倍其餼廩咸感悅之後洊擢至江蘇巡撫見上江兩縣志及漢陽志

馮柏年直隸天津縣人道光己亥舉人考取內閣中書充軍機章京擢戶部郎中　簡放江甯遺缺府同治八年九月到省派充善後局提調事無鉅細莫不躬親凡有益於民者竭力爲之時大府議裁併普育等堂柏年以去就爭始另籌米穀以資接濟又派局員收埋無主屍棺城廂內外棺木暴露者一律掩埋九年補授江甯府五月到任接篆之日一切執事人等皆捐廉給資不受陋規分毫其清操如此時捞匪橫行柏年督同上江二縣及保甲各局設法兜拏嚴懲數犯民賴以安他若書院課士及一切地方應爲之事悉遵成法人無間言未數月而有馬端敏公之變時值鄉闈士商雲集柏年督同寮屬稽察巡查不遺餘力又研訊巨案夜以繼日無少休息十月感時疾卒沒前數日猶手披公牘殷殷民事也采訪

聯璧字玉農長白人任江甯府通判城内四象橋泄水毘連人易沈溺立石以鎮之因而禱祠旗竿林立璧過立命徹去爲欄以護行人又以挑夫多把持縣印瓦法以次懲革民多賴之見待徵錄及白下瑣言

孫炳煒字小軒黟縣人任江甯府北捕通判能決獄捕盜署高淳縣捐振民德之引年去官僑寓江甯咸豐三年金陵城陷炳煒時年七十一罵賊不屈死之黟縣志

王世豐字沂中泰州人嘉慶十九年署江甯府教授時方榮升逆案大吏檄府縣暨世豐籍其家得習名冊訊之乃榮升欲張大其事實則未從逆也立焚其冊同官某侵用廪糧諸生訴於學使將收其孥世豐代償之見揚州志

沈迺崧字金畦合肥人道光初任江甯府教授敦品飭行矜式士

林時童子有兩書院鳳池在南延請山長閱卷奎光在北附府學內迺竭盡心評騭成就甚眾采訪

歐陽晉字可伯號耘珊宜興人道光丙午優貢咸豐二年冬署江甯府教授時粵逆已破武昌方伯祁文節令督練巡守晉視事日即作書寄妻子曰今時事不可知我官雖微義不苟免城陷朝服北向叩頭訖旋裂帛書絕命詞曰苜蓿何堪抵蕨薇坦然全受即全歸十年養得干霄氣併作貞魂一片飛旁註云清晨聞北門失守晉二十日苦辛付之浩歎聊題一絕上答君親二月初十日歐陽晉並記又鈐以府學印授其僕從容自縊僕藁葬畢懷絕命詞潛逸出叩軍門白其情得　旨贈卹見忠義冊

温綸湛字露皋貴州桐梓人嘉慶庚申舉人知上元縣寬厚慈祥有訟者必反覆開導使兩造意釋而後已舊俗多停柩不葬者或

委諸紳野綸湛遴請紳士赴各鄉飭令埋葬無後者歸諸義冢其瘞棺一千有奇鄉邑皆彷行之見白下瑣言

張五典字蓮塘一字濂堂陜西涇陽人嘉慶中知上元縣治尚風厲頗爲頑梁所畏采訪

葉申薌字次幔福建閩縣人嘉慶二十四年任上元縣課試童子盡心批閱拔前茅者題箑贈句勗以篤學挑濬城內支河蕺星出入督工最勤里人伍光瑜紀以詩見伍光瑜詩集

武念祖字潤堂陜西岐山人道光三年知上元縣延上元訓導陳栻重脩縣志以補呂志之未逮皆爲今所依據見上江兩縣志

保先烈昆明人進士道光中任上元縣年已七十精神强固辦事明敏陶文毅器其才十六年保陞邳州采訪

龔善思字意舲合肥人進士道光中任上元縣性敦厚有純儒氣

象勤於聽訟苞苴不入後升海州知州見揚州府志

李映棻字香雪四川人道光中任上元縣嘗與江甯范仕義明府合詞稟脩上江兩縣志太守徐公青照允其請會有阻之者不果行聽訟明決胥吏莫敢舞弊一邑稱神明采訪

劉同纓字冕垂江西石城縣人道光丁酉拔貢朝考授知縣分發江蘇歷行鹽城泰興邳州江甯江浦上元六合諸縣事所至有聲已知上元縣事縣人允愛之咸豐三年粤逆東下是時承平久人不知兵制軍陸建瀛奉督師九江之 命遲二十日始行所統諸軍冠韡而袍試執所持刀着土花皆滿既至嘗無方畧倉卒出軍戰未交礮聲作輒驚而潰焉建瀛用單舸疾舍小孤山棄安慶與荻港蕪湖牛渚采石東西梁山之險微服入江甯同纓知事不可爲然且購粟十餘萬築壘浚濠雜置諸火器又以守計毀附

城民居而西南兩門轄江甯屋宇尤密執弗從同纓越境諭之民曰此我舊父母也吾雖私其居不可以梗我父母畢一日毀之俄而賊游兵數百人偵至以未察虛實遲迴未敢下同纓謁制軍請賊多而不整挫其前鋒氣且阻請簡士之壯者身率一戰弗許又謂今事已急戰倖而勝同纓不之功否且刃纓以身亦不爲城中累也仍弗許則退而痛哭曰吾死分矣然執雖駑斬刈之亦鮮引頸受也夫制軍何騃哉城陷獨身坐堂皇賊至羣指目曰彼之朝服據巨几者即劉青天也愼勿犯相率去之同纓從容出至署後昇平橋就其柱大書諭賊曰勿殺百姓然後投龍王廟潭內以殉事聞　贈太僕寺卿謚武烈立祠城中　采訪

徐暢達字筱泉四川人咸豐六年任上元縣是時省城未復駐紮湻化鎭地方鄉民結團禦寇踴躍聽命署內只一吏給筆札批答

稟牘無廢事采訪

張泰運字星槎少以孝友稱銅山人嘗攝上元教諭篆士林愛之見徐州府志

陳栻字榕軒溧陽人貢入成均爲法時帆汪瑟庵兩大司成所賞識道光初任上元訓導武明府聘修縣志補輯最廣舉伍長齡爲孝廉方正人服其公采訪

夏慶保字履祥儀徵人孝友廉潔樂善不倦道光五年舉人官天長縣訓導母憂服闋選上元縣教諭咸豐三年賊陷江甯城破端坐學署賊至詰問何人慶保厲聲曰我此邑學師也罵不絕口身被六刃而歿年五十三贈國子監助教入祀昭忠祠江甯人士追思遺澤建衣冠墓於雨花岡側見揚州府志

傳璋字袞山天門人嘉慶中知江甯縣聚寶門爲往來通衢石路

損壞璋自長干橋至鎮淮橋皆墁以麻石堅厚耐久不數月而工竣又重建南門城樓百廢具舉未幾升邳州去見白下瑣言

劉大烈安徽巢縣人道光初任江甯縣爲人外剛方內仁恕每莅官輒微行私訪宵小聞風斂迹澆俗化爲良善所至興利除弊善政極多士民咸敬服之見揚州新志

周璞山東舉人道光二十一年宰溧水調任江甯縣誠信明敏事無積壓試童子時凡遇可造之材據案刪改爲之解析書理曰根柢清澈於立言植品大有關係非獨爲文之工拙也采訪

范仕義字廉泉保山人道光中知江甯縣聽斷明決廉正有聲諮訪利病勤求民隱禁軍犯小押嘗欲修縣志不果其治如皋疏水利民尤懷之見上江兩縣志

張行澍字瀚雲河南祥符人任江甯縣知同官劉同纓才勝於己

每事與商咸豐三年正月警信至同纓斂城內乞丐給之倉行澍曰何爲同纓曰此輩雖非盡出無良但不得食恐賊即誘之爲間耳彼得食又何求所以先弭內釁也行澍亦效其法晝夜巡防無暇寢食城陷死之采訪

張志鴻字耘渠嘉定廩貢生道光中爲江甯縣教諭崇尚樸實歲試舉優行不受贄儀後以憂去見上江兩縣志

周嘉福字峙亭吳江舉人道光中任江甯訓導接引多士和藹可親里人選金陵文徵嘉福助蒐輯其闡幽扶微之心樂此不倦采訪

陸鈞字古修號秉齋浙江仁和人由翰林院庶吉士散館改選句容縣邑有猾吏某習詐舞文蒙蔽官長黨羽盤固莫可究詰鈞下車後盡剔弊竇民困大蘇上憲頒式於近邑著爲令胥吏因是叢怨兌漕時勾結弁丁百計刁難遏限不兌上下交迫鈞憤極自縊

於倉句容暨鄰邑士民立清惠祠以祀之碑云公來時家有六棺號泣而曆諸野行既至則差使剪午又云公既身殉檢其橐如懸磬然檢其身則布衣尚多補綴又云享公之樂而食公之福不能襄公之變代公之死凡爲悲公者皆以自悲又云石工等五百九十八疑此乃紳士等避禍託名碑在今龍潭倉基半埋瓦礫中采訪冊

曹襲先江西新建舉人由教習選授句容縣知本邑漕糧額重加意寬卹民用日舒兄秀先曾督學江南士林感德襲先獎厲風化修書院給膏火重輯縣志僉謂有儒吏風采訪

毛正坦湖北麻城人道光乙酉戊子間任句容縣興廢舉墜昕夕弗遑邑多山苦旱修水利開河道至瑣山止儀門楹聯自書云士農工商爾等各安本分是非曲直我終不昧良心木刻至今猶存采訪

錢兆慶浙江人道光間任句容縣邑舊苦糧重歲歉鄉民報災擁入衙內紛沓喊訴兆慶爲人和易婉轉勸導衆屢解散去任代者至政尚嚴厲收漕時募民壯數百名駐龍潭倉側懾以聲威刁民某鼓衆愚頑阻遏柴米入城城內大恐上憲委兆慶往焉至則先赴鄉講鄉約民聞錢公來爭往聽講兆慶先慰勞民敘契闊事民皆歡樂某勢孤自請服罪餘無波累采訪

潘慶齡字餘慶泰州人嘉慶六年舉人二十二年任句容縣教諭嗜學敦品著有汲綆書屋稿生平留心水利曾獻淮黃濟運五議總督松文清亟獎之見揚州府志

張履字淵父震澤舉人遂三禮之學纂宗法通攷授句容教諭纂修宣聖禮殿及四賢祠履記云宋公楚望林公光照范公廷杰俱不愧爲良吏餘一人從祀稍濫焉啟華陽學舍與諸生五日一會講求經訓作抗志植心砥行稽經練

務屬文六箴以勵學者又廣徵遺書道光十八年嘉興錢燕桂攝縣事爲栞容山教事錄俾廣其教采容山教事錄

徐鑄金字鎔甫寶應人咸豐八年官句容訓導邑中凋敝諸生孰贄者寥寥鑄金不名一錢且以俸金贍諸生己未江南鄉試借浙闈舉行大典擇能文而貧者厚贐勸行十一月乞假歸里囊槖蕭然十年句容復陷士人避亂往謁或贈金或假館皆酌宜以施采田志蓮集

彭福保蘇州人同治時任句容校官遍視童塾察功課勤苦者解槖獎之籲請大府修文廟未幾撫憲檄回蘇辦本郡善舉去任采訪

沈墉湖州人道光二十一年任句容典史後洊升雲南阿迷州知州緘金贈故舊並囑掩埋無主荒墓以補任內未畢之願其費皆由墉遠寄今龍潭義冢實其經始也采訪册

李窗未詳何邑人初爲賊掠投向大帥營由勇弁積功爲偏裨官都司花翎咸豐六年金陵大營潰賊以大隊號百萬壓之總統張國樑屯丹陽誓師復戰屢挫賊鋒賊分竄攻金壇窗竭力守禦國樑往救圍乃解遂拔窗爲前鋒進向句容八月助克寶堰攻茅莊又攻白兔身先士卒每戰必勝十一月攻小圩橋又勝遂營小圩橋率兵衝至東門蕭家橋及城根幾破賊賊困鬭益急分隊由南北二門夾攻窗窗令兵由小圩橋回營身殿後拒賊賊矛攢刺窗橋高而窄受傷墜水死或曰窗卽李鴻勳按鴻勳廣東高要人官副將守金壇有功陞總兵七年陣亾於句容南門外又一人也

凌世御浙江錢塘縣進士任溧水縣邑舊有趙公書院堂廡傾圮弦誦罕聞世御解囊倡捐紳士觀感集貲樂助工成改額高平以爲每月校士之所案牘餘閒徵文考獻風教重興修青絲洞明忠

臣齊泰墓撑後裔馴謹者守護之碑禁樵牧縣西南六十里濱石臼湖監生楊志鋐建文武閣鏡湖書屋世御嘉其有功桑梓爰撰記俾垂永久采訪

劉佳字眉士浙江江山人嘉慶戊辰舉人道光十七年任句容縣出示四鄉收買蝻孽是秋大熟籌豐備倉勸民種桑育蠶嚴禁演淫劇婦女游觀與教諭張履志同道合講求治理調任溧水縣宋時溧水舊設桑棗主簿境內桑二十萬七千餘株事載景定志佳知土壤最宜督勸報最今横山曹村紅藍埠廣藝桑株民知紡織皆遺澤也采訪

李蓴字花樓湖南舉人道光中任溧水縣樂邑內民風質素判案時不加敲扑諄諄曉喻兩造輸服訟端衰息檄調內簾盡心校閱甄拔皆知名士采訪

周硯銘字香海河南輝縣舉人咸豐三年委署溧水縣事守禦完固六年五月江南大營潰散旋經總統張國樑復立大營檄赴丹陽効力七年總兵傅振邦克復溧水硯銘供峙軍儲著有勞績八年九月十八日逆匪再竄溧水宜昌鎮總兵某駐營南門外兵潰硯銘登陴守禦力竭城陷被害事聞 賜卹給雲騎尉世職

又訓導宋祥右營外委張發春均於六年大營退守時殉難采訪

張毓林安徽盱眙人任溧水縣咸豐九年十二月到任十年三月逆匪竄撲縣城時四川建昌鎮總兵曾占鼇紮營城外毓林集練守城同心敵愾旋因賊衆大至占鼇撤兵入城亟令毓林潰圍赴營請救奮勇突出身受重傷死 賞給雲騎尉世職按咸豐三年實缺溧水縣知縣林戴榮大興人奉布政使祁宿藻留辦江甯巡防二月初十城陷遇害其弟監生梅岑孫八一同時殉難贈知府銜並弟梅岑均照例

給雲騎尉世職

胡國樑字任臣一字東文安徽涇縣人耽貧樂道供絜白饌以養親與長兄相處怡怡如也季父承琪耆儀禮今古文疏證侍側助討論道光壬午解元官溧水教諭訓士子務爲根柢之學林明府童試點名時有攻冒籍者明府弗能決亟迓往曰是易辨耳面詢本童高曾以下履歷著述悉不爽即日童得入試年老請解組歸太守挽留不可曰陽道州諭諸生三年歸省今國樑老矣先人墳墓祇遺子弟護視何足式士林行囊殘帙不盈一車返里後多問字者朱榮實即其弟也涇人有十里師生兩解元之稱年八十一卒於家采訪

宮庠泰州人嘉慶丙子舉人道光初任溧水教諭與諸生講經史門庭嚴肅署內無詬誶聲誦讀琅琅長幼靡閒邑增生施濟沈靜嗜學庠妻以女庚申亂女偕夫殉難自言我弗偷生庶不敗先人

令名蓋庠之家教夙端也采訪

李聲清字尚夫太湖歲貢生官溧水訓導工詩古文辭所著多不自收拾惟有蘭言甲週來復諸集行世安徽通志

强汝諶字彥吉溧陽人同治丁卯舉人與兄汝諤齊名人號之曰二强光緒中任溧水訓導邑舊有高平書院遇劫被燬汝諶與教諭章驥合辭詳請整復舊規人多頌焉采訪

魯占鼇四川川北人四川建昌鎮總兵咸豐九年防堵溧水軍令森嚴秋毫無犯十年三月逆匪由高淳廣德兩路來攻時杭州失守江南大營派師馳救克復杭城浙西回竄之賊益以皖南諸匪分路進撲二十一日東壩溧陽相繼失陷先是溧水知縣張毓林集練守城占鼇駐營城外兵力單薄屢戰難支占鼇亟撤兵入城令毓林赴營請救毓林遇害外援弗至逆匪晝夜圍攻二十八日

自未刻起狂風陡作大雨滂沱槍礮難施至申刻賊四面梯城守陴兵少不能抵禦占巃率兵奮勇巷戰力竭陣亾死最烈采訪

王頫字菊泉浙江歸安人道光初年任江浦縣署有狐頫獨不祭亦無祟浦邑以前明畿輔勳軍多駐其地勳軍子孫世有祿秩供駕黃快船渡江其分衛注籍名資生冊每歲編審黃快丁名數准增不准減故冊有名而軍無人者多焉　本朝定鼎革除快丁名糧仍令供應快船未嘗僉運糧艘也乾隆二十四年楊漕督奏准以運糧旗丁與快丁劈半分僉每旗丁一船疲壞則由運弁移縣索僉快丁頂運家產悉行注冊有虧空則鬻以償定例萬金之家爲殷千金之家爲疲殷戶僉疲者免不諳駕運者准貼費代運江浦據資生冊萬有二千餘丁派僉四十九船起運其實殷戶可僉者並無幾人而旗丁句結胥吏任意報疲索僉快到運快籍畏累

傾家復扳擾民籍稍充衣食者於是遠徙頫始至江浦即欲爲民除害以調署泰州數年同任始紓其志先縷陳疲累情形次妥議調劑規條次婉勸商民助捐次懇借庫款先期發典生息次勒碑示禁扳擾上憲鑒其誠爲奏准免僉立案勒石厥累永釋民感其德立生祠以祀之江浦備徵錄

馮應渭字子望山東舉人道光初年任江浦縣承王頫之後一意撫字衞籍之累全甦在任六年政通人和秩滿陞調民攀留不得護送百里外依依不舍應渭亦臨岐揮淚囑民以餓死不作賊氣死不告狀二語民至今頌德不忘江浦備徵錄

裘輔字寶齋江西新建人文達公曰修之裔同治四年任江浦縣精明嚴毅人不敢干以私會秋大水圩隄漲缺流民無食復業爲難公惻然傷之亟請發款修隄以工代賑詳府不允即謝病去後

大憲委勘得實發款修隄卒如所請民至今懷之江浦備徵錄

周爔字芝田泰州人嘉慶中由貢生官江浦縣教諭有李生觸當事已申牒褫革矣爔力辨得免士林頌之見揚州府志

寶廷模字立範無錫人嘉慶中由舉人爲邑教諭所職既舉出清俸召諸生興卹嫠會創節孝祠移魁星閣邑嘗大水佐縣尹賑濟災黎浦邑土宜綿碧泉水宜染而民間不工織業特雇錫邑織手以教之江浦備徵錄

胡澤淵字鏡涵涇縣人舉人道光時任江浦教諭博學宏才爲一時重望召諸生月課示先正法程及詞賦源流一歸雅正士風丕振會辛卯大水檄委散賑染溼氣病足歸里其族弟沛澤字翥雲著有詩學淵涵寄槎詩集繼爲江浦訓導學識敏贍亦爲諸生矜式見江浦備徵錄

陸宗麟字銘軒太倉人道光戊子北闈舉人精時藝工楷法任江浦訓導十年循循善誘士風爲之一振捐廉倡修學署公私不擾咸豐戊午以疾致仕歸里江浦備徵錄

余錫齡字夢九銅山人恩貢生選授江浦教諭性純謹嗜學尤篤孝侍親病衣不解帶數旬不倦中歲絕意進取著書自娛尤好易嘗匯諸家說爲易解弟或夜分不歸錫齡必待其至始卧同治紀元郡人欲以孝廉方正舉錫齡力辭曰盛名難副諸君信我我未能自信也卒年五十七見徐州府志

孔繼鑠字宥函山東曲阜人道光丙申進士用刑部主事能文章好爲古歌詩改官南河同知以軍功得知府督師德興阿駐軍江浦召繼鑠至幕咸豐八年八月二十日營潰殉難　贈太僕寺卿廕一子入監讀書祀江浦昭忠祠江浦備徵

宣維祁以知府投効德都統浦口軍營咸豐八年八月二十日營潰殉難　贈太僕寺卿世襲雲騎尉入祀江浦昭忠祠江浦備徵錄

烏爾恭額滿洲人記名副都統圖薩泰巴圖魯咸豐八年隨德都統駐師浦口軍令森嚴秋毫無犯民咸懷德八月二十日賊犯大營衆退獨進率其部隊奮勇陷陣以身殉焉事聞奉　旨優卹入祀江浦昭忠祠江浦備徵錄

台斐音保滿洲人記名副都統雙城堡總管咸豐八年隨德都統進剿浦口屢立戰功八月二十日賊蜂擁叢進力抵小店隘口殺賊頗多身負重傷大呼入陣死之事聞　特旨優卹入祀昭忠祠江浦備徵錄

包定國字竹香清河人千總銜任河標蘆蕩營把總咸豐三年二

本頁原殘闕，現據南京圖書館藏《光緒續纂江寧府志》（光緒六年刻本，光緒七年初印本）補字。

月隨同游擊某率師赴援江甯道出浦口突與賊遇力戰陣亡江浦備徵錄

徐綸庚字少白高淳人以祖一范廕得雲騎尉世襲道光中由浦口營來爲江浦城守外委性情嫺雅有輕裘緩帶之風咸豐六年三月初十日賊大至綸庚誓與城亡持大刀獨守北門連斃數賊戰久力竭後無援師拔刃自刎　特旨優卹入祀江浦昭忠祠江浦備徵錄

卜鸞停河南夏邑縣舉人嘉慶中任六合縣多惠政民至今稱以卜青天道光六年調任高淳縣先是廖掄升曾任知縣重脩邑志以循吏稱俱見采訪

熊傳栗河南商城人道光年間由進士任六合縣培植士類勤理訟獄一時咸服其明采訪冊

雲茂琦字濬人廣東瓊州府文昌縣人道光丙戌進士己丑任六

合縣下車伊始興廢舉墜建　萬壽宫社稷壇先農廟以光鉅典皆撤佛老居改爲之民始知尊上重農矣六峰書院圮毁淫祠益拓其地捐廉爲紳富倡新堂廡給膏火每月吉課試召諸生雁立座側告以修己治人之方相與屏息敬聽者雍雍如也解橐金置賓興田佽助鄉會試卷燭費士多爭自淬厲以成學歲豐時勸捐萬餘金立集善堂周卹嫠婦並采訪貞節合例者詳旌送祠東城外向有種德堂施棺藥置義冢茂琦慮鋪戶客死累及店東增屋宇令有病者移居調治之由是訟端息而人亦知任卹矣辛亥癸巳大水詳請賑濟又出廉俸佐之邑人聞風慕義拯救甚多屯田隸六合者十六衛運戶疲累設法蘇之平時讞獄精勤遇案即結旋與民話家常事下情悉達命案則簡從往驗絕無牽累署內關防嚴密弊絕風清雖召父杜母諒不過如是也著有訓俗八則採

本錄實學考諸書宰治五載德流四境解任後權督糧江防同知升授武選司郎中旋補吏部稽勳司郎中兼文選司同治六年兩江總督曾奏

准入祀名宦祠光緒元年兩江總督劉奏

准將平生事蹟宣付史館附入循吏傳采訪册

朱恭壽字半塘海甯州人道光年間由舉人任六合縣存心慈愛治事和平尚禮法勤課士識拔者多獲雋去學校感奮有文翁教士風治邑九載囊橐蕭然邑人懷之采訪册

李守誠字亥生宜黃縣人道光己酉舉人咸豐六年由如臯縣調任六合縣爲人謙愼作事眞實有純儒氣象賊距金陵邑復苦旱斗米千錢民日聳懼守誠不動聲色與溫紹原悉心商辦戢豪強籌賑濟七年春飛蝗遍野率吏民捕之積十餘日昕夕不懈是歲蝗不爲災嗣以功保升同知直隸州

賞戴花翎八年九月

賊至城陷投典史署井殉節典史葉楙奎宛平人從守誠投井死采訪冊及宋灰集

朱儒秀字藺若蕭縣人嘉慶時由貢生任六合訓導植品通經以身率教士林感之徐州府志

瞿福田字心畬常州人道光己酉副貢任六合訓導平時自奉儉嗇供親饌極豐教生徒無異子弟二十九年大水災查賑胥吏不敢舞弊民受實惠咸豐三年二月粵逆撲省垣陷浦口知縣溫紹原延辦團練籌餉需乃密訪文武生員量才酌用諭紳富急公好義部署井然四月賊分股撲邑城親催西南兩團民勇隨官兵兜勦值神火滅賊殆盡先是大河以西多泊湖廣船羣疑賊諜定計火其船並殲其人福田飛馬查勘詢知良民不准妄戮後賊攻城果無一船助賊者六年賊復陷浦口難民入境適有放火搶奪之

事入益匈懼福田擒首惡一人斬之患卽靖咸服其膽以功擢安徽休甯縣采訪冊

王仞千睢甯廩貢生同治八年任六合教諭秉性方嚴行文古奥諸生晉謁時教以敦品讀書由性情發爲文章一洗時下陋習平時置麥飯召生徒暢談身心性命之學素愛菊階下自種數本高五六尺而花大如盤邑令聞而來觀大異之仞千笑指曰此菊如人材然只在培養留心耳何足異哉學宮燬於兵燹仞千逕詳省憲請重建事遂允年餘解任遠近爭送者數百人皆洒淚河干而別采訪冊

李作霖字雨生吉林漢軍人癸丑三月吉林馬隊分防六合督軍者檄行下縣事急如星火溫觀察時爲知縣知作霖以候補未入流隨辦糧臺與吉林將弁多故舊交用是倚之兵民得相安旣糧

臺移駐邵伯鎮觀察詳留作霖管帶水勇駐通江集以焚賊木簰功累保縣丞知縣加五品銜戴藍翎戊午八月賊逼城檄作霖入城司支放欣然受事遂及於難末灰集

羅玉斌宣化人官總兵受大帥令幫守六合小北門軍法甚嚴城陷所部三百人俱甚戰死又有守備王家幹俞承恩死事尤著王家幹字楨甫睢甯人由武舉官千總咸豐癸丑四月賊犯六合城守江都徐琳戰死江北大帥琦善檄家幹代之溫觀察令管帶徐州勇陳慶等五百人甲寅十月冒霧攻九洑州賊壘鐵礮重三百斤家幹挖而放之火發賊壘燬與都司秦懷揚大呼躍入賊遂潰丙辰秋討石鼓山土賊輕身出覘悍賊百餘人猝出撲之家幹以刀左右揮頭應手落賊駭奔我軍乘之勢瓦解累升都司銜戴花翎戊午八月禦賊於壺盧套賊少卻丁卯賊大至家幹出北門而

所部潰與勇目王學成宋玉成轉鬬至冶浦橋傷鎗俱斃於河陳慶以守城死俞承恩字子卿松江人貌如書生而矯捷便弓馬以武生從軍積功至千總時溫觀察方官知縣將弁奉大帥令者多相抗承恩獨能下之一日與營弁某互馳馬於觀察前某易承恩文弱驟馬掠過之膝相觸某墜馬踣不能起承恩從容下扶掖之以是益見親重馭衆寬而士爭用命戰輒有功累升守備都司銜戴花翎戊午春以克復江浦最出力　賞驍勇巴圖魯城陷遇害左右隊長千總朱金標陶澤亦死金標本邑武舉人也俱見未灰集

霍來宗號瑞堂四川巴縣進士嘉慶時任高淳縣呂太守燕昭纂修府志檄來宗蒐本邑掌故助編輯頗稱敏速僉謂朱紹文後來宗爲儒吏邑人陳克璋以孝稱孫泗能勸人爲善息訟端均獎勵

以維風化祛任十餘年嘗捐賑惠民境內稱慈父母焉道光三年秦頤齡權縣篆施濟平糶亦著賢聲采訪冊

許心源字湘嵐湖南甯鄉舉人道光八年任高淳縣興養立教次第舉行勸農桑勘蘆灘民用日饒戒溺女俾厚風俗禁茶館以警逸游創書院額曰學山規條嚴密士風丕振鄉闈五次分校甄拔名宿視篆十餘載解組後卽主講學山書院訓迪不倦人文蔚起與後任王檢心爲道義交采訪冊

王檢心字子涵一字惺齋河南內鄉人幼名立人道光五年鄉薦出桐城姚東之之門繼與倭文端李文清吳司寇竹如陳心一丁彥儔諸君子切劘風議益洞澈於天人內外體用之本在於吾心因改名曰檢心乙未大挑一等發江蘇以知縣用庚子到省試用其冬放粥上元檢心丑正詣廠槩米眎爨班男女徵吏役邦用不

增民患以溥嘗曰弊端安能淨惟勤查細訪庶有覺察耳夫冒濫之在災民可也胥吏中飽不可也至我漫不省録則大不可二十三年署句容縣二十四年署高淳縣徵治訟棍禁諸淫祀以高碗會高碗會者祭神裝菜必高一尺有餘積貲創建義學義倉各百餘所捐廉奉修邑南永濟橋經紀周詳可持以久二十七年調任儀徵縣洊升直隸候補道以徐州守城功　予花翎積勞乞假歸皖匪擾內鄉集練郤之加按察使銜生平究心理學而不爲迂闊難行之事同治八年卒箸有易經說約春秋本義孝經本義四書存真禮傳合鈔等二十餘種又刊姚伯山全集香峯文鈔以行世約采訪及墓誌

錢德承字慎庵浙江紹興人道光年任高淳縣始下車旱蝗督捕蝗捐廉奉收買蝻孽歲仍有秋先是嘉興錢汝恭於乾隆中年綰是邑符蝗不爲災稱循良吏縣人以德承比之次年水漲甚親身

救護各大圩日夜無眠故圩雖決父老猶頌德不衰采訪冊

向柏齡道光二十九年任高淳縣大水宣城圩民掘開東壩蘇常人具稟控告兼及高淳柏齡力辨民冤得雪先是道光二十六年謝邦鑑湖南進士任是縣其楹聯曰息訟非厭煩願爾相安於無事居官必執法毋使我欲救不能民至今稱之采訪冊

秦曾熙字小芝浙江會稽人任高淳縣邑有虛糧緣前明田没於湖攤税各畝積久多累同治八年曾熙履任詳請蠲免大府疊爲入告光緒四年援例准豁因刊刻豁免虛糧卷宗編爲令甲采訪冊

呂賢基字鶴田旌德人道光七年由拔貢任高淳教諭年富學博文筆鳴鳳邑侯許心源一見卽推爲翰苑才在署時侍養封公極盡誠敬有時盛怒命跪不敢起厮僕環跪代求既起則侍立服勞必博親歡而後已清晨坐讀至晚不釋卷教諸生勤學敦行不苟

責贄見之禮許心源興建書院賢基與有勞焉丙午丁未聯捷成進士請假回里過高淳謙遜無驕色由編修官臺諫伉直敢言先後疏陳各省加派勒捐濫支軍餉辦賑遲延等弊皆議行三十年正月應 詔陳言疏陳懋 聖學正人心育人才卹民隱並請停江浙捐米例遷鴻臚寺卿咸豐元年擢工部左侍郎任浙江正考官三年正月 命赴安徽會辦團練防勦事宜賢基抵宿州激勸忠義進駐六安時髮逆東趨分股犯集賢關十月桐城陷舒城告急賢基率勇馳駐舒城誓死守賊大股抵城下賢基登陴力禦未幾城陷力竭死之門人夏錦榮等聞信設位痛哭蓋淯邑之被澤深也先是嘉慶時教諭孟貞純植品通經以身率教貞純蕭縣人繼則潘紹恩楊瓊林孫上楨亦皆品學兼優士林感德采訪冊及安徽通志

徐邦彥字孟花大興附貢生候選縣丞道光十八年補高淳典史奉公守法不敢擅受民詞暇時臨橅古帖書法秀勁咸豐九年奉提督鄭魁士札委監造礮船兼辦團練事務十年三月二十三日奉縣令帶領練勇守禦擊賊眾寡不敵登時殉難妻吳氏在唐昌鄉投水自盡采訪冊

德麟滿洲人武進士花翎參將統帶福建桐山營兵駐紮東壩南岸營中供設祖考父母牌位朝夕上食見者共稱其孝咸豐四年七月二十四日賊匪入境率兵迎戰兵潰有步卒痛哭牽令退麟怒叱之去策馬衝賊隊死之未戰時麟先驅民船遠避敗後賊無由東竄蘇常麟之力也隨麟殉難者營官芮大茂幫帶曾廷舉傳號王光林又駐防東壩北岸花翎參將統帶三江協標福賡與副營官柳鳴鵾提標營官姚子陵亦同時陣亡采訪冊

匡興仁管帶奇勇花翎都司銜駐紮東壩北岸咸豐十年三月賊匪入境迎戰陣亾又駐紮東壩南岸守備銜賞䤨千總方星元管帶彪勇同時力戰死之採訪冊

甘紹盤字玉亭桐城人少學於其鄉人方東樹咸豐中辟胡文忠幕府金陵既復敘功得知縣光緒初元部選金山未之任歷署興化江甯崇明緣事罷官六年卒於江甯寓舍其攝江甯也勤求民隱時方大徵紹盤以地方瘡痍未復荒廢尚多獨持量減糧價以紓民困之議其後　奏減三成卒邀　恩俞紹盤實開其先也縣志自袁枚修後中更兵燹百年文獻曠焉鮮徵紹盤銳志興舉與知上元莫祥芝謀共修之上江之有合志自此始又捐奉創寘頤壽堂養邑中耆老貧而無依者立甘棠文舍課童子之孤寒嚮學者士民至今感之

終

續纂江甯府志卷十四之二

上元朱桂模
江甯陳作霖　分纂

人物先正一

昔侍胡文忠公論士先志公言此第二義必先有質此繪事後素之義李希庵續宜曰亦須有位卦之六爻曾文正公曰尤須得時卦之時嗚乎三賢之言備矣然此關天命非人所能自主也所能執守者志爾志鐘鼎志山林有別志鐘鼎者文章事功又有別士以性之近者自勉焉固不計夫時命之外至何如也郡之賢者其德位時兼隆者才六七公而優於此絀於彼者常倍蓰是可慨也

董教增父以學孫宗遠子斯壽等　方維甸從弟受疇

葉世倬　朱桂楨

鄧廷楨伯高祖熯父巨源高祖熺子爾恆　何汝霖

董教增字益其一字觀橋上元人父以學字敏脩安貧厲節殖學

工文其兄習賈以折閲破訟親命以學代質入獄日讀易典史某感從受業知縣藍應襲重之爲解其事妻郁暴卒應襲贈以婢奩具頗厚謝郤之尋以歲貢選贛榆訓導薦與武英殿脩書教增少敏悟年十九補諸生爲少詹錢大昕所器重解釋漢書數十事大昕擷入史考異中乾隆四十五年

純皇帝南巡教增獻詩賦　欽賜內閣中書五十二年成進士　廷試一甲第三名授翰林院編脩嚴正自守大學士和珅欲招致之不往散館改吏部主事累擢至郎中掌文選司印吏部則例繁擾人不能記憶教增引某事在某條某條在某冊嫻熟精當猾吏莫能舞其文嘉慶四年用薦發往四川以道員用尋署鹽茶道事就升按察使値川匪餘孽竄渡嘉陵江民避難至成都議者謂流民入城易雜奸宄將閉城毋聽入教增曰成都民吾赤子也

川西民獨非吾赤子乎急入焉而日與諸僚分城巡緝流民數萬皆獲生卒無他患峩肩猓夷滋事貪功者請進勦教增曰兵凶戰危不可妄用密遣幹吏往偵之釐剔夷民滋事者六人漢民搆釁激變者十一人奏論如法餘無所誅調貴州按察使轉四川布政使以川俗華侈力矯其弊每公宴戒不用優伶會總督以春酒召教增至門已通刺矣聞音樂聲即返去總督爲之撤樂乃復至飲盡歡風尚爲一變尋擢安徽巡撫教增知其民訟多無實又徽州伴儅甯國世僕頻年相告訐屈鬱者衆乃奏請嚴杜妄訟凡世僕出戶已及百年雖有據亦與開釋　上善之命纂入則例由是被訐之戶得還爲良家者千百而爭訟之習爲之頓清調陝西巡撫陝自嘉慶紀元以來數經寇亂民氣彫殘教增既至脩棧道徹官書弛榆林采塩之禁併鳳翔鹽課於地丁壹意撫民四五年

閒秦中大治初教增在安徽馭下頗嚴至陝乃更行寬大人皆知其因地制宜寬猛相濟如此也再署陝甘總督旋調廣東巡撫當是時河南有滑縣之亂陝西提督楊遇春率師往勦教增自蘭州啟行密奏滑賊在圍勢已窮蹙而南山老林安定未久恐因勢煽動請飭回遇春於陝西奏甫入而遇春已奉　命赴陝　神算忠謀若合符契聞者以爲奇廣東自海寇張保就撫之後諸降人桀驁爲民害教增既莅任懲治甚力然不肯妄殺人數年授閩浙總督會匪洋盜所至肅清而福清武生林彌高抗糧數十年羽翼密布吏莫敢誰何教增禽至立誅之奸黨遂散奏入　上甚嘉焉督閩數年嘗署浙江巡撫兩浙鹽政及督關織造關防一時兼綰五印人以爲榮道光初以疾乞休歸未幾薨於上元里第年七十有三　優詔悼閔　賜祭葬如制謚文恪

教增量宏識果當官不阿在督撫中最有名嘗謂人不可作無益事不可爲無益語不可用無益錢又云刻於己爲儉刻於人爲刻人知儉與刻之分其於涉世也過半矣當時以爲名言没後入祀鄉賢祠子斯壽斯福斯廣斯壽字松門工詩詞善書畫好遊喜飲以蔭爲員外郎斯福官至江西建昌知府斯壽子宗遠字瀛洲性和厚以蔭累官至給事中道光中海氛起疏劾兩江總督牛鑑怯懦且力斥和議之非尋出爲湖北糧道引疾歸卒於家采先正事略因寄軒集及縣志

方維甸字南耦號葆巖先世自桐城遷江甯祖式濟字沃源以江甯諸生舉於鄉旋成進士官內閣中書宗禍作自知不免則多方以脫族人遣戍卜魁獨處一土室羅諸經譔說之日事吟詠著有陸塘初稿出關詩飛沙紀略五經一得父觀承官至直隸總督事見

前志維甸方四歲時
高宗幸保定閱觀承有子召見之跪拜奏對如禮
高宗解荷囊賜之並進見
皇太后賞以食物觀承卒侍生母吳歸江甯遭遇外侮而勤學不
懈年十八補縣學生奉　召至京　賜舉人內閣中書
軍機處行走乾隆四十五年成進士授吏部主事隨征臺灣林爽
文軍還　賞花翎遷御史充廣西鄉試正考官廓爾喀作亂
西陲從福郡王征之至打箭爐有丹達山者雪與山平不辨途路
維甸竭誠禱神見一犬引路導者隨之始得徑時軍中乏糧取草
子舂以爲食而維甸籌軍實傳諭諸部落仍晝夜不懈軍還
高宗嘉歎曰方觀承宜有此子爲朕出力超擢通政使轉副都御
史充順天鄉試副考官以事降員外郎分校會試擢內閣學士隨

平廣西教匪出爲山東按察使歷河南陝西布政使遷山西巡撫擢浙閩總督時海中多盜維甸至首厲開洋之禁躬督將士勦巢酋蔡大麻等斬之餘黨朱渥蔡小仁陳贇爭乞降事平以母老乞養歸嘉慶十九年江甯大旱倡捐散振復議優卹士族謂儒流子孫非齊民比厚之則人知勸勉正所以勵之也由是食其惠者甚衆及丁母憂以毀薨於家 予謚勤襄子傳穆嘉慶十五年舉人 賜進士由編脩官至福建道員維甸從弟受疇字次耘號來青秀水知縣觀本子也幼隨世父觀承於直隸以貲爲兩淮鹽大使總督高文良公器之謂僚屬曰此我輩人也轉浙江蕭山知縣以績著累遷至直隸清河道緣事鐫級復授通永道洊升浙江巡撫調河南道出沂州聞睢工河溢山東曹縣教民倡亂卽奏請暫停河工專力勦賊事平復會南河總督堵塞決河合龍廑

八十日其時河南兵後時疫流行道殣相望受疇籌辦善後蠲振事宜日不暇給凡所設施一以世父爲準尋進直隸總督部民向懷觀承遺愛聞其來皆喜道光元年加太子少保以積勞致病乞假歸至沛上薨采詩匯文徽縣志

葉世倬字子雲上元人乾隆三十九年舉於鄉充四庫館謄錄議敘得知縣籤分四川初試長甯縣事卽有政聲以卓異升浙江嘉興府同知母憂歸服闋選授湖北德安府同知興修岳家口河工盛暑寢處隄上刻日蕆事卽今所稱葉公隄是也嘉慶初遷陝西西安府同知時教匪猖獗來往陝境世倬晝理軍需夜籌民事且倡文教以消邪慝政績爲關中最軍事旣平就撫者衆大府欲興屯田之法檄世倬勘咸陽興平荒地世倬上議曰古人屯田乃度閒曠之地令兵開墾不毀民田卽築室其側類聚而居與平民劃

分畛域今地少不能徧給投誠之衆野性難馴豈能安於畎畝且兵民雜處易起爭端恐非計也事遂寢會陝西大饑巡撫方勤襄公遵其父恪敏公所輯賑紀酌行之檄世倬督其事時稱得人歷署鳳翔同州府事擢補興安知府檄各屬編察保甲曰府稱知府縣稱知縣若不行保甲而能知者吾不信也刊有保甲說一卷見漢江之水屢爲境患脩萬春隄以障之闢南書院久廢不講爲定條約延名師士氣以振漢南土潤宜桑而民不知蠶導以縑帛之利織者比戶名其綢曰葉公紬未幾郡中旱災請帑金十餘萬兩上官以其多難之世倬以去就爭乃許既查明戶口揭示通衢某戶振幾口某口振若干吏胥無所影射上官嘉之曰是可爲散振法俸滿升福建延建邵道就權按察使調臺灣道上治臺六議一官宜久任二嚴行保甲三招來生番四募兵本地五籌補積儲六

分設船廠又有擬開水沙連地議蓋其地逼近內山止通一路周約百里北界彰化南界嘉義爲生番獵牧之所昔有人以利誘之遂得開墾成田數千頃繼欲盡攘其地因而生事官遂驅逐封禁失業者多爲盜捕亟則仍往藏匿或私通偷墾世倬欲明收其地定限升科使番民兩利以遷江西按察使去不果行旋授山西布政使晉福建巡撫兼署總督以老疾致仕歸寓寶應數月薨年七十有二世倬生平力學宗守程朱天性純篤奔母喪號慟辟踊晝夜行風浪中比至喉不能出聲者帀月燕居與羣季諸子循循遵禮法有萬石君之風服官四十年故里無一椽之置而甲戌旱災己卯重建府學捐千數百金里人稱之著有退思堂集沒後入祀鄉賢祠（采葉氏家乘及健庵中丞年譜）

朱桂楨字幹臣號樸庵上元人幼不好弄容止肅然居大父清河

道署中歲時演劇獨閉戶讀書不出乾隆三十年江甯大饑白於大父請毀產救鄉里大父喜甚從之五十三年舉順天鄉試即虔置舉子業究心古名臣言行及宋儒言性理諸書曰吾他日待用而始求之恐已遲矣嘉慶四年成進士由吏部主事累遷至郎中擢山東道監察御史出知貴州鎮遠府鎮遠苗民雜處素不知織乃招他郡織婦爲之設局教以紡績之法鎮遠之有苗布自此始會歲屢荒民將流莩思惟速振乃有濟盡出庫藏不待報行之事竣攜印謁大府請罪民聞之惘然曰吾儕囑太守虜以自活於心安乎誓俟秋成釀金還庫款無角尖耗苗俗惑怪魅鎮江寺木龍爲祟嘗溺殺人桂楨叱鋸之血出害遂除時久旱忽雨民相慶曰吾太守斬龍雨也黃平州盜發告變單騎入其境呼父老縛其魁出不戮一人而事定興義苗鬭大府已勒兵桂楨曰苗爲民欺忿

闞耳願以身保萬衆使開諭果帖服居數年擢陝西潼商道轉浙江按察使親行海道勘南田禁山欲爲久遠策招民開墾事不果行遷甘肅布政使甘肅土瘠民貧而會甯安定兩縣尤苦無水桂楨飭二縣掘井以供民飲凡開五百餘泉民大便之尋調山東布政使擢山西巡撫丁父憂服闋還朝署禮部右侍郎轉倉場總督出爲漕運總督漕運爲國家倉儲首務歷二百年吏丁窟穴其中爲奸利桂楨曲計諸弊所由始自收徵兌運閘壩倉胥諸賓皆潛察而嚴窒之故廉入而用裕轉運以時無舩滯遷廣東巡撫凡兩攝總督事廣東風俗奢靡香山東莞多悍族跋扈桂楨示以恩信有法必行紅夷求於澳門築棧屯貨堅執不許英酋盼師攜婦至城中夷館潛入軍械以自衞又侵占馬頭界勢甚桀驁桂楨親往毀其館收其械定其界無敢抗者由是西洋諸國皆讋服惠

潮民喜械鬬屢興重獄桂楨痛懲之飭吏事自無寃濫始每秋審録囚平反尤衆道光十三年以疾乞休歸百姓送者空一城或繪象以祀桂楨每任一官必有數事卓卓在人口其爲治以敎化爲主内不可動以欲外不可屈以勢所餘廉俸去時必留備荒歉自奉極儉薄爲宴人所不堪居家六年自號覺脩日與鄉里學者考論行誼與人交專以道義相切劘十九年十一月薨於里第年七十有三　優詔褒閔照總督例　賜邮　予謚莊恪所撰有詩文集若干卷同治七年奉　旨入祀鄉賢祠采行述及先正事略

鄧廷楨字維周號嶰筠江甯人六世祖旭字元昭由壽州遷金陵卜居城南之萬竹園詩人所謂壽陽太史也伯高祖瑛字五至由貢生官至工部主事於書史靡不研究高祖煊字六御由貢生官

貴池訓導遷雲南臨安府經歷署甯州事政通人和以勞卒官著有青嶰堂集曾祖重祖鑛皆諸生父巨源字崑發少有孝行侍父疾三年抑搔扶持不敢委童僕旣補諸生益務敦睦戚鄙中孤貧老疾者月助錢米有差廷楨以諸生舉嘉慶三年鄉試明年成進士授編脩屢充會試及順天鄉試同考官出知浙江甯波府母憂服闋補陝西延安知府歷榆林調西安治獄明決漢中營卒鄭魁坐置砒饝中殺人論死獄具廷楨疑之乃密呼賣饝者前曰汝賣饝日幾何曰二三百枚曰一人約買幾何曰三四枚然則汝日閱百餘人矣曰然百餘人形狀名姓日月汝皆識耶曰不能然則汝何以獨識鄭魁其人愕然固問之曰我不知也縣役來告曰官訊殺人者已服惟少一賣饝者汝盍爲之證訊左驗亦言爲役所使如前言惟賣砒者爲眞蓋死者與魁嘗有違言以瘈犬噬死其胥

青而魁買砒實以毒鼠也又有同州斄者以事出其繼子子無所歸訟至府廷楨陽怒曰此逆子也當杖死繫柱礎下故久治他事而潛令人以茶餅給其子子奉母母怒不食奉其叔叔食之至日昃廷楨度其母見子傫然繫庭中時時顧日影待斃也意且悔乃密呼其叔曰汝嫂癡人耳試以我意語之汝撫六歲兒至娶婦勞苦甚矣顧信族人言有好兒子將爲汝嗣汝幼而撫者不能子顧能子長兒乎彼利汝財而嗣汝顧能孝養汝乎汝死財與子皆族人有也汝何利必欲出子者明日官爲汝杖決無難也其叔叩頭去明日母子來泣謝不復言出子事由是譽流京師道光二年超擢湖北按察使權布政使請免田入江而稅銀在民者十餘萬兩遷江西布政使權巡撫事以前在西安失察屬吏事免歸旋起爲直隸通永道轉陜西布政使權巡撫事六年擢安徽巡撫自嘉慶

時皖中多大獄信臣覆案官吏多得罪而獄歷久愈疑鳳頴俗尤悍常以兵定變廷楨至又值水災乃親乘舟振䘏尤精察吏所任皆得人悍民畏威餘亦不敢幻訟在安徽十年俗乃大和十五年遷兩廣總督時方議鴉片煙禁廷楨奏言法行豪貴則小民易從令嚴中土則夷貨自絀

宣宗韙其言未幾林文忠公復以　欽差大臣至廣東英夷遂輸煙入官甚悔罪已而中變以兵船回泊尖沙觜進至穿鼻廷楨飭將士迎擊六戰皆捷訖廷楨任內夷終不得入虎門旣文忠改督兩廣而兩廣外夷易犯者莫如閩故改廷楨總督兩江及雲貴皆未行而遂調浙閩二十年四月夷船泊穿山洋及梅嶺廈門擊之皆走援定海至清風嶺得　旨卻回蓋是時夷方鋭欲入閩而閩之海防地道多兵力散廷楨往來泉州廈門署行星征籌應

捷出晝吏夜牘且詢且披無一夕得安寢尋坐前在兩廣兵吏捕煙黨不力奪職戍伊犂二十三年　召回起爲甘肅布政使權陝甘總督番賊擾蒙古游牧遣兵邀擊於硫磺溝奪還馬牛羊以萬計二十五年再授陝西巡撫以積勞致疾二十六年三月薨年七十有二得　旨軫悼　賜祭葬如典廷楨機神高朗外容異量而制行內嚴遇事不求奇功而深慮禍自侍從至封疆四十年屢起屢躓無幾微得失意見於顏狀有及見其年少者皆曰如諸生時遇學人文士薦寵講論不倦於詩及古音韻學所得尤深至世俗好尚一不綴意及爲大吏尤嚴束僕從無妄索嘗閱兵當塗或問知縣曰廚傳費幾何曰二十千聞者以爲難子爾恆字子久道光十二年舉於鄉明年成進士由編脩出知雲南曲靖府咸豐初尋甸州回民馬二花聚徒剽掠官不敢詰爾恆攝

迤東道下令曰漢回皆　朝廷赤子回民黠悍甚於漢民然皆工賈爲生其賄屬胥吏交通官長亦不能如漢民之便易夫剽劫大奸也抗官重科也馬二花暨某某者始禍之魁不可赦餘悉予以自新有能縛馬二花暨某某獻者依軍功論賞令下回衆感泣遂散去爾恆以健卒數十人馳捕馬二花等寘諸法尋甸平五年彌勒縣奸民米某作亂六年海口回民戕官據城皆討平之七年大理回酋杜文秀等揭竿起爾恆請依前總督林文忠公治永昌盜故事勦撫兼行乃武人欲專兵柄謂可盡殲卒無功而勢寖驕不可制比巡撫徐某至知爾恆清正屈意傾接爾恆終不少委蛇累遷至雲南布政使徐某欲使其弄兒爲知縣爾恆不許又欲奪一人妻爲妾夜召其夫至使賊殺之於巡撫署旁爾恆飭昆明知縣急捕賊以是積忤徐某尋擢陝西巡撫既受代由東路赴陝將盡

發徐某諸罪狀疏已具行至曲靖副將何有保率其黨劉達武等百餘人追至突入請謁遂遇害身受二十七創事聞　賜祭一壇予謚文慤建專祠廕子騎都尉世職後數年同縣潘鐸總督雲貴乃戮何有保戶而磔劉達武於市爾恆弟爾頤山西絳州知州爾咸安徽候補知縣爾晉事在忠義傳爾巽貴州貴東道捍勇巴圖魯採梅曾亮所撰墓志先正事略及縣志

何汝霖字雨人一字潤之江甯人曾祖祥生祖世榮父天錫世有隱德汝霖少好學爲諸生日有名充嘉慶癸酉拔貢考取七品小京官分工部舉道光五年順天鄉試再試禮部不第遂補都水司主事充軍機章京洊歷員外郎郎中論俸截取知府復試御史皆記名　特旨改京堂擢內閣侍讀學士歷太常寺少卿轉大理寺少卿例應出直留爲軍機大臣再遷宗人府府丞左副都

御史與道光二十二年元旦　正大光明殿　賜宴明年計
典有何汝霖夙夜在公勤勞備至之　諭進兵部侍郎調戶
部管錢法堂尋升兵部尚書年甫六十　賜紫禁城騎馬奏
事　給扶凡直軍機處幾四十年其訏謨扆告皆造膝密勿
雖其家人莫得而聞也屢奉使勘東南兩河以及振災讞獄必不
苟焉負　朝命之重顧所以盡乃職者終未嘗自言其簡淡踆晦
有非常人所能及者未幾丁母憂歸適江甯大水首捐白金二千
兩爲衆倡先是兩江總督安化陶文毅爲民食計創立江甯豐備
倉以備荒至是總督陸建瀛持穀價六千緡欲抵知縣某虧汝霖
力爭不得則謂之曰頭奉　旨命汝霖與君會辦振務倉穀
本以備凶今歉象若此汝霖不敢欺　朝廷當各爲奏上建瀛懍
不敢抗乃取以給用振局既設分遣官紳親歷災區計口授食或

移舟聚就入或給見錢代米九月後兼施綿衣全活甚衆服闋入都以一品銜署禮部左侍郎旋署戶部尚書三十年正月受

宣宗顧命

文宗御極

補禮部尚書屢以年高乞休不許咸豐二年十一月薨年七十有二其遺疏有云恭儉以立裕國之本勞謙以廣納諫之基慎號令以免叢脞之虞明賞罰以一軍民之志奏入　上震悼

命恭親王奠醊輔國公奕湘致祭　贈太子太保銜

予諡恪慎同治十一年奉　旨入祀鄉賢祠（采宗稷辰所撰墓志及鄉賢事實端木埰粉槃錄）

論曰世皆言江南人體質柔脆性耽安逸且沿六朝積習夷簡不復事事類無高掌遠蹠之才若數公者庶幾一雪斯言乎文恪勤

襄海疆番續奉公潔己威惠兼施集公治臺量深識遠招生番募士兵二議尤烈於今莊恪撫廣清介有爲機牙甫萌消患無迹鄧公繼爲總制獨以身犯大難之衝雖功業未遂而與林文忠比烈矣恪慎温温謚稱其行樞廷贊化實宇昇平所謂勳在天下者非耶豐功盛業國史書之而復詳郡乘者亦襄陽耆舊魯國先賢之例也